William L. Furlong

Evolución de la Democracia Costarricense

Partidos Políticos y Campañas Electorales (1982-2006)

EDITORIAL
UCR

324.272.86
F985e   Furlong, William L.
            Evolución de la democracia costarricense : partidos políti-
        cos y campañas electorales (1982-2006). – 1. ed. – San José,
        C. R. : Editorial UCR, 2008.
            xxvii, 309 p.

            ISBN–978-9968-46-033-0

            1. PARTIDOS POLÍTICOS – COSTA RICA, 2. ELEC-
        CIONES – COSTA RICA, 3. CAMPAÑA ELECTORAL, 4.
        DEMOCRACIA. I. Título.

        CIP/1697
        CC/SIBDI.UCR

Edición aprobada por la Comisión Editorial de la Universidad de Costa Rica

Primera edición: 2008

Diseño de portada: *Sergio Aguilar Mora*
Fotografía de portada: *Aportada por Mario Zeledón Cambronero*
Traducción y revisión filológica: *Mario Zeledón Cambronero*

Tabla de contenidos

Travesía personal   vii

Introducción   xxi

I   El concepto de democracia y la evolución del sistema
     político   1

II   El proceso electoral y las elecciones de 1986   43

III   Atrapados entre dos mundos   67

IV   El éxito de la oposición: las elecciones de 1990   107

V   David y Goliat: relaciones entre EE. UU. y Costa Rica en
     el período de la Posguerra Fría   133

VI   La democracia costarricense: desarrollo continuo a pesar
     de ambigüedades e impedimentos (el proceso electoral
     de 1994)   157

VII   Política costarricense en transición: elecciones de 1998 . .   183

VIII Diagnóstico de las elecciones del 2002: ¿El comienzo
     del final?   215

IX   Análisis y conclusiones   255

Epílogo. Las elecciones del 2006   273

Bibliografía   287

Acerca del autor   303

Travesía personal

Fue en las escaleras del lado este de la Facultad de Ciencias Sociales de la Universidad de Costa Rica donde nos encontramos casualmente, de seguro venía de la Escuela de Ciencias Políticas, en el quinto piso, y yo también me encaminaba para ese nivel, pues ahí se ubicaban las oficinas de la Escuela de Ciencias de la Comunicación Colectiva; si no recuerdo mal, nos saludamos informalmente y empezamos a platicar en las escaleras, seguramente a partir de alguna de las ocurrencias que a menudo suelto para motivar la conversación con las personas que me encuentro. A mi me sorprendía encontrarlo con regular frecuencia en los pasillos de nuestra facultad, por su espigado aire de estadounidense, que desconcertaba por el dominio no frecuente de nuestro español costarricense, seguramente sedimento de su inicial estadía juvenil en Argentina y de sus años en Perú y en otras regiones de nuestra América. Así trabamos amistad el Dr. William L. Furlong y yo. Nuestra casual conversación permitió empezar una amistad que se ha remontado y remozado a lo largo de estos años, a pesar de nuestras acentuadas diferencias ideológicas, sobre todo en aquellos turbulentos años de conflictos sociopolíticos provocados por el gran vecino del norte y nuestra situación dependiente.

Lo que más me sorprendió de mi amigo Bill es su especial dedicación y cariño hacia nuestro subcontinente, en particular hacia esta cintura caribeña y, sobre todo, hacia nuestro país, donde se ha tornado en "el experto" en los procesos electorales de los últimos veinticinco años. Pero no solo en lo político (como se verá en las páginas que siguen), sino también en los diferentes aspectos de la vida, que marcan nuestra manera de ser y de actuar en política. Quizás porque durante este cuarto de siglo no ha dejado de visitarnos, de "sentir" el paso del tiempo y de los hechos en nuestro terruño, y eso explica por qué me lo encontraba con cierta frecuencia recurrente en los pasillos universitarios. Y difícilmente se encontraba solo, porque ha cultivado una cantidad respetable de amistades en nuestro claustro, en particular de historiadores y geógrafos (en la época formaban parte de la misma escuela), con los cuales trabajó como docente y desarrolló muchos proyectos conjuntos. Tramitó el primer convenio de colaboración entre nuestra Universidad de Costa Rica y la Universidad Estatal de Utah, circunstancia que permitió que muchos de nuestros colegas disfrutaran de períodos como profesores invitados en la ciudad de Logan, donde se asienta su Universidad. Yo tuve ocasión de disfrutar de esas becas de intercambio, y he visitado en múltiples ocasiones ese centro de estudios, donde he podido trabajar con muchísimas comodidad, en particular escudriñando la biblioteca y fotocopiando todo lo posible. El Dr. Furlong buscó fondos gubernamentales y organizó un programa más completo, que permitió que muchos de nuestros docentes disfrutaran de estadías cortas en su universidad, entre ellos colegas de la Escuela de Trabajo Social, de Historia, de Geografía, de Ciencias Políticas. Recuerdo haberme encontrado allá con algunos de los historiadores que aprovecharon esa oportunidad. Pero con ese convenio no solo nos beneficiamos los profesores, una de nuestras estudiantes de la Escuela de Ciencias de la Comunicación Colectiva lo aprovechó, continuó sus estudios allá y obtuvo, primero, una Maestría en Ciencias Políticas y, posteriormente, un Doctorado, y actualmente forma parte del claustro de la USU. Es la Dra. Lucy Delgadillo Corrales.

En sus visitas al país, Bill a menudo viaja con una caja adicional, es la caja de los libros, predominantemente de Ciencias Políticas, que deja en la Biblioteca Eugenio Fonseca Tortós, para uso de nuestros estudiantes, pues siempre ha insistido en que es muy difícil para ellos conseguir bibliografía actualizada en idioma inglés, por la distancia y por el costo de los textos.

Este libro ha tenido un parto pleno de incidentes. Lo preparamos para que se publicara poco antes de las elecciones del 2002, pero hubo de pasar muchos avatares antes de su confirmación en la cadena de producción de la Editorial de la Universidad de Costa Rica. En primer lugar, algunos capítulos sufrieron los devaneos de una traducción que compartimos mi asistente de entonces, la Bachiller Fanny Serrano González y yo. Nuestra especial gratitud por las horas de sacrificio que implicó este trabajo para ella. Asimismo, un agradecimiento muy especial para la Lic. Sonia Vargas Cordero, quien tuvo a su cargo un trabajo de paciencia y esfuerzo con la revisión de la versión final de cada capítulo, los cuadros y las ilustraciones, así como con la bibliografía. Tenemos una deuda muy grande con esas dos colegas por su sacrificio y entrega. Este libro requirió de esfuerzos realmente benedictinos, pues nuestra formación no es en Ciencias Políticas, no conocía su lenguaje especializado y, por consiguiente, mi dominio del idioma inglés no coincidía con la empresa. Estas circunstancias dificultaron mucho la traducción, además de que los giros del español costarricense con frecuencia chocaban (¡o coincidían!) con las variantes del "spanglish" a que nos tienen habituados los medios –sobre todo electrónicos– de difusión social, en cuyas trampas caí en algunas ocasiones, aunque siempre insistí en la variante que me parecía más apropiada para nuestro idioma (por lo cual, en algunos casos, ¡quizás hasta podrían acusarme de ultracorrección!). Eso hizo necesario releer muchas veces los capítulos, para darles la forma más apropiada, de acuerdo con las normas del español, en su versión costarricense. En segundo lugar, el libro trata sobre ciencia política, no sobre historia ni sobre sociología, aunque los límites de nuestras ciencias humanas a menudo se yuxtapongan... Esta circunstancia obligó a precisar algunas de las observaciones históricas que se hicieron a la primera versión del texto brindada a la Editorial. Luego vino la última revisión, para la entrega final a la editorial, la cual requirió modificar algunas partes y agregar nueva información en otras, así como evaluar también el último proceso eleccionario posible en esas circunstancias (pensamos nosotros), es decir, los comicios que le dieron el triunfo, en segunda vuelta, al Dr. Abel Pacheco de la Espriella y al Partido Unidad Social Cristiana. Dichosamente, fue posible hacer un poco más, pues el libro se completó a última hora con un epílogo que trata sobre la elección presidencial del Dr. Oscar Arias Sánchez, pero, en cierta medida perdimos la carrera contra los tiempos, razón por la cual el texto tiene hoy un tono más "histórico" que de actualidad, como era nuestra pretensión original. Por supuesto, esta impresión se desdibuja con la inclusión del análisis de los dos últimos procesos electorales costarricenses (2002 y 2006), pues estos representan el cierre de un círculo, un verdadero hito en la historia política del país, dado que el Dr. Oscar Arias Sánchez y su Partido Liberación Nacional lograron la apretada victoria, en febrero pasado, luego de una reñidísima campaña electoral y de un final de fotografía, frente a su antiguo ministro, el también Dr. Ottón Solís Fallas, y su Partido de Acción Ciudadana.

Como se verá, en este libro hay una visión más comprensiva de la "cuestión política" costarricense, circunstancia que permite ofrecer explicaciones más bien integradoras de nuestros asuntos políticos.

Este libro es un voto de amor por esta patria, por nuestra lengua, por nuestra identidad, por nuestra cultura. Es un homenaje a nuestros ciudadanos y ciudadanas, que con su continuado esfuerzo y trabajo han construido la sociedad que tenemos, pero también es un sentido y franco homenaje a la amistad, del Dr. Furlong hacia nuestro país, hacia los muchos colegas que gozan de su amistad, pero también entre dos colegas que se cruzaron casualmente en un vericueto de sus historias personales.

Es, asimismo, una buena radiografía de nuestra "cosa política", de su evolución en 25 años. Ausencia de democracia social, el problema fundamental, pues muestra los devaneos de la justicia distributiva. Tema de fondo: desde 1998, los abstencionistas vienen ganando las elecciones cada vez con mayor cantidad de votos. Muestra, asimismo, el problema de la legitimidad de gobiernos con apabullante minoría de ciudadanos a su favor, incapaces de articular una propuesta de gobierno coherente y propositiva, en beneficio de todos los costarricenses.

Este libro es un inventario pormenorizado de nuestra flora y fauna electorales y de las muchísimas promesas y decisiones erradas que han adoptado nuestros políticos en los últimos cinco lustros. Es un reproche para nuestra clase política y para todos nosotros, los electores, que durante seis administraciones no hemos sabido escoger a los más capaces ni a los más idóneos para asumir las riendas de este país (¿quién propone a los candidatos?). Y cómo los electores hemos vuelto a creer en ellos una y otra vez, y hemos continuado votando por sus papeletas cada cuatrienio. Y ahí se puntualizan cuáles han sido las fallas y quiénes han fracasado como políticos. Cómo, en cada elección, despilfarramos miles de millones de colones para que lleguen a los poderes de la república políticos comprometidos con intereses económicos cada vez más alejados de los sectores populares, de las clases medias, de las mayorías, del futuro de los y las costarricenses que vendrán... Veinticinco años de servirse en bandeja, sin pudor alguno, los poderes de la república en su propio beneficio material. Eso es lo que veremos en este libro. Pero también veremos cómo crece la oposición, cómo los y las costarricenses intentan hacer frente a semejante estado de cosas. Porque han sido siete procesos electorales donde se ha manifestado la dignidad frente a la prepotente maquinaria electoral y mediática que también nos "exprime" en cada contienda (con sus multimillonarias utilidades por la propaganda electoral). Los costarricenses hemos respondido de diferentes maneras a esta "involución", o bien votando por partidos emergentes, o bien formando parte de los "nihilistas", por necesidad o por convicción, de aquellos que se han abstenido de participar en la machacona, cansina e irresponsable "fiesta" electoral (abstención económica, política o "técnica", como explicaba un diario hace pocos días).

El primer capítulo estudia la democracia y la manera como se concreta en Costa Rica entre 1982 y 1986. Se puntualizan los parámetros que emplea la ciencia política para definir la democracia y cómo calza en ellos el sistema político costarricense. Se ofrece, al mismo tiempo, una evaluación de la administración de Luis Alberto Monge Álvarez y de la campaña de desprestigio del PUSC en contra el PLN, por supuesta corrupción.

En el segundo capítulo se explica el funcionamiento del Tribunal Supremos de Elecciones (conquista histórica de los y las costarricenses) y se analiza el proceso electoral de 1986, la primera victoria de Oscar Arias Sánchez y los problemas que debió enfrentar su administración.

El tercer capítulo trata sobre los conflictos de geopolítica entre Nicaragua y Costa Rica, a propósito de la llegada de los sandinistas al poder en la república hermana. Se habla acerca de la Proclama sobre la Neutralidad Perpetua y No Armada, de Luis Alberto Monge Álvarez, mientras este mandatario permitía la construcción de un aeropuerto clandestino en el norte del país, buscando facilitar el avituallamiento militar a los "contras" en Nicaragua, apoyados, por supuesto, por los Estados Unidos (eso podría explicar en parte por qué durante la Administración Monge Álvarez el país recibió, en un año, cerca de un millón de dólares diarios de ayuda por parte de nuestro gran vecino del Norte). Se analiza también el Plan Arias para la Paz en Centro América, de cuya aplicación se desprende el Premio Nobel para la Paz otorgado al Dr. Arias Sánchez. En ese sentido, el Dr. Furlong insiste en que el Plan funcionó, y en Centro América se pasó de la guerra militar al combate en las urnas…

A raíz de la campaña de desprestigio y del desgaste propio de la administración Arias Sánchez, el PUSC obtuvo la victoria en la presidencia y logró la mayoría en el congreso en las elecciones de 1990, por primera vez desde 1953 [un potencial indicador de que los calderonistas habían seguido siendo mayoría en este país, a pesar de la mal llamada "Guerra Civil" de 1948]. Precisamente, las provincias más desfavorecidas del país votaron por el presidente electo, Rafael Ángel Calderón Fournier .

El capítulo quinto explica cómo la clase política costarricense termina desmontando el Estado Benefactor (ya iniciada muy sutilmente en las dos administraciones anteriores), se evalúa la administración de Rafael Ángel Calderón Fournier y se explica cómo las administraciones estadounidenses de Ronald Reagan y George Bush se negaron abiertamente a ayudar a su aliado ideológico "natural", precisamente porque América Central había dejado de ser del interés del gran coloso del Norte, pues este ya tenía puestos sus ojos en Europa del Este.

El capítulo seis trata sobre las 70 mil viviendas de Rafael Ángel Calderón Fournier, la privatización de los empleados estatales iniciada por Luis Alberto Monge y de CODESA, FERTICA y SEMPASA, entregándole a la iniciativa privada esas "gallinas de los huevos de oro". Asimismo, esta administración fortaleció la banca privada, redujo los presupuestos en educación y salud y aumentó en un 75 % los costos de los servicios básicos (agua, electricidad, telefonía). También, es la administración donde los representantes en la Asamblea Legislativa elevaron significativamente sus salarios, mientras no se podía sesionar en muchas ocasiones por falta de quórum en el Congreso. La campaña electoral comenzó temprano y empezó el reino de la televisión y la prensa escrita en las justas electorales, pues las plazas públicas pasaron a un segundo plano. Los gastos de esta campaña se elevaron casi a 2.500 millones de colones, una parte significativa se repartió buenamente entre los canales de televisión y los diarios impresos. Fue una de las campañas electorales más sucias de la historia reciente, donde aparecieron los "interiores" de los candidatos, el asesinato de Chemise, por un lado, el caso fraudulento de exportación de carne a los Estados Unidos, por el otro, así como los oscuros manejos bancarios de uno de ellos. Hay también un momento de crisis en el periodismo nacional, cuando fueron "sacados" de las respectivas direcciones de los medios los periodistas Humberto Arce (luego político prominente), meses antes del día "E", y Pilar Cisneros, tres semanas antes de esa fecha, como anunciando que, si ella permanecía en la dirección del telenoticiario, un partido político mayoritario perdería definitivamente las elecciones. En esta ocasión hubo, también, crisis de las empresas encuestadoras, pues se las acusó de parcialidad. Uno de los candidatos en liza contrató al asesor estadounidense del Partido Republicano para que encauzara su campaña, Robert Ailes, y la misma fue extremadamente sucia y anticostarricense. Finalmente, ganó José María Figueres Olsen, luego de asumir 175 compromisos serios, cuya mayor parte no cumplió, por supuesto. Indica el Dr. Furlong que hasta una pitonisa había señalado que quien perdería realmente las elecciones sería solo uno: el pueblo de Costa Rica.

El capítulo siete está destinado a la administración de José María Figueres Olsen y a las elecciones de 1998. Se habla ahí del Pacto entre los dos partidos mayoritarios, "para sacar a la Asamblea Legislativa de su atolladero", constituyéndose de este modo la coalición de intereses que popularmente se ha conocido como el PLUSC. La campaña electoral tradicional, con demostraciones, desfiles y plazas públicas, fue sustituida finalmente por el empleo de la radio y la televisión, y el gasto electoral superó los dos mil millones de colones. No hubo banderas, por prohibición expresa, y fue aburrida, poco entusiasta, pocas plazas públicas y menos gente... Esta vez también se prohibió la publicación de encuestas a partir de dos días antes y el día de las elecciones; igualmente, quedó prohibido recibir dinero del exterior para financiar la campaña, se eliminó la huella digital y se sustituyó por la marca con el lápiz.

La salida ilegal de los resultados en la tarde del día de las elecciones sesgó el proceso, y eso explica por qué Miguel Ángel Rodríguez Echeverría ganó por menos del dos por ciento de los votantes, cuando se suponía que tendría entre un diez o doce por ciento adicional en su favor. Sin embargo, para los liberacionistas, esta salida temprana del resultado parcial desmovilizó a muchos liberacionistas a última hora y permanecieron en sus casas... En este punto, el Dr. Furlong sugiere una realineación, una nueva desalineación, el surgimiento de un tercer partido político con considerable fuerza, y una tasa muy alta de abstencionismo. Y explica que en esas elecciones, por primera vez, el número de quienes se abstuvieron fue mayor que los votos alcanzados por el ganador; los partidos minoritarios obtuvieron más curules de las acostumbradas; el PLN logró la menor cantidad de diputados en su historia y, finalmente, los no votantes constituyeron el mayor volumen en la historia reciente del país. Asimismo, por primera vez, las provincias le dieron la victoria al ganador y el quiebre del voto aumentó significativamente, como clara advertencia a la clase política. En esta elección, igualmente, los partidos minoritarios lanzaron candidatas a la presidencia y los mayoritarios a las vicepresidencias, y once mujeres llegaron a la Asamblea Legislativa. El sesenta por ciento de los electores creía en la existencia pasada y presente de la corrupción y, un año después, el presidente aumentó su salario en un 263 por ciento, los empleados del gobierno central lo hicieron en un 367 por ciento y la inflación sobrepasó el 280 por ciento.

Las deudas interna y externa, así como el volumen de gastos, anuncian la muerte de la democracia social, si no se mejoran la economía y las leyes fiscales que permiten una expansión del estado, procurando una justicia distributiva más simétrica, al obligar a pagar a los ricos como tales y a los pobres igualmente. Si la privatización del sistema no logra mayores beneficios para los marginados, el PUSC perderá sustentación, pues apela a los ricos y a los pobres, pero protege los intereses de los primeros, y esta circunstancia es la principal responsable del aumento de la brecha social. En esas condiciones, sostiene el Dr. Furlong, un nuevo partido sería capaz de ganar mucho apoyo y fuerza, si sabe jugar bien a la política.

Tanto al presidente de ese momento, como a su agrupación política (PUSC), los dañó seriamente las manifestaciones de los sectores populares en contra de la privatización del ICE (2000), e igual efecto tuvo para el PLN, por su apoyo a la política gubernamental en este aspecto. Hubo, asimismo, un aumento del desalineamiento y de la desconfianza de los electores en los partidos mayoritarios, y se incrementó el abstencionismo de febrero-abril del 2002. Los y las costarricenses mostraron escepticismo y desencanto con respecto al sistema político partidario, al percibir cómo aumentaba, por una parte, la corrupción política y, por otra, la incapacidad de los gobernantes para enfrentar los álgidos problemas del país. El Dr. Furlong hizo énfasis en la urgencia de realizar cambios significativos en el sistema, y sistematizó once rasgos de la transición política costarricense. Es en esta administración que se empieza a hablar de reelección no consecutiva a la presidencia de la república, con lo cual siete expresidentes se transformarían en potenciales candidatos.

Para la elección del 2002, ambos candidatos, Abel Pacheco de la Espriella y Rolando Araya Monge, comenzaron su campaña electoral con mucho entusiasmo y apoyo popular. En diciembre del 2000 se había creado un nuevo partido, que apareció ya consolidado en febrero siguiente (2001), pues su candidato, exliberacionista, Dr. Ottón Solís Fallas, convenció a mucha gente insatisfecha con las dos grandes agrupaciones políticas. A finales del año 2001, ambos candidatos mayoritarios cometieron errores que debilitaron sus campañas electorales; la peor parte la recibió Rolando Araya Monge, a raíz de un chiste de mal gusto sobre su contendiente que hizo público, sin quererlo, en una radioemisora. En ese momento, Ottón Solís Fallas pasó al 21,6 por ciento de simpatías, mientras Abel Pacheo de la Espriella tenía menos del 30 por ciento, y Rolando Araya Monge solamente un 22 por ciento. La zozobra se apoderó de la dirigencia liberacionista, pues primero se asomaba la posibilidad de un triple empate, todos con menos del 40 por ciento de votos exigido por ley; después, se vislumbraba la posibilidad muy plausible de una derrota, con lo cual el PLN podría desaparecer del panorama político como partido: "sería difícil que el PLN se restableciera como el primer partido político de Costa Rica", puntualiza el Dr. Furlong.

Por primera vez en la historia electoral costarricense, el PAC forzó a una segunda ronda electoral, y en las encuestas se ubicaba en un segundo puesto: Rolando Araya Monge lograba el 23,1 por ciento, y Ottón Solís Fallas el 26,2 por ciento, con apenas un año de participación política. Tanto el PLN como el PUSC atacaron a Ottón Solís Fallas, con medias verdades, en una campaña muy negativa, "que asqueó a muchas gente". Ya para noviembre de 2001, entre el 60 y 70 por ciento de los costarricense tenía muy poca motivación para participar en las elecciones.

Finalmente, la abstención ganó de nuevo el proceso electoral de 2002: en la primera ronda, de febrero, logró un 8,3 por ciento por encima del candidato victorioso; en la segunda ronda, en abril, la abstención alcanzó un 39,78 por ciento, mientras Abel Pacheco de la Espriella obtuvo solamente un 34,04 por ciento de la totalidad de los electores. En suma, el PAC le ganó al PLN en San José y Heredia, tuvo menos realce en Cartago y fue precario en las otras provincias, Alajuela, Puntarenas, Guanacaste y Limón. El PUSC ganó en todas las provincias. El quiebre del voto se duplicó, pues en 1998 había alcanzado el 15 por ciento, y en el 2002 llegó al 30 por ciento, dándole puntos adicionales al Partido

Movimiento Libertario y al Partido Renovación Costarricense. En lo que respecta a los partidos minoritarios, el Movimiento Libertario culminó con éxito la campaña, pues aunque solo logró el 1,7 por ciento de los electores para presidente, alcanzó seis curules en la Asamblea Legislativa, con el 9,34 por ciento de los votos.

De estas elecciones del 2002, el Dr. Furlong sacó una serie de conclusiones trascendentales. En marzo del 2002, el PUSC era el partido más confiable, pero la opinión pública consideraba que había vivido mejor con el PLN, aunque terminaron votando por el PUSC. Si esta agrupación política victoriosa fracasaba con los cambios que el país necesitaba, formaría parte de los partidos minoritarios. La otra gran sorpresa de esta elección fue el fantástico aumento del caudal electoral del PAC y de su líder, Ottón Solís Fallas. Se hizo evidente que el abstencionismo es el desafío más grande para los partidos mayoritarios y para todo el sistema político costarricense, ya que en estas elecciones se vivió su mayor embate desde 1960. El análisis histórico de esa práctica refleja la declinación del apoyo público al sistema electoral, por la ruta que había tomado la democracia costarricense y por la conformación del bipartidismo orgánico. Los partidos se han mostrado incapaces de resolver problemas y el no votar se transformó en una vía para llamar la atención de la clase política. Asimismo, el proceso electoral, y particularmente el día "E", ya no se concibe como una fiesta, sino como una dolorosa obligación.

En el 2006 se da un proceso electoral pleno de sorpresas, con cambios e irregularidades insospechadas, donde las encuestas de opinión y de salida de urnas decían una cosa, pero los hechos iban demostrando otra, hasta que las elecciones se resolvieron, un mes después, con una diferencia de votos que no sobrepasó el 1,12 por ciento de diferencia entre los candidatos mayoritarios (18.169 votos), luego de que se había informado que el victorioso ganaría a su seguidor en forma holgada. Así, en 2006 se consumó la primera reelección presidencial del país en los últimos 36 años, después de haber sufrido casi colapsos por temor a que el ganador no pudiera alcanzar el 40 por ciento y, en ese triple empate, perdiera las elecciones, y, en consecuencia, su partido dejara de ser significativo en el panorama político costarricense. Pero esto fue lo que le ocurrió, precisamente, a su antiguo contrincante, el PUSC, que prácticamente cayó fulminado al lograr una cifra ridícula de votos para la presidencia y solamente cinco diputados en la Asamblea Legislativa, luego de una administración poco competente y de la acusación de corrupción a los dos últimos expresidentes de la república venidos de su agrupación. Otra de las sorpresas fue la incompetencia del Tribunal Supremo de Elecciones para llevar a buen puerto su compromiso electoral, puesto de manifiesto en el hecho de que no tenía preparado un equipo suficiente de delegados para supervisar las mesas electorales y tampoco estuvo en capacidad de resolver de manera eficiente los cientos de denuncias sobre el manejo de proceso electoral, del conteo final de votos y de la salvaguarda de las boletas y de los informes específicos de votación de cada recinto electoral. Aparte del sorprendente traspiés de no incluir a un candidato presidencial como candidato a diputado en la lista de su propio partido, como sí lo había hecho con otra agrupación política.

Asimismo, señala el Dr. Furlong, hubo primicias en estas elecciones: el abstencionismo rondó el 35 por ciento de los electores, todo candidato presidencial podía ubicarse también en la lista de candidatos a diputados de su partido, y se dio la reelección presidencial, luego de que por mandato constitucional fue imposible hacerlo durante 57 años. Asimismo, la elección fue muy cerrada, a tal punto que hubo necesidad de realizar el escrutinio manual de votos para confirmar el resultado, un mes después del cierre del proceso. Igualmente, se presentaron 14 candidatos para la presidencia de la república, la mayor cifra en la historia costarricense. Del mismo modo, colapsó el tradicional Partido de oposición a Liberación Nacional, nacido de las cenizas de la Guerra Civil de 1948. Al igual que en el pasado reciente, las encuestas electorales se equivocaron, pero esta vez entre 8 y más del 20 por ciento, a una semana del escrutinio. Hubo candidatos de 27 partidos para integrar la Asamblea Legislativa, un 50 por ciento más que en 2002, lo que desembocó en la existencia de 8 fracciones parlamentarias en nuestra actual Asamblea Legislativa, la misma cifra que en 1974.

En estas elecciones se hizo evidente, también, la lucha contra la corrupción, que se transformó en la primera prioridad del partido en el poder.

Para el Dr. Furlong, las tendencias puestas de manifiesto en 2002 se ampliaron en el proceso electoral del 2006, y su impacto e influencia perdurarán por mucho tiempo en el país. Y el autor enumera algunas de las más importantes, como el hecho de que PLN fuera desafiado en su posición hegemónica, a pesar de estar cuarteado, y ha tenido que entrar en coalición con los movimientos más conservadores para abrir una vía a la gobernabilidad; como que el crecimiento del PUSC no sobreviviera las últimas elecciones y esté en condiciones de seria precariedad política; como que el desalineamiento y el realineamiento de los dos partidos tradicionales lleve al sistema político costarricense a un mayor grado de fragmentación, sin que se logre la constitución de dos agrupaciones mayoritarias; como que el porcentaje del abstencionismo continuará incrementándose y se mantenga entre el 30 y el 40 por ciento; como que continuará la práctica de quebrar el voto, que pasó del 30 por ciento en 2002 al 32 por ciento en 2006, los porcentajes más elevados de la moderna historia electoral costarricense; como que las mujeres han aumentado de manera significativa su participación en posiciones políticas, y hay 22 mujeres en la Asamblea Legislativa del período 2006-2010.

Cierra el Dr. Furlong la evaluación del último proceso electoral costarricense con una evaluación de algunos aspectos fundamentales de nuestra historia política reciente, como la corrupción, el desalineamiento, el desinterés, la desconfianza y el escepticismo de los electores con respecto al sistema político, el abstencionismo, y el caso de las encuestas de opinión pública y los resultados finales de este proceso, y propone una serie de temas fundamentales y de desafíos para el futuro de este país, entre los que destacan tres de esencial importancia: el Tratado de libre comercio Centro América y República Dominicana, la revisión de la estructura impositiva del país y las políticas de control sobre la corrupción en la función pública.

————••————

Lo más significativo es que muchos capítulos de este libro se publicaron en español, en su oportunidad, pero su divulgación parece no haber llegado ni a los políticos ni a las grandes mayorías, que no pudieron acceder a esta información para "madurar" sus posiciones y su "práctica" política. Y los hallazgos, advertencias y recomendaciones del Dr. Furlong tampoco fueron consideradas por nuestra "clase" política en su momento.

Como comprobará el lector, este libro es una cruda radiografía de lo que hemos sido los costarricenses en estos 25 años, y en muy buena medida refleja lo que hemos construido hasta hoy como país, uno de los poquísimos del subcontinente que partió hace tres decenios de un modelo de bienestar modestamente aceptable para las mayorías, a uno de los que reflejan las mayores contradicciones sociales, con una clase enriquecida hasta el oprobio, y unas grandes mayorías que bordean la pobreza, con un sistema general en crisis, sin derrotero, sin recursos, abandonado a su triste destino... Ya formamos parte plenamente de esta parte de la América Latina donde la exultante riqueza de unos pocos festina con la marginalidad de las grandes mayorías. Ese es, quizás, el mayor tributo que el Dr. William L. Furlong ha rendido a nuestro terruño, con profunda y sincera simpatía, pero también con riguroso espíritu científico.

Dr. Mario Zeledón Cambronero
2007

Introducción

En el año 2001, el profesor Mario Zeledón Cambronero me sugirió que escogiera algunas de mis investigaciones y publicaciones sobre Costa Rica y que las integrara en un volumen. Este libro es el resultado de aquella sugerencia y de la tremenda ayuda que el doctor Zeledón ha dado, traduciendo los manuscritos y cuestionándome sobre muchos aspectos, tanto del contenido como de su organización.

Este es un texto sobre las características esenciales empleadas con más frecuencia para definir un gobierno democrático y sobre sus aspectos específicos más importantes. Los más serios científicos políticos consideran que los procesos electorales abiertos, honestos y transparentes son fundamentales para cualquier forma democrática de gobierno. El eje de este libro son las elecciones, las campañas electorales y los partidos políticos que han desarrollado esas actividades en Costa Rica en los últimos veinte años. Es difícil concebir un gobierno democrático sin elecciones, campañas y partidos políticos. El libro también se centra en aspectos, cambios y toma de decisiones de la política exterior costarricense. En el mundo contemporáneo, las preocupaciones internas no son el único determinante en los procesos y campañas electorales, porque también tienen impacto directo sobre el escenario nacional las presiones internacionales, las condiciones del sistema y las relaciones específicas con otros países.

Costa Rica ha sido considerada una de las sociedades más democráticas del mundo y como el sistema más democrático de América Latina por más de 30 años. Es entonces importante estudiar los hábitos de sufragio de los costarricenses y los procesos electorales que los impulsan a participar activamente. A diferencia de la mayor parte de los países latinoamericanos, Costa Rica no ha sufrido golpes militares, no ha soportado regímenes dictatoriales y no ha vivido revoluciones izquierdistas desde 1920. Vivió una Guerra Civil en 1948, como resultado del intento de un candidato presidencial del partido oficialista de continuar con el control gubernamental a pesar de haber perdido las elecciones. Los triunfadores en la Guerra Civil establecieron una sociedad más democrática y un sistema más abierto, redactaron una nueva constitución, les dieron el derecho al voto a las mujeres y fundaron un nuevo partido político. A partir de ese momento, tanto los procesos como las campañas electorales han sido completamente abiertas, honestas y transparentes.

El primero en hacerme conocer sobre la democracia costarricense, en 1963, fue el profesor Harry Kantor, en un curso sobre Política Latinoamericana, en la Universidad de Florida. Me impresionó muchísimo el hecho de que Costa Rica tuviera una tradición democrática tan larga y un proceso electoral diferente al de otros países latinoamericanos que había estudiado, como Argentina y Perú, naciones donde radiqué cerca de cinco años. La primera vez que tuve contacto directo con la política latinoamericana fue en 1957, cuando viajé por Argentina durante casi tres años. Por primera vez en mi vida conocí un régimen castrense cuando estuve enfrente de un policía militar y su subametralladora, quien pareció ver en mí un posible blanco. En 1958 pude observar las elecciones en que participó Arturo Frondizi como candidato, y quedé muy impresionado por los deseos de los argentinos de tener elecciones democráticas. Sin embargo, no lo fueron, pues a los peronistas no se les permitió postular candidatos para el gobierno de su país.

Cuando viví en Perú alrededor de dos años, estudié en detalle la administración del Presidente Fernando Belaúnde. Observé cuidadosamente las elecciones municipales de 1965. Estas fueron diferentes a las de la mayor parte de los países latinoamericanos. Estaban representadas muchas ideologías en el ámbito local, desde los odristas en la derecha, hasta los comunistas en el extremo opuesto. Me fascinó el proceso electoral y el amplio espectro de ideologías políticas representadas tanto en Argentina como en Perú, y cómo ambos pueblos sufrieron intervenciones militares de sus sistemas políticos, muchos golpes de estado y el establecimiento de regímenes castrenses. La violencia política fue y es un camino para la vida cívica en ambas naciones y era el sistema al cual yo me había acostumbrado como estudiante de la política latinoamericana.

Mi primer viaje a Costa Rica fue en 1978, cuando dispuse de varios días para visitarla y quedé impresionado por el país. Dos cosas vienen a mi mente como consecuencia de esa visita. Primero, Costa Rica no es un país rico y no ha tenido grandes urbes, como Buenos Aires, o ciudades coloniales, como Lima. Segundo, no parece haber grandes diferencias entre ricos y pobres, como sí se hicieron evidentes tanto en Perú como en Argentina.

Cuando fui invitado, como becario Fulbright, a dictar cursos en la Escuela de Historia de la Universidad de Costa Rica, quedé realmente sorprendido por el país y por su sistema democrático. Ahí trabajé con Hugo Murillo, Manuel Araya y Luis Guillermo Solís, así como con muchos otros miembros de la facultad. Fue una de mis mejores experiencias docentes en América Latina, tanto por la calidad de los estudiantes como por la tolerancia de los docentes con respecto a mis aproximaciones teóricas, mis métodos de enseñanza y mis puntos de vista.

A partir de ahí se incrementó mi interés en torno a los procesos y las campañas electorales costarricenses, especialmente al participar como observador internacional oficial en las elecciones de 1986. Después de vivir esos comicios –y trabajando con Jorge Mario Salazar en mis análisis–, terminé muy interesado en los procesos electorales, en las campañas y en los partidos políticos de Costa Rica. Mi primera publicación sobre este país fue el análisis de las elecciones de 1986. Una versión revisada y actualizada de ese trabajo se publicó en **The American Field Staff Reports**, y comprende el segundo capítulo de este libro. Desde 1984 he viajado a Costa Rica al menos una vez al año y he sido observador internacional oficial en todas las elecciones posteriores. Fui también observador oficial en las elecciones de Panamá, en 1994, cuando colaboré con el expresidente Jimmy Carter y su Consejo de Presidentes. Asimismo, he estado presente en las elecciones de Argentina, República Dominicana, Perú y México. He viajado por todos los países latinoamericanos, con excepción de Cuba. He sido profesor de Política e Historia de América Latina durante 37 años, en diversas universidades estadounidenses y de América Latina.

El primer capítulo de este libro trata sobre el concepto y la definición de democracia. Compara a Costa Rica con otros sistemas democráticos del subcontinente. Hay muchas vías para definir la democracia. Se plantea una discusión entre analistas políticos sobre las características indispensables para que exista un sistema democrático. La **Auditoria ciudadana sobre la calidad de la democracia**, publicada por el Estado de la Nación en Costa Rica en el 2001, conduce en detalle a las veinticuatro rasgos de la democracia y cómo se concretan en Costa Rica. Este capítulo se centra en determinados aspectos y en las percepciones de algunos extranjeros sobre la democracia costarricense. Esta nación, al menos desde la Segunda Guerra Mundial, ha ocupado siempre el primer o segundo lugar como el país más democrático de toda América Latina. Este primer capítulo analiza algunas de las peculiaridades que caracterizan la democracia en Costa Rica y ofrece, también, un resumen de la política de esta nación desde 1978 a 1986.

El segundo capítulo trata sobre el proceso electoral costarricense y el papel especial que juega el Tribunal Supremo de Elecciones (TSE). Ahí también se analizan las elecciones de 1986.

El tercer capítulo vincula las políticas públicas con los procesos electorales y los conceptos sobre la democracia sistematizados en el primer y segundo capítulos. El eje de este capítulo es la política exterior costarricense y sus efectos en los asuntos interiores. Comienza con una discusión sobre los gestores de la política, tanto interna como externa, entre 1978 y 1986.

Este capítulo estudia las relaciones entre Costa Rica y Nicaragua en la década de los 80, y de su relación con los Estados Unidos durante ese período. De hecho, se ha escrito mucho acerca del Plan Arias para la Paz y su materialización; este capítulo concluye con una introducción al Plan, pero sin entrar en detalles sobre sus características. Durante este período, los Estados Unidos tomaron muchas decisiones incorrectas y actuaron de manera muy perjudicial para la democracia costarricense. En su libro, **Hostile Acts**, Marta Honey analiza esos aspectos en forma pormenorizada. Sin embargo, el presente libro no considera todas aquellas posiciones negativas. Una versión anterior de este capítulo se publicó en **The Journal of Latin American Studies and World Affairs** (vol. 29 #2 Summer, 1987: 119-154).

El cuarto capítulo analiza la campaña electoral y las elecciones de 1990. Este proceso eleccionario fue crítico para Costa Rica, puesto que la unidad opositora PUSC fue capaz de conquistar tanto la presidencia de la República como de lograr, por primera vez en la historia moderna de la política costarricense, la mayoría de curules y el control de la Asamblea Legislativa, en demérito del PLN. Asimismo, fue importante como plataforma de lanzamiento para el partido opositor al PLN. En este capítulo se detallan las razones por las cuales Rafael Ángel Calderón Fournier logró ganar las elecciones y conservó un alto grado de popularidad, a pesar de su incapacidad para resolver algunos de los más apremiantes problemas que ha afrontado el sistema político costarricense.

El capítulo quinto trata sobre la política exterior costarricense durante los noventa, con especial énfasis en la presidencia de Rafael Ángel Calderón Fournier. Durante este período, la crisis de los ochenta sopló violentamente sobre Centroamérica. La Guerra Fría había terminado y, en 1990, los sandinistas nicaragüenses habían sido vencidos por Violeta Barrios de Chamorro. Las naciones centroamericanas habían tenido elecciones democráticas a finales de los ochenta y principios de los noventa. Con todos esos cambios, América Central, como prácticamente la mayor parte de América Latina, dejó de ser interesante para los Estados Unidos. La política estadounidense con respecto a Costa Rica varió de "muy alto, hasta muy bajo interés". Las batallas en el Congreso y en la presidencia estadounidenses con respecto a las decisiones políticas sobre América Central dejaron de ser atributo de sus principales líderes políticos y empezaron a formar parte de las rutinas de grupos de congresistas, de los equipos de asesores de segundo nivel en las oficinas gubernamentales y de dirigentes de grupos de presión, así como del personal de base en la rama ejecutiva del gobierno. Estos fueron tiempos difíciles para Costa Rica y el país se vio obligado a ejecutar muchos ajustes estructurales en la economía, tanto en lo interior como en lo exterior. La Oficina de Ayuda al Desarrollo Internacional (USAID) cerró sus oficinas en Costa Rica y poco después cesó la asistencia económica estadounidense para el desarrollo. En los 90, Costa Rica se encontró abandonada por parte de sus aliados. Una versión anterior de este capítulo fue publicada en el **Anuario de Estudios Centroamericanos** (20, No. 2), en 1994.

El capítulo sexto describe y analiza las elecciones de 1994. Este proceso electoral fue importante no solamente porque se materializó como una de las elecciones más negativas de los tiempos recientes en Costa Rica. Fue una paradoja, en el sentido de que el Presidente Calderón Fournier fue reemplazado por el Presidente Figueres Olsen, algo que también había ocurrido en 1948, cuando el padre de Rafael Ángel fue expulsado de la presidencia por el padre de José María, José ("Pepe") Figueres Ferrer. Estas elecciones fueron también muy interesantes, porque ambos prometieron al electorado muchísimas cosas que no pudieron cumplir. Algunas de las promesas del Presidente Figueres Olsen se resumen en este capítulo y se emplearán como indicadores de cómo el pueblo costarricense se ha tornado cada vez más escéptico con respecto a las campañas presidenciales, a los partidos políticos y, muy especialmente, a las promesas electorales.

El capítulo séptimo describe y analiza las elecciones de 1998. En esta campaña política –y especialmente durante el proceso electoral– se hicieron evidentes algunas tendencias de la actividad política costarricense. Una de las más importantes es que el PLN comenzó a perder su control hegemónico del sistema político. El PUSC se transformó en el partido más poderoso, más organizado y con mejor propuesta programática. En este capítulo se identifican, al menos, una docena de rasgos que indican el comienzo del final del régimen político iniciado después de la Guerra Civil de 1948 y de la Constitución de 1949.

El capítulo octavo analiza once de las mayores tendencias identificadas en el capítulo anterior. Las elecciones del 2002 consolidaron muchos de esos rasgos e indican claramente que algo muy importante estaba ocurriendo en la política costarricense y en su sistema electoral. En estas elecciones, el PLN estuvo muy cerca de su autodestrucción. Por primera vez, un partido minoritario amenazó tanto al PLN como a su principal opositor, el PUSC. Además, el alto nivel de abstencionismo continuó creciendo, algo que no ocurría desde el proceso electoral de 1953. Un experto indicó que "el futuro de la política costarricense podría identificarse como antes y después de las elecciones del 2002". En conclusión, esta fue una elección realmente crucial para Costa Rica, y este autor opina que deberá catalogarse como tal en los futuros análisis de la política y del sistema democrático costarricense.

El capítulo noveno presenta conceptos y proposiciones que buscan explicar por qué los costarricenses viven un fuerte proceso de transición política. Los cambios son evidentes, como se ilustra en los capítulos precedentes. Es difícil encontrar explicaciones definitivas, porque para este autor las causas son múltiples y variadas. La evolución política es el resultado de muchas alteraciones en la sociedad, que van desde la cultura y el proceso económico, hasta el sistema político mismo. Existen muchas condiciones y se han tomado muchas decisiones que han forzado a los políticos y al pueblo, como un todo, a cambiar sus actitudes con respecto a ellos y a ajustarse a nuevas realidades.

Estudios como este son susceptibles de generar diversas interpretaciones, diferentes vías de análisis y hasta de conclusiones. Cualquier deficiencia en el análisis, interpretación incorrecta o error, son responsabilidad exclusiva del autor. Estoy en deuda especialmente con Mario Zeledón Cambronero por su ayuda, sus sugestiones con respecto al texto y la traducción de casi todo el libro. Quedo también en deuda con muchos colegas costarricenses de la Universidad de Costa Rica, y con muchísima gente que me ayudó a obtener la información, que me permitieron entrevistarlos y discutir con ellos algunos de los conceptos más importantes del libro, así como por ofrecerme sugestiones e información adicional que utilicé. Estoy en deuda también con el Departamento de Ciencias Políticas de la Universidad Estatal de Utah (USU), con el Fondo Merrill de Donaciones y con la Oficina de Investigación de la USU, por su apoyo financiero. Hay muchas personas concretas a quienes desearía dar las gracias, pero dudo de hacerlo porque probablemente dejaría a mucha gente importante fuera de la lista.

El concepto de democracia y la evolución del sistema político |

Costa Rica es única en América Latina. Es una tierra donde las formas democráticas de actividad política se han practicado durante los últimos 50 años, después de vivir otros 50 años una democracia de inclusión parcial. En contraste con sus vecinos, Costa Rica es una "isla" de orden democrático, progreso, libertad y procesos electorales indiscutibles. No ha estado plagada de guerras civiles, dictaduras militares o violencia reciente de la guerrilla, como es el caso de otras naciones centroamericanas. El gobierno de Costa Rica es respetado, la gente reconoce la autoridad de sus tribunales y se crean leyes que efectivamente se cumplen. Aunque aplicar la justicia puede ser un proceso lento, el sistema judicial se administra mejor que en otras naciones latinoamericanas. Pero, más que todo, los costarricenses están orgullosos de su sistema democrático y su proceso electoral es tan eficiente como cualquier otro en el mundo.

Sin embargo, en muchas formas, Costa Rica es tan mal comprendida como su nombre. Costa Rica ("Rich Coast") no es un país rico, más bien es un país de recursos limitados. La economía costarricense depende hoy, en gran medida, del turismo, la agricultura, la manufactura de productos básicos y la maquila ensambladora. En 1997, el 18,7 por ciento de las personas económicamente activas trabajaban en agricultura y selvicultura; el

21,5 por ciento laboraba en la industria; el 17,7 por ciento, en el comercio; el 10,7 por ciento, en transporte y comunicaciones, y el 7,4 por ciento, en el aparato del estado. El producto interno bruto medio era algo superior a los US$ 3.600 anuales.

Desde 1990, las exportaciones tradicionales de café, banano y carne se han reemplazado por exportaciones no tradicionales de maquila y de producción en zonas francas, donde se ensamblan textiles, se procesan alimentos, peces y camarones, frutas tropicales y plantas. En 1997, el 32 por ciento de exportaciones eran tradicionales, mientras las nuevas exportaciones no tradicionales alcanzaron el 67 por ciento. Se supone que, en el siglo XXI, Costa Rica se movilizará hacia la fabricación y exportación de "alta tecnología".

La población costarricense, según el censo del 2000, alcanzó un total de 3.8 millones, mientras que en 1984 era de 2.4 millones. El promedio de habitantes por kilómetro cuadrado subió de 47 a 75, al aumentar la urbanización. La tasa de nacimientos cayó de 3,4 niños por mujer en 1984, a 2,6 en el 2001. Este significativo crecimiento costarricense se debió tanto a la inmigración como al aumento natural. En los noventa, varios cientos de miles de nicaragüenses inmigraron a Costa Rica.

Elementos de Democracia

Desde 1945, Costa Rica se ha caracterizado por ser el primero o segundo país más democrático de América Latina. Desde 1970, especialistas en estudios latinoamericanos han situado a Costa Rica como el país más democrático (índice Fitzgibbon-Johnson), de acuerdo con las opiniones de más de cien especialistas latinoamericanos, tomando como base quince características, como se explicará más adelante (ver Tabla 1.1). Y antes de 1970, se la ubicaba como el país número dos; aún en 1945, antes de la Guerra Civil de 1948, la democracia de inclusión limitada estaba situada en la segunda posición de la escala latinoamericana.

Aquellos que definen la democracia desde una única variable determinante –tener elecciones abiertas, competitivas y

TABLA 1.1
Índice Fitzgibbon-Johnson: Especialistas
percepción de la democracia en América Latina. 1945-2000

PAÍS	Escala 1945	Escala 1950	Escala 1955	Escala 1960	Escala 1965	Escala 1970	Escala 1975	Escala 1980	Escala 1985	Escala 1991	Escala 1995	Escala 2000	Escalas totales
ARGENTINA	5	8	8	4	6	7	5	11	3	5	4	4	5
BOLIVIA	18	17	15	16	17	18	17	18	16	14	14	14	18
BRASIL	11	5	5	7	8	10	9	12	9	6	6	5	8
CHILE	3	2	3	3	3	2	11	14	14	4	3	3	3.5
COLOMBIA	4	6	6	6	7	6	4	4	5	8	7	12	7
COSTA RICA	2	3	2	2	1*	1	1	1	1	1	1	1	1
CUBA	6	4	7	15	18	13	7	6	10	12	16	15	10.5
REP. DOMINICANA	19	19	19	18	14	14	13	8	13	11	13	9	15
ECUADOR	14	9	10	10	12	9	14	9	11	9	9	13	10.5
EL SALVADOR	13	14	11	12	11	8	10	16	17	19	17	10	13
GUATEMALA	12	10	14	13	13	13	15	17	19	18	19	19	16
HAITI	16	18	17	19	20	20	20	20	20	20	20	20	20

continúa en página siguiente

TABLA 1.1 (*continuación*)
Índice Fitzgibbon-Johnson: Especialistas
percepción de la democracia en América Latina. 1945-2000

PAÍS	Escala 1945	Escala 1950	Escala 1955	Escala 1960	Escala 1965	Escala 1970	Escala 1975	Escala 1980	Escala 1985	Escala 1991	Escala 1995	Escala 2000	Escalas totales
HONDURAS	17	15	12	14	15	16	16	15	15	17	18	16	17
MEXICO	7	7	4	5	4	5	3	3	6	7	8	6	3.5
NICARAGUA	15	16	18	17	16	17	18	7	12	10	11	11	14
PANAMÁ	8	11	9	11	10	11*	12	10	9	15	10	8	9
PARAGUAY	20	20	20	20	19	19	19	19	18	16	15	17	19
PERÚ	10	13	16	9	9	11*	8	5	8	13	12	18	12
URUGUAY	1	1	1	1	1*	3	2	13	4	3	2	2	2
VENEZUELA	9	12	13	8	5	4	6	2	2	2	5	7	6

* Empate con otro país.

regulares–, se catalogan a menudo como minimalistas. En una balanza del "minimalismo", Costa Rica ocuparía el primer lugar. Usando una o quince variables, el resultado es el mismo: durante más de 25 años, Costa Rica es y ha sido la nación democrática más consistente y estable en América Latina. De acuerdo con la más reciente encuesta del World Audit (www.worldaudit.org), Costa Rica se ubica de número 25 en la escala democrática, mientras Uruguay es número 14, y los Estados Unidos se encuentran en la décima posición. En contraste, Panamá es el siguiente país latinoamericano, colocado de 34, de un total de 145 naciones en la encuesta. Costa Rica ocupa esa posición debido al alto nivel de corrupción política percibida en su sistema. La escala total se basa más en la libertad de expresión y el nivel de corrupción política que en las variables empleadas por otros estudios indicados en este capítulo.

¿Qué es necesario para que una nación sea clasificada como una democracia? Robert Dahl ha intentado delinear, en muchas ocasiones, estas características. Aunque el evaluador se centre solamente en el proceso electoral, hay muchas otros aspectos relacionados, pero el requisito indispensable es tener elecciones libres, abiertas y competitivas. Así, según Dahl:

"...poliarquía (más usualmente llamada democracia) es un orden político caracterizado por la presencia de siete características, que deben existir para que un estado sea clasificado como tal:

1. *Candidatos elegidos.* El control sobre las decisiones gubernamentales en política se otorga a funcionarios elegidos constitucionalmente.
2. *Elecciones libres y justas.* Los candidatos elegidos se escogen en elecciones frecuentes y justas, donde la coerción es relativamente rara.
3. *Sufragio universal.* Prácticamente todos los adultos tienen el derecho a votar en el proceso electoral.
4. *Derecho a postularse como candidato.* Prácticamente todos los adultos tienen derecho a ser elegidos como gobernantes, aunque los límites de edad pueden ser mayores para ser elegibles que para ejercer el sufragio.

TABLA 1.2

Poliarquía y el proceso democrático

Las siguientes instituciones...	Son necesarias para satisfacer el criterio siguiente:
1. Candidatos elegidos 2. Elecciones libres y justas	I. Igualdad del voto
1. Candidatos elegidos 3. Sufragio universal 4. Derecho a ser electo 5. Libertad de expresión 6. Fuentes alternas de información 7. Libertad de asociación	II. Participación eficaz
5. Libertad de expresión 6. Fuentes alternas de información 7. Libertad de asociación	III. Información suficiente
1. Candidatos elegidos 2. Elecciones libres y justas 3. Sufragio universal 4. Derecho a ser electo 5. Libertad de expresión 6. Fuentes alternas de información 7. Libertad de asociación	IV. Control de la agenda
3. Sufragio universal 4. Derecho a ser electo 5. Libertad de expresión 6. Fuentes alternas de información 7. Libertad de asociación (Dahl, 1989: 222)	V. Participación [inclusión]

5. *Libertad de expresión.* Los ciudadanos tienen derecho para expresarse, sin riesgo de castigo, en aspectos definidos de la política, incluso a criticar a los candidatos elegidos, al gobierno, al régimen, el orden socioeconómico y la ideología prevaleciente.

6. *Información alternativa.* Los ciudadanos tienen derecho a buscar otras fuentes alternas de información. Es más, esas fuentes deben existir y estar protegidas por la ley.

7. *Libertad de asociación.* Para conquistar y proteger sus derechos, incluyendo aquellos listados anteriormente, los ciudadanos también tienen derecho a formar asociaciones u organizaciones independientes, incluyendo partidos políticos independientes y grupos de presión. (Dahl, 1989: 221)

Con estos criterios, Dahl creó el complicado esquema que se reproduce a continuación, el cual parte de una visión minimalista, que solo toma en consideración las elecciones competitivas como elemento necesario para que un sistema sea democrático o poliárquico. Los procesos electorales requieren de más características, a criterio de muchos investigadores, para ser competitivos, democráticos y abiertos:

Aunque el criterio de Dahl se centra en las elecciones, están implícitas varias características adicionales. El derecho a participar implica un cierto nivel de igualdad política, tal y como lo exige el sufragio universal. La libertad de expresión requiere de que exista un nivel mínimo de censura y que la oposición tenga acceso a los medios de comunicación social y a otros foros públicos.

Las fuentes alternativas de información también requieren que la oposición tenga algún nivel de "igualdad temporal" y de oportunidades para presentar su caso. Esto incluye asimismo el séptimo criterio, que es el derecho a establecer grupos de presión e instituciones independientes y autónomas.

Después de la Segunda Guerra Mundial, Russell Fitzgibbon desarrolló otro tipo de criterios. Su esquema se ha conocido subsecuentemente como "El índice Fitzgibbon-Johnson" (Ver Tabla 1.1). Con opiniones de más de 100 especialistas latinoamericanos, ellos ubicaron a las 20 naciones latinoamericanas tradicionales considerando quince características distintas. Estos aspectos son: unidad interna, libertad de expresión oral y escrita, libertad de asociación, elecciones libres, madurez política, organizaciones partidarias, justicia independiente, responsabilidad gubernamental, bajos niveles de corrupción, supremacía civil sobre lo militar, independencia del gobierno local, estándar de vida, independencia de alguna potencia extranjera, nivel de educación y separación precisa entre iglesia y estado. Este estudio se ha realizado cada cinco años, desde 1945. Desde sus inicios, Costa Rica se ha ubicado entre los primeros tres países más democráticos; y desde 1970, se ha adueñado indiscutiblemente de la cima como la nación más democrática en toda la América Latina (Ver Tabla 1.1).

Además de los conceptos externados hace varios años por Robert Dahl y los de Fitzgibbon-Johnson, Howard Wiarda señaló que los académicos estadounidenses eran demasiado endocéntricos en sus juicios y clasificaciones sobre la democracia latinoamericana. Él exige cambiar esa imagen de lo que es realmente una democracia en América Latina y elaboró doce indicadores para definirla. Entre estos doce aspectos están: 1) existencia de un poder ejecutivo más autoritario y personalista; 2) controles y balances limitados, con alguna independencia institucional, pero no la suficiente como para enfrentar al presidente; 3) ciertas libertades del tipo de la Primera Enmienda estadounidense; 4) pluralismo limitado y autonomía de grupos comunales, de intereses específicos y unidades gubernamentales menores (municipios, departamentos, etc.); 5) cierto grado de representación, pero mayor para los grupos corporativos y menor para individuos y otros grupos específicos; 6) existencia de un gobierno más paternalista que responsable, que llene algunas de las necesidades de la población; y, 7) un gobierno proveedor, tanto para el desarrollo económico como para la justicia social (Wiarda, 1980: 285).

La **Auditoría ciudadana sobre la calidad de la democracia** de Costa Rica usó diez estándares para definir el umbral superior de calidad democrática. Estos son los siguientes:

1. Competencia electoral;
2. Vida interna de los partidos políticos;
3. Administración de justicia;
4. Formación de leyes basada en la Constitución;
5. Trato al público por las instituciones públicas;
6. Calidad de los gobiernos locales;
7. Participación ciudadana;

8. Autonomía de las organizaciones civiles;
9. La opinión pública; y,
10. La cultura cívica.

Con esos diez criterios, la Auditoría desarrolló una lista de 33 elementos básicos. Para el 'umbral superior' había 33 elementos indispensables; para el 'umbral mínimo', había 24 elementos (Ver el cuadro 3.6, en la página 158, vol. I).

En los años 60, Seymore Lipset estableció la hipótesis de que las democracias generalmente necesitan altos índices de alfabetización y un nivel moderado de afluencia económica y estabilidad (Lipset, 1963). Adán Przeworski *et al*. apoya las ideas de Lipset y concluye en que las naciones con alto ingreso per cápita (más de US$ 5.000 por año) son más sustentables para vivir en democracia que aquellas con ingresos bajos. Ellos afirman que "las democracias más pobres serán las más sensibles a la fluctuación económica" (1995: 11). Da la impresión de que las naciones con menos de US$ 5.000 de ingreso per cápita que no tengan crecimiento económico, estarán dos veces más propensas a fracasar que aquellas en la misma categoría que hayan experimentado algún crecimiento económico (1995: 11). Bajo este criterio, Costa Rica, con un ingreso medio en 2001 de US$ 3.600, está y ha estado históricamente por debajo del nivel que normalmente sostendría la estabilidad de un sistema democrático. Sin embargo, lo tiene estable y, sobre todo, sustentable.

Además de la naturaleza crítica de la economía, una democracia le debe mucho, en cierto ámbito, a la actividad política. De nuevo, según Przeworski *et al*.:

> La democracia es sustentable cuando su armazón institucional promueve normativamente objetivos políticos deseables, como la ausencia de la violencia arbitraria, la seguridad material, la igualdad y la justicia, y cuando, a su vez, estas instituciones están habilitadas para manejar las crisis que se originan cuando no se están cumpliendo tales objetivos (1995: 107).

Brad R. Roth concuerda con esa posición, en la cual el desempeño y no únicamente el concepto es crucial para la supervivencia de una democracia. Él analiza el problema de la democracia sustantiva y agrega que, sin reforma social y algunos logros para los sectores populares, el sistema crea una "falsa democracia", que se emplea como sustituto de la reforma social, en lugar de ser parte integral de ella (Roth, 1995: 64).

Gran parte de la actitud crítica de algunos académicos costarricenses a su sistema democrático está relacionada con el concepto sustantivo de democracia social y con los últimos criterios expuestos por Wiarda en cuanto al desarrollo económico y la justicia social. Los costarricenses defienden, como lo hacen los autores anteriores, el hecho de que, eventualmente, el crecimiento económico y los beneficios populares deben ser parte esencial de cualquier democracia sustentable. Además, Costa Rica se queda corta con respecto al requisito de Przeworski sobre la seguridad material y la capacidad institucional de manejar hábilmente las crisis.

No obstante, Costa Rica parece ser muy democrática bajo el criterio de Dahl, y es significativamente más "occidental" que el criterio menos endocéntrico de Wiarda. Sin embargo, Costa Rica tiene problemas para cumplir con el planteamiento de Wiarda sobre desarrollo económico y justicia social (particularmente los puntos 6 y 7 esquematizados líneas arriba). Costa Rica también tiene fallas con respecto a las generalizaciones de Przeworski sobre ingreso per cápita, crecimiento económico, seguridad material y control de las crisis. Con un PNB per cápita de US$ 2.610 en 1995 y un crecimiento anual de 2,8 de 1985 a 1995 (Banco Mundial, 1997: 215), Costa Rica posee bajo nivel de ingresos, pero está bien en cuanto al crecimiento económico. Sin embargo, este crecimiento era un problema entre 1979 y 1985. Desde 1979 la clase media costarricense ha perdido poder adquisitivo y, en 1997 se encontraba en una posición más débil con respecto a 1977; pero, en el 2002 la clase media logró mayor estabilidad. A pesar de estos problemas –y muchos otros que se discutirán–, Costa Rica ha desarrollado un sistema democrático fuerte, flexible y sustentable.

Porque elecciones abiertas y competitivas, y campañas y partidos políticos, forman parte esencial de cualquier sistema democrático, este libro se centra en la reciente historia de Costa Rica. Si bien el sistema democrático costarricense se mantiene fuerte y operativo, deben realizarse importantes cambios. Pero, si el sistema costarricense no se da con frecuencia, las modificaciones que están sucediéndose en América Latina tampoco son frecuentes, y están ocurriendo a mayor velocidad que en el país centroamericano.

Evolución de la democracia

Desde su independencia de España en 1821, y en particular desde 1838, cuando Costa Rica se separó de la federación centroamericana, el país ha desarrollado con firmeza su orientación democrática. En gran parte del siglo XIX, menos de diez por ciento de la población participaba en las elecciones, y aun así se realizaban, y la mayoría de los líderes electos, en alguna medida, se hicieron responsables de sus actos. Las elecciones eran indirectas y las elites liberales y conservadoras lucharon por conquistar el poder a lo largo del siglo XIX. Algunas veces, el fraude existió y varios presidentes fueron derrocados por medio de la fuerza. Según Iván Molina y Steven Palmer, "... aunque la competencia entre partidos políticos y las elecciones periódicas caracterizaron el acceso al poder a partir de la década de 1890, el proceso siempre dependió del fraude, del apoyo militar y de las transacciones secretas" (Molina/Palmer, 1999: 56). De acuerdo con un estudio reciente, hubo más fraudes electorales entre 1901 y 1948 que los que normalmente se reconoce (Molina/Lehoucq, 1999). Por otra parte, las intervenciones políticas de tipo militar disminuyeron significativamente (Muñoz, 1990: 23). En el siglo XX hubo solamente ocho "conflictos político-militares", en comparación con 47 en el período entre 1850 y 1889. Solamente tres administraciones, en el siglo XX, conquistaron el poder por medios distintos al electoral. La violencia solo ha teñido dos veces el proceso, en 1917-19 y en 1948-49, aunque solamente en esta última hubo derramamiento de sangre. Según un autor, desde la independencia, solo tres presidentes han sido militares y únicamente seis, en más de 170 años, podrían calificarse de dictadores (Bussy, 1967: 9). John Booth discrepa con Bussy y afirma que, entre 1824 y 1899, el 20 por ciento de los presidentes fueron depuestos por golpes de estado y Costa Rica fue gobernada por militares más de la mitad del tiempo (Booth, 1989: 389-90). En 75 años, Costa Rica fue gobernada por tres militares, Fancisco Morazán (salvadoreño, en 1842), Tomás Guardia (1870-1882) y su sucesor, Próspero Fernández (1882-1886); es decir, doce años y tres meses. Empero, de 1860 a 1914, el sistema político se caracterizó por la apertura parcial del sistema, una mayor tolerancia hacia la oposición y la libertad de expresión para las agrupaciones opositoras al gobierno (**Auditoría sobre la democracia** : 2001; vol. I, 106).

La afirmación de Booth de que los militares dominaban el sistema entre 1838 y 1919 es discutible. Incluso, los líderes que han sido militares gobernaron desde una perspectiva civil, no castrense. En los Estados Unidos, generales como George Washington, Andrew Jackson, y muchos otros, habían sido militares, pero no se puede calificar a sus administraciones como "militares". En Costa Rica, el término "ejército" difiere significativamente del estereotipo latinoamericano del siglo XIX y comienzos del siglo XX: el ejército como organización militar rapaz, cruel y represiva. El ejército de Costa Rica, durante la mayor parte de ese período, no era dominante, ni corrupto. El grupo que derrotó a las fuerzas de William Walker, en 1856, estaba compuesto por profesionales y gente de pueblo, campesinos y artesanos, y no todos sus líderes eran oficiales de profesión (Muñoz, 1990: 18-23). Lo importante de todo esto es que Costa Rica llegó a tener una supremacía civil en su administración:

"Supremacía civil tiene aquí un sentido muy preciso. Significa, por un lado, que fueron líderes civiles y no militares (al estilo de Tomás Guardia, Próspero Fernández o Bernardo Soto en las décadas de 1870 y 1880) los que ejercieron el poder político durante la casi totalidad del período [1821-1919]; por otro lado, que el ejército progresivamente dejó de ser el árbitro de la política interna. ... Esto no quiere decir que los civiles se abstuvieron de emplear el ejército como instrumento de política interna para, por ejemplo, reprimir a la oposición, como lo hizo Rafael Yglesias entre 1894 y 1902, o para las recurrentes manipulaciones electorales del Poder Ejecutivo. ... Pero, en el nuevo período, fueron los civiles los que usaron al ejército y no al revés. La caída de la dictadura de los Tinoco, último intento de protagonismo del ejército costarricense, condujo a su decadencia." (**Auditoría de los habitantes,** 2001, vol. I, 107).

Según Bruce Wilson: "El ejército (después de 1919) ... se debilitó seriamente (aunque nunca había sido políticamente importante, como los ejércitos en otros países centroamericanos) y permaneció ineficaz y políticamente insignificante hasta su abolición en 1948" (30) (Ver también, Muñoz, 1990: 115-163).

De acuerdo con la **Auditoría sobre la democracia**, el período de 1919 a 1948 se caracterizó por la creación de grupos autónomos, la organización de los partidos políticos modernos, la ampliación de las expectativas de la población y el cambio de los ideales políticos hacia unas planteamientos públicos más progresistas (2001; vol. I, 112-120). Se concibió un estado más fuerte, con una mayor intervención tanto en la economía como en la sociedad. La nación se extendió fuera del Valle Central y la población creció de 300.000 habitantes en 1919, a más de 801.000 en 1950. Esta etapa concluyó con la Guerra Civil de 1948. En la década que terminó con la Revolución: "se desarrolló una fuerte polarización política, acompañada por brotes de inestabilidad: acciones terroristas, amenazas de golpe de Estado, enfrentamientos callejeros entre fuerzas de choque, resistencia civil al gobierno y un clima de virulenta confrontación verbal entre el gobierno, sus aliados y las varias fracciones de la oposición política. Esta polarización finalmente desembocó en la guerra civil de 1948" (**Auditoría de los habitantes**: 2001; vol. I, 119).

En 1962, Daniel Goldrich, de la Universidad de Oregón, realizó una encuesta en Costa Rica con estudiantes de secundaria de sectores de clase alta. Entre sus resultados encontró que los costarricenses "apoyan, en su mayoría" el sistema político; que las percepciones más negativas eran "para los políticos y para quienes toman las decisiones, en vez de para las reglas de juego. Casi ninguno (de esos jóvenes) se opone al sistema" (Goldrich; 1966: 94-95).

Si el estudio fuera repetido hoy, este autor está convencido de que se llegaría a resultados semejantes. Los costarricenses están orgullosos de su democracia y apoyan decididamente su régimen político. Sin embargo, entienden que el sistema tiene problemas y que los políticos con frecuencia asumen actitudes negativas. Asimismo, hay un incremento del pesimismo y el escepticismo entre los costarricenses.

Carlos Denton, quien ha hecho estudios de opinión pública desde 1978, raras veces pregunta sobre el apoyo de los costarricenses a la democracia, al sistema o a las reglas de juego existentes. Denton afirma que no vale la pena hacer tales preguntas ya que, a través del tiempo, no ha habido ninguna variante significativa en las respuestas. Los costarricenses siguen sumamente comprometidos con su sistema y con la "democracia tica" (Denton, junio 1992).

Charles D. Ameringer está de acuerdo con la naturaleza única de la democracia costarricense. Él afirma:

> Los ticos saben que su democracia no es perfecta, pero aprecian su libertad; la democracia no es solamente un sistema de gobierno, sino también un sentimiento profundo. El sistema ha funcionado el tiempo suficiente y lo suficientemente bien como para adquirir legitimidad. Los ticos disfrutan de la libre expresión y de una prensa libre, y su proceso electoral es tan honesto y sin trabas como en ninguna otra parte del mundo. Cada cuatro años ellos realizan su fiesta cívica con ruido y pasión, pero cuando los votos se cuentan, aceptan la decisión con gracia y buen humor. La transferencia de poder, aún a la oposición política, lo cual ha sido el caso más frecuente en los últimos 30 años, se lleva a cabo con dignidad, en ceremonias cívicas... (Ameringer; 1982: 1-2).

En octubre de 1989, Costa Rica celebró su centenario como nación democrática. Desde el establecimiento de la Constitución de 1871, Costa Rica ha progresado lentamente hacia una forma y proceso más representativo-electoral. A pesar del gobierno autoritario de Tomás Guardia, este produjo una nueva Constitución que permitió el desarrollo de un gobierno más integrador y más encauzado hacia las mayorías. Para 1889 empezaron a practicarse procedimientos e instituciones democráticas de manera más amplia. Desde entonces, los ideales y conceptos democráticos han predominado y los gobernantes han seguido más o menos sus reglas; sin embargo, el sistema democrático moderno rige a partir de los albores de 1948.

Desde la independencia, en 1821, Costa Rica desarrolló paulatinamente un sistema electoral abierto y competitivo, con un electorado siempre en expansión. Durante la mayor parte del siglo XIX, el público podía votar por delegados en los concilios parroquiales, los cuales votaban luego por las autoridades provinciales. En 1893 se aprobó una ley electoral muy detallada. Para 1913 se instituyó el voto directo y, en 1925, se estableció el voto secreto. La Constitución de 1949 y la Ley Electoral de 1952 extendieron el sufragio a las mujeres y lo hicieron efectivo. En 1951, el Tribunal Supremo de Elecciones inició la cedulación de la etnia negra de la costa atlántica y, entre 1989 y 1990, la etnia guaimí (población nómada del Pacífico sur, entre Panamá y Costa Rica) empezó a preocuparse por obtener la cédula de identidad costarricense (Zeledón: 2000; 42). En 1971, la edad para votar se disminuyó de 21 a 18 años. La Constitución de 1949 –que, basada en el Tribunal Electoral de 1946, estableció el Tribunal Supremo de Elecciones– y la Ley Electoral de 1952 conformaron las reglas e instituciones que administran actualmente los procesos electorales (Villegas; 1986: 19-20). En 1959 se estableció la obligación de que los votantes empadronados participaran en las elecciones, aunque hay pocas sanciones para aquellos que no ejercen el derecho al voto.

En el siglo XX solo tres administraciones llegaron al poder por medios no electorales. Los años 1948 y 1949 trajeron a Costa Rica más cambios políticos que cualquier otro período en su historia. El término "revolución" se emplea para describir el levantamiento violento seguido de las cuestionadas elecciones de 1948. La mayoría de las instituciones, reglas y procedimientos generales asociados con la democracia moderna de Costa Rica se establecieron y organizaron en torno a la Constitución de 1949 y se hicieron efectivos a partir de 1950.

En San José, durante la semana del 7 de noviembre de 1989, se celebró una cumbre para conmemorar el centenario de la democracia costarricense; en ella se reunieron, con otros representantes políticos, los dieciséis mandatarios del Hemisferio Occidental, incluyendo el presidente estadounidense George Bush (padre). En esa reunión se consideraron una miríada de problemas endémicos de Centroamérica: la guerra civil, la violencia, el tráfico de drogas, las economías estancadas, el comercio y el desarrollo. Estos problemas restringen a estas naciones en su progreso hacia los procesos y sistemas democráticos parecidos a los que han emergido en Costa Rica. Aunque las naciones de Centroamérica han sostenido elecciones democráticas y abiertas desde 1980, todavía están ausentes de la región muchos de los aspectos fundamentales de la política que caracterizan a la democracia.

Costa Rica, sin embargo, continuó celebrando sus tradiciones democráticas al comenzar oficialmente la campaña presidencial electoral, un mes después de la Cumbre, en noviembre de 1989. Esa campaña culminó el 4 de febrero de 1990, con otra elección muy democrática, competitiva, justa y abierta; una elección en la cual la oposición ganó y el cambio de mando prosiguió sin ningún incidente particular.

Los costarricenses perciben que su sistema político es único. Tienen un dicho: "A la tica", para expresar su tradición de no-violencia y de resolución de conflictos por medio del compromiso y la negociación. En 1992, las encuestas de opinión pública apoyaron este concepto e indicaron que los costarricenses ven su democracia como algo especial e importante. Cuando se les preguntó acerca de las palabras que les venían a la mente al definir democracia, expresaron varios valores más allá de las elecciones competitivas. Este concepto trajo a la mente conceptos de libertad para circular (de tránsito) y para actuar (de acción), tolerancia y respeto a la ley. Dieciséis por ciento de los encuestados sugirió el respeto por los otros y a la ley (CID, 1992 No. 40:43-5). Ochenta y tres por ciento del público opinó también que la gente en Centroamérica vive mejor en condiciones democráticas de gobierno. Sesenta por ciento de los participantes afirmaron estar muy satisfechos con la forma en que funciona la democracia en Costa Rica, veinticinco por ciento dijo estar medio satisfecho. Solo doce por ciento expresó insatisfacción con la democracia costarricense (CID, 1992 No. 40:45-6). En la encuesta efectuada por UNIMER, en enero del 2001, se encontró que "un 55 por ciento de los costarricenses dicen estar satisfechos con la forma en que funciona el sistema democrático costarricense, frente a un 3,9 por ciento que no lo siente así" (http://www.nacion.co.cr/encuestas/numero 01-2001).

Como puede deducirse, Costa Rica ha cumplido con todos los criterios que Dahl estableció con respecto a las elecciones, y a las instituciones y procesos asociados con ellas. Los medios de comunicación tienen libertad total, las elecciones son abiertas, todos los adultos mayores de dieciocho años pueden votar y los votos tienen igual valor. Hay fuentes de información variadas, desde la derecha más conservadora hasta la izquierda radical. Los grupos tienen autonomía de asociación y funcionan a lo largo de todo el país. En resumen, existe igualdad en la votación, participación eficaz, información suficiente, algún control sobre la agenda, y actuación decidida de las personas y grupos de todas las áreas del país y todos los tipos de creencias políticas.

Costa Rica es, en gran medida, mucho más democrática que lo que se deduce de la mayor parte de los aspectos considerados por Wiarda en 1980. De todos modos, todavía conserva muchos rasgos latinoamericanos. Sus presidentes hacen evidentes el personalismo y el caudillismo. El ámbito legislativo es menos determinativo o asertivo de lo que pudiera ser, pero los tribunales ejercen más independencia en los últimos años. Las libertades públicas (de expresión, de asociación, de religión, el derecho a disentir del gobierno) todavía son muy fuertes. El pluralismo, la autonomía del subsistema y la representación eficaz, son también viables y operan de manera efectiva. Sin embargo, existen algunos problemas con la representación correcta, pero estos se discutirán después. La justicia social es inalcanzable todavía y una distribución más justa de ingreso es cada vez menos probable, pues la brecha entre ricos y pobres se ensancha, mientras se observa cómo la clase media continúa perdiendo poder adquisitivo. Sin embargo, la desigual distribución de la riqueza es mucho menor que en el resto de América Latina.

Rasgos distintivos de la democracia costarricense

Para María Pérez Yglesias, en Costa Rica hay una mentalidad colectiva que procura el entendimiento mutuo y las relaciones equitativas para obtener consenso. Aunque ese consenso es normalmente un fenómeno natural, este a veces puede ser *"forzado"*. Las presiones de grupos sociales y los valores de la sociedad pueden persuadir e influir para que los ciudadanos lo logren. En otras ocasiones, puede ser autoimpuesto, por medio de un proceso de autopersuasión individual y autocontrol, el cual califica Pérez Yglesias como "autocensura" (Pérez Yglesias; 1989: 146-147). La represión, la confrontación y las amenazas se usan raras veces, y las diferencias políticas generalmente se resuelven en un ambiente de cordialidad y respeto mutuo.

La democracia costarricense, o "a la tica", tiene muchas características políticas particulares. Entre estos rasgos distintivos está el creer que el compromiso es mejor que el conflicto y la confrontación. En Costa Rica, la palabra en castellano para compromiso se asemeja al término en inglés. Esto no sucede con el uso tradicional del término en español. Otro rasgo constitucional distintivo era que el presidente de la República se elegía solamente por un período, sin reelección consecutiva. El 5 de abril del 2003 los diarios anunciaron la declaratoria de inconstitucionalidad de la no-reelección de presidentes y vicepresidentes. El día anterior, la Sala Constitucional, por cinco votos a favor y dos en contra, anuló la reforma a la Constitución Política –aprobada en 1969 en la Asamblea Legislativa–, que prohibía la reelección presidencial. De ese modo, el artículo 132 de la Constitución vuelve a su redacción original, aprobada por la Asamblea Constituyente de 1949. Ahora, no solo los diputados pueden volver a ser electos cuatro años después (como lo había establecido esa Constituyente), sino que podrán serlo también el primer mandatario y sus vicepresidentes, solamente que estos deberán esperar ocho años después de terminar su período. En el 2000 se había presentado la misma solicitud a la Sala Constitucional, pero esta la había rechazado en esa ocasión. El criterio que privó en el presente es que la Asamblea Legislativa no puede restringir derechos fundamentales (elegir y ser electo es uno de ellos) y que este tipo de reformas solo es posible que las haga una nueva Asamblea Constituyente. Entonces, las puertas de la casa presidencial se abren a siete expresidentes, entre ellos al Premio Nóbel de la Paz, Oscar Arias Sánchez quien, al recibir la noticia solamente indicó que lo pensaría nueve meses. (www.nacion.com/ln_ee/2003/abril/05/pais1.html).

La creación de un tribunal autónomo, el Tribunal Supremo de Elecciones, para vigilar todas las elecciones, fue una decisión trascendental. También es inusual la existencia de dos cargos de vicepresidente del país en vez de uno solo.

Otro rasgo adicional único de las elecciones costarricenses es que hay un solo proceso electoral cada cuatro años, en el cual se escogen todos los puestos de tres papeletas diferentes; hay una papeleta presidencial, una papeleta para los diputados de la Asamblea Legislativa y otra para los integrantes del gobierno local, las Municipalidades. Consecuentemente, este es un proceso muy simple y centra la atención de los votantes en el día de las elecciones (el primer domingo de febrero, cada cuatro años).

Como ya se ha expresado, uno de los aspectos más sobresalientes del proceso político costarricense es el concepto de la reelección no consecutiva. Esta condición de no-reelección también se aplica a los otros puestos políticos, como se indicó anteriormente, y ahora sí se permite la reelección, en todos los casos, después de una ausencia de cuatro años. Cada cuatro años, el ejecutivo, el legislativo y las juntas municipales son reemplazados totalmente. Sin embargo, en todos los cargos políticos los candidatos pueden lanzarse otra vez, siempre que medie un período completo entre el ejercicio anterior y el nuevo cargo.

Esta restricción de la reelección no consecutiva agrada a los ciudadanos de muchos otros países, donde la larga duración en cargos públicos crea problemas y donde las campañas para la reelección generan compromisos que usualmente llevan a una representación minoritaria del pueblo y un mayor peso para grupos de presión específicos. Con la reelección no consecutiva, esos grupos tienen mayores dificultades en capturar políticos para sus propósitos. Sin embargo, sí se paga un precio por la reelección no consecutiva, pues los legisladores tienen un menor compromiso con sus electores y sirven menos a estos que en otras democracias. Asimismo, tienen menos experiencia en la formación de líneas políticas, especialmente para los asuntos complejos y técnicos del mundo de hoy. Muchos de estos legisladores temporales, no profesionales, tienen la tendencia a poner énfasis en sus propios intereses, en el autoenriquecimiento y en sus oportunidades de empleo futuro, más que en sus responsabilidades como representantes populares (Ameringer; 1982: 106-107).

La institución y el proceso para organizar, administrar y vigilar las elecciones es el segundo aspecto más importante del sistema electoral costarricense. La Constitución de 1949 estableció el Tribunal Supremo de Elecciones (TSE), el cual tiene control sobre todo el proceso electoral. La creación de una instancia autónoma para vigilar todos los procesos electorales, el Tribunal Supremo de Elecciones, fue una decisión trascendental. El Tribunal es conocido comúnmente como el cuarto poder del estado costarricense. Este Tribunal ha sido el modelo para otros países de la región.

Entre otros rasgos distintivos del sistema está el hecho de que Costa Rica tiene dos puestos de vicepresidente, que deben ser del mismo partido y aparecer en la misma papeleta que el Presidente. Ellos tienen algunos deberes administrativos y el Presidente le asigna el mando a uno de ellos cuando abandona el país. En caso de defunción del Presidente, por supuesto, el Primer Vicepresidente asume el cargo. Además, Costa Rica tiene un sistema de representación proporcional de diputados, en el cual cada partido presenta a los votantes sus listas de candidatos para la Asamblea Legislativa, pues los individuos no pueden lanzarse a las elecciones de diputados en forma independiente. La proporción de los votos ganados en cada una de las siete provincias determina, luego, el número de diputados de cada partido que representará a esa provincia en el Congreso. El número total de representantes para cada provincia está determinado por el tamaño de la población de esa provincia. La distribución por provincias de las curules cambió debido a los nuevos datos del censo de población del 2000.

Un rasgo característico de las elecciones costarricenses, en contraste con las estadounidenses, es que, en principio, hay una

TABLA 1.3

Número de diputados electos

en la Asamblea Legislativa 1990,1994 y 2002

Provincia	PUSC			PLN			OTROS			TOTAL		
	1990	1994	2002	1990	1994	2002	1990	1994	2002	1990	1994	2002
San José	10	9	6	9	10	5	2	2	9	21	21	20
Alajuela	5	5	4	5	5	4	-	-	3	10	10	11
Cartago	3	2	2	2	3	2	1	1	3	6	6	7
Heredia	3	2	1	2	3	1	-	-	2	6	6	5
Puntarenas	3	3	2	3	3	2	-	-	2	6	6	5
Guanacaste	3	2	2	2	3	1	-	-	-	5	5	4
Limón	2	2	2	2	1	2	-	1	1	4	4	5
TOTAL	29	25	19	25	28	17	3	4	21	57	57	57

sola elección, cada cuatro años, para todos los puestos del gobierno municipal y de los poderes legislativo y ejecutivo. Como se indicó, todos los candidatos elegidos son seleccionados de tres papeletas diferentes (ejecutiva, legislativa y municipal) en una sola votación; es un proceso muy simple y concentra la atención de los votantes en un solo día, a diferencia de los Estados Unidos, donde el votante puede participar en más de diez elecciones durante cuatro años. En Costa Rica, el día de las elecciones es siempre el primer domingo de febrero (cada cuatro años), a diferencia de los Estados Unidos, donde las fechas de las elecciones no están determinadas de antemano (Cuando comenzó este nuevo procedimiento, el Alcalde de las municipalidades fue electo en una elección separada, en diciembre del 2002).

A pesar de la existencia de un servicio civil moderno, hay un sistema de "compadrazgo" bastante extendido en la burocracia gubernamental. La ubicación laboral por favores o compromisos políticos también se practica en las instituciones autónomas, que funcionan bajo el capitalismo estatal o como agencias y empresas controladas por el estado. Inclusive, muchos miembros de la Guardia Civil y las fuerzas policiales se nombran por medio de este favoritismo político. Cada cuatro años se sustituye la mayor parte de la Guardia Civil y la Guardia Rural, tanto en el ámbito de policía raso como en el liderazgo ministerial. Desde 1980, esta costumbre está en transición. Esta es una de las facturas que los costarricenses están dispuestos a pagar para tener fuerzas de seguridad leales al gobierno. Esto también da carácter provisional a las Guardias (Civil y Rural), con el propósito de que no se tornen en una fuerza integrada por individuos permanentes y, por ende, en un instrumento de índole política. Esta es otra manera de prevenir golpes de estado en esta sociedad democrática. Así que, cuando el partido de oposición gana las elecciones, no solo obtiene el control de los poderes del estado, donde logra una mayoría, sino también miles de plazas para satisfacer compromisos electorales con los partidarios. Como consecuencia, las elecciones llegan a ser un proceso muy importante para muchos costarricenses, pues a menudo su supervivencia económica depende del resultado electoral.

La Corte Suprema de Justicia de Costa Rica tiene cuatro salas que son responsables de varias jurisdicciones. La llamada Sala Cuarta, o Sala Constitucional, maneja solo cuestiones constitucionales y atiende asuntos de las ramas ejecutiva y legislativa. Fue creada en 1989, como respuesta a una serie de cuestionamientos surgidos de la crisis centroamericana y, por otra parte, debido a problemas internos. El número de casos tramitados en el Poder Judicial aumentó de 431,255 en 1993, a 799,821 en el 2000. Los casos presentados en la Sala IV, o Constitucional, aumentaron de 4,362 en 1990, a 10,527 en el 2000. El uso del Poder Judicial por parte de los ciudadanos está creciendo mucho, aunque la gente tiene menos confianza en el sistema (**Auditoría sobre la democracia**: 2001; 237, 241 y 247).

Finalmente, hasta 1994, Costa Rica era la única nación latinoamericana sin organización militar. Desde 1994, Panamá ha copiado de alguna manera el modelo costarricense y ha disuelto su ejército. En Costa Rica, mucho del dinero ahorrado por la ausencia de fuerzas armadas se ha destinado a la educación, siendo esta una de las razones por las cuales Costa Rica tiene un nivel tan elevado de alfabetismo, sobrepasando el 95 por ciento.

Los rasgos distintivos de la democracia costarricense apoyan la idea de que la democracia es mucho más que solamente los procesos electorales. Los diversos criterios establecidos por expertos tales como Dahl, Huntinton, Wiarda, Peeler y otros, continuarán ubicando a Costa Rica en primer lugar como país democrático. Incluso, el criterio establecido por los minimalistas, relativo a elecciones competitivas y abiertas, concede a Costa Rica la posición del país con mayor experiencia y madurez en América Latina, con un sólido proceso democrático. Como otras democracias consolidadas, el sistema democrático costarricense está evolucionando y los cambios son evidentes aún en los elementos políticos más básicos, es decir, las campañas electorales, las elecciones y los partidos políticos.

Problemas y reservas

Aunque los costarricenses generalmente estiman su democracia, están conscientes de sus defectos y debilidades. Varios profesores universitarios costarricenses indicaron recientemente algunas reservas sobre los niveles actuales, y a corto plazo, de la durabilidad de la democracia, de no efectuarse cambios sustanciales. Más de cuarenta autores participaron en varias publicaciones sobre este tema, entre ellos, Barahona (1989), Espinoza (1986), Fischel (1991), Jiménez *et al.* (1998), Quesada (1990), Rojas Bolaños (1989), Rovira Mas *et al.* (2001) y Zelaya (1989).

La crítica más generalizada, probablemente la más frecuente contra el sistema costarricense, es su falta de democracia social, su incapacidad para crear una "sociedad democrática". Esta es algo mucho más amplio que un proceso democrático, pues incluye el muy usado concepto de "justicia social" o "justicia distributiva", o resultados políticos más equitativos. Estos conceptos se derivan de fuentes tan diversas como el neomarxismo y los teóricos de la elección racional o pública: "Es muy cierto que sin paz no hay democracia, pero sin justicia social tampoco habrá democracia que perdure" (Rodríguez; 1990:14).

El Dr. José Miguel Rodríguez Zamora, exdirector de la Escuela de Ciencias Políticas de la Universidad de Costa Rica, resume esta orientación:

> La democracia en América Latina se ha enfrentado a un proceso de lucha por la ampliación de la base popular con los obstáculos mencionados. Pero también debe enfrentarse al mismo concepto restringido de democracia que se ha querido imponer desde una óptica neoliberal impulsada por las elites o clases dominantes en los países de la región con el apoyo –o presión– de las fuerzas económicas, políticas y militares externas (Rodríguez; 1990:15).

Rodríguez insiste en la idea de que la democracia social debe incluir mayor igualdad económica y social, y no solo la democracia institucional que existe actualmente (Rodríguez; 1990:15).

Esta posición la comparten otros, al afirmar que la gente común aporta poco al sistema. Además, los sectores populares tienen pocos recursos frente a los abusos del sistema, poco poder y pocas organizaciones que defiendan sus necesidades e intereses. Por ejemplo, hay menos sindicatos ahora que en la década de 1970 (Rojas Bolaños; 1989: 33-39).

Durante los últimos veinte años, las organizaciones agrícolas, algunos sindicatos y grupos estudiantiles, han recurrido a protestar en las calles, bloquear carreteras y caminos, y a las huelgas, para tener acceso a los políticos y así hacer evidentes sus quejas. La utilización de estos métodos menos convencionales de presión política ha sido necesaria porque los políticos de un solo período no les prestan atención ni les dan los servicios constitucionales que reclaman. Los mecanismos más utilizados en otras democracias y las redes de acceso a los políticos no funcionan de manera tan eficiente con respecto a las clases bajas.

También se mencionan otros problemas. La mayor parte de los analistas incluye la preocupación por los pobres y por el poder de las elites, los adinerados, la clase media y la burocracia. Los académicos costarricenses se sienten perturbados por el débil papel de la Asamblea Legislativa, la falta de representatividad de esos legisladores y su poca preocupación por los electores. Creen que los medios de comunicación están excesivamente controlados por monopolios, dando como resultado una libertad de expresión restringida. También, afirman que existen abusos a los derechos humanos y ausencia del debido proceso.

El bajo nivel de confianza de los costarricenses con respecto a las instituciones públicas no es nuevo. Por ejemplo, en noviembre de 1981, el 63 por ciento de las personas entrevistadas indicó que la administración Carazo fue la más corrupta de todas, el 21 por ciento opinó que igualmente corrupta, y solo el 8 por ciento dijo que menos corrupta o sin corrupción. Al mismo tiempo, el 69 por ciento señaló que la labor de Carazo fue mala o muy mala, y solamente el 26 por ciento, regular. Y la situación de la Asamblea Legislativa no se encontraba en mejor posición: el 42 por ciento indicó que la labor era regular, el 52 por ciento mala o muy mala, y solo el 3 por ciento, buena (CID, N° 9; 29, 32 y 34). Sin embargo estas actitudes fueron muy transitorias.

La **Auditoría sobre la democracia** resumió varias encuestas elaboradas por UNIMER. Los resultados se indican en la tabla 1.4.

De acuerdo con las encuestas, la Defensoría de los Habitantes y la radio son las instituciones públicas de Costa Rica mejor valoradas de manera consistente. La Iglesia Católica y el Tribunal Supremo de Elecciones están también en posición elevada. En contraste, los partidos políticos, la policía y los miembros de la Asamblea Legislativa reciben los mayores niveles de desconfianza. No obstante, a pesar de esos elevados niveles de desconfianza, la Auditoría concluye en que la democracia costarricense es sólida y sustentable.

De los 24 estándares de la democracia empleados por la **Auditoría sobre la democracia**, 19 se cumplían plenamente y solamente cinco se cumplían de forma parcial, y no había ni uno incumplido. Los de cumplimento parcial fueron: apertura al escrutinio público por parte del Poder Judicial, facultades de rendición de cuentas de los legisladores, respeto de derechos y libertades por parte de las fuerzas de seguridad, libertad de organización política y social, y el mínimo de habilitación ciudadana (2001: 158).

Los partidos políticos

La Sección Electoral del Tribunal Supremo de Elecciones tiene la responsabilidad adicional de inscribir los partidos políticos. Este proceso es relativamente simple, dividido en dos fases. La primera fase requiere que 25 votantes elegibles presenten el acta de constitución del partido y los estatutos, ante un notario, juez, o alcalde de la ciudad. A continuación, la agrupación obtiene el derecho para empezar a organizarse en todo el país. La segunda fase es más complicada. Los partidos políticos nacionales deben sostener una asamblea de partido en los 415 distritos, 81 cantones y las siete provincias, para elegir delegados a su Asamblea

TABLA 1.4
Grado de confianza en las instituciones[a] 1998-2000

INSTITUCION	Abril 1998	Setiembre1999	Noviembre 2000	Promedio 1998-2000	Imagen básica 1998-2000[b]	Tendencia 1998-2000[c]
Defensoría de los habitantes	71	51,2	61	61,1	Confianza	Disminuye
Iglesia Católica	65,7	53,2	48,6	55,8	Confianza	Disminuye
Radio	63,4	62,9	69,4	65,2	Confianza	Variable
TSE	52,7	47,4	49	50	Confianza	Variable
Prensa	46,4	37,6	42,3	42,1	Confianza	Variable
Contraloría	40,7	16,2	27,8	28,2	Confianza	Disminuye
Tribunales	31,3	4,1	9,8	15,1	Confianza	Disminuye
Sala IV	26,2	14,7	22,1	21	Confianza	Disminuye
OIJ	19,6	27,7	31,7	26,3	Confianza	Aumenta
Televisión	15,5	16	12,7	14,7	Confianza	Variable
Poder Judicial	17,1	5,3	7,3	9,9	Confianza	Disminuye
Sindicatos	7,7	-15	-12,5	-6,6	Desconfianza	Aumenta
Poder Ejecutivo	6,6	-8,3	-19,8	-7,2	Desconfianza	Aumenta
Asamblea	3,4	-21,8	-38,5	-19	Desconfianza	Aumenta

continúa en página siguiente

TABLA 1.4 (*continuación*)

Grado de confianza en las instituciones[a] 1998-2000

INSTITUCION	Abril 1998	Setiembre1999	Noviembre 2000	Promedio 1998-2000	Imagen básica 1998-2000[b]	Tendencia 1998-2000[c]
Policía	-25,9	-4,4	-7,8	-12,7	Desconfianza	Disminuye
Otras iglesias	-24,7	-24	-14,2	-21	Desconfianza	Disminuye
Partidos políticos	-36,9	-58,1	-65,3	-53,4	Desconfianza	Aumenta

a Es el resultado neto de restar las opiniones negativas (desconfianza) de las opiniones positivas (confianza).

b Imagen: Confianza: si el promedio de las observaciones 1998-2000 es positiva (superior a 0). Desconfianza: si el promedio de las observaciones 1998-2000 es negativa (menor a 0).

c Tendencia: Confianza aumenta si las observaciones de 1999 y 2000 son superiores en más de un 10 % a la observación de 1998.
Confianza disminuye si las observaciones de 1999 y 2000 son inferiores en más de un 10 % a la observación de 1998.
Desconfianza aumenta si las observaciones de 1999 y 2000 son inferiores en más de un 10 % a la observación de 1998.
Desconfianza disminuye si las observaciones de 1999 y 2000 son superiores en más de un 10 % a la observación de 1998.
Fuente: UNIMER, 1998, 1999 y 2000 (**Estado de la Nación**; 2001: 247).

Nacional. Al efectuar la Asamblea Nacional, el partido debe solicitar su reconocimiento oficial, presentando una petición al TSE con, por lo menos, 3.000 firmas de votantes elegibles. De esta manera, el partido puede seleccionar a sus candidatos para presidente, vicepresidentes y diputados para la Asamblea Legislativa. Los partidos también pueden estar organizados parcialmente, en el distrito, cantón y provincia, y pueden presentar candidatos para puestos locales o simplemente para la Asamblea Legislativa. Estos partidos regionales tienen un procedimiento más simple para su inscripción.

Como se indicó anteriormente, hoy en día las dos agrupaciones políticas principales son el Partido Liberación Nacional (PLN) y el Partido Unidad Social Cristiana (PUSC). Desde 1986, cada cuatro años, estos partidos se han alternado en la presidencia. Este relativamente estable sistema de dos partidos políticos ha estado alineado de forma coherente en casi la totalidad de los procesos electorales, por más de cinco décadas.

Costa Rica tiene, pues, un sistema dominado por dos partidos. Históricamente, los dos partidos se alternan en la obtención del poder político, con la particularidad de que, casi siempre, los dos partidos reúnen en total más del 85 por ciento de los votos en la mayoría de las elecciones, hasta las del 2002.

Los partidos mayoritarios o tradicionales

El Partido Liberación Nacional. Fundado en 1951 por José Figueres Ferrer, el Partido Liberación Nacional había sido el partido político más antiguo y usualmente el más fuerte en Costa Rica. Figueres Ferrer es el único ciudadano costarricense que, habiendo sido gobernante de facto en una ocasión, también lo fue constitucionalmente en dos oportunidades, antes de que se aprobara el impedimento constitucional para la reelección. A través de los años, se han formado coaliciones de oposición en contra del PLN. El PUSC es la coalición anti-liberacionista más reciente, la que ha tenido mayor duración y mayores éxitos.

El PLN ha ganado siete de las trece elecciones presidenciales hasta el 2002. Se ha sucedido en la presidencia en dos ocasiones, en 1974 y en 1986. En las demás elecciones, desde 1953, la oposición ha ganado después de períodos de cuatro años de administración del PLN. En 1990, el partido de oposición (PUSC) ganó su primera mayoría en la Asamblea Legislativa en la historia reciente costarricense. Hasta 1990, el PLN había ganado siempre o la mayoría de los asientos en la Asamblea Legislativa, con excepción de 1978, cuando la coalición Unidad logró la mayor porción de la pluralidad en la Asamblea Legislativa, pero quedó sin mayoría absoluta (esto también cambió en el 2002). En el 2002, el PLN perdió la presidencia y, por primera vez, perdió también dos elecciones consecutivas.

El Partido Liberación Nacional está asociado con los partidos social-demócratas de América Latina y Europa del Oeste. Esta organización recibe apoyo de diversas clases y ha promovido políticas de redistribución económica y de desarrollo democrático. Ayudó a convertir a Costa Rica en la mejor sociedad democrática de América Latina; y tradicionalmente apoyó la educación, el bienestar social y la intervención estatal en la sociedad y en la economía.

En 1949, con el propósito de mantener en manos del estado el control del desarrollo de la economía costarricense, la Junta Fundadora de la Segunda República nacionalizó los bancos y, posteriormente se crearon, por iniciativa de los gobernantes liberacionistas, muchas oficinas gubernamentales para contribuir con el desarrollo económico, tales como el Consejo Nacional de la Producción (CNP) y la Corporación Costarricense para el Desarrollo (CODESA), y se establecieron otras corporaciones estatales, llamadas instituciones autónomas, como el Instituto Costarricense de Electricidad (ICE).

Tradicionalmente, El PLN ha destinado una porción elevada del presupuesto nacional a educación y salud. Ha creado más de 180 oficinas o instituciones autónomas diferentes para trabajar en varios ámbitos sociales y económicos problemáticos. Aunque existen conflictos, antagonismos y facciones en su seno, ha mantenido, generalmente, una fuerte organización nacional. Sus programas apuntan a las clases medias y obreras y se reconoce con claridad que representa el sector comercial de pequeña y mediana empresa, granjeros pequeños, oficinistas, maestros, burócratas y algunas áreas profesionales.

El presidente Luis Alberto Monge (1982 a 1986), y el PLN, a pesar de los muchos problemas nacionales e internacionales, han mantenido su popularidad a todo lo largo del país, aunque la administración Monge haya estado envuelta en un escándalo financiero importante, que implicó una cifra superior a los dos millones de dólares. Hubo imputaciones contra el personal de la administración, incluso personas del despacho del vicepresidente, pero el propio presidente Monge no se vio implicado mientras estuvo en el sillón presidencial. Él fue uno de los presidentes más populares en la historia de Costa Rica del siglo XX, y esta popularidad, junto con la influencia continua de "Pepe" Figueres, ayudó indudablemente al candidato presidencial del PLN, Oscar Arias, a ganar la elección de 1986.

En las administraciones de Luis Alberto Monge Álvarez (1982-1986) y de Oscar Arias Sánchez (1986-1990), el PLN redujo el control gubernamental, apoyó el desarrollo económico, motivó la privatización moderada de las empresas estatales, aumentó la inversión extranjera y abrió el intercambio en forma más libre y diversa. También, inició la reducción del estado y el cambio de otros programas tradicionales del PLN. Accedió a negociar con las instituciones de financiamiento internacional y comenzó el programa de ajuste estructural, para reducir significativamente la gran deuda internacional de Costa Rica. Pero estos actos le crearon conflictos a Arias con los líderes de la vieja guardia del partido. Bajo su presidencia se inició el proceso para la paz en Centroamérica. Costa Rica adquirió renombre internacional, la economía se fortaleció y la deuda nacional se redujo de manera significativa. Por estas mejoras en lo interno y el reconocimiento internacional a las iniciativas de paz de Arias, el turismo aumentó y ha sido la fuente más importante del ingreso nacional. En la actualidad, el presidente Arias es el político más popular en Costa Rica. Curiosamente, estos éxitos y su popularidad no se transfirieron, en la década de los noventa, a los candidatos del PLN que le sucedieron.

El presidente Luis Alberto Monge (1982-86) comenzó a alterar las políticas públicas de PLN, desde los programas y plataformas tradicionales de ese partido. Ambos presidentes, Arias y Monge, se vieron forzados por la realidad de los tiempos a adoptar políticas neo-liberales y a reducir su compromiso con aquellas propias de su partido. Una discusión más completa sobre estas acciones y cambios se puede encontrar en Bruce Wilson (1998:132-44).

El Partido Unidad Social Cristiana. Como se mencionó anteriormente, el segundo partido más importante es el Partido Unidad Social Cristiana (PUSC, Unidad). Esta organización política ha evolucionado, desde que formó parte de una amplia coalición de oposición al PLN, cuyas raíces se encuentran en el Partido Republicano, el cual dominó la política costarricense, desde la última parte de la década de los treinta, hasta 1948.

En 1950, el Partido Unión Nacional, relacionado con el ex-presidente Otilio Ulate Blanco, sentó las bases para la creación del Partido Unificación Nacional, al unirse en 1966 al Partido Republicano Calderonista. Unificación decayó en los años 70 y fue sustituido por la Coalición Partido Unidad, en 1978. "En enero de 1976, los partidos Unión Popular, Renovación Democrática, Demócrata Cristiano, Republicano Calderonista, Nacional Independiente y Unión Nacional, firmaron el denominado 'Pacto de Ojo de Agua'. Esta coalición se postuló como la Unidad, y propuso a Rodrigo Carazo Odio como candidato para la presidencia. En 1978, la Unidad ganó con un 50,5 por ciento de los votos válidos". (Salazar/Salazar, 1991: 147). Con la ayuda de los calderonistas, Rodrigo Carazo Odio ganó las elecciones de 1978, con la enseña del Partido Unidad. Rafael Ángel Calderón Fournier reorganizó este partido en 1984. Su padre, Rafael Ángel Calderón Guardia, fue el líder del viejo Partido Republicano y fue presidente de Costa Rica de 1940 a 1944. Este es percibido como el primer presidente moderno del país, pues instauró las garantías sociales (laborales, especialmente), de bienestar social, y educativas. Aún así, su intento de escamotear las elecciones, en 1948, como candidato oficial, lo condujo a la guerra civil, cuyo resultado, en primer lugar, lo forzó a exiliarse en Nicaragua y, en segundo lugar, permitió el surgimiento de don José "Pepe" Figueres Ferrer como caudillo y del PLN como el más importante partido político costarricense.

Un cambio significativo ocurrió en 1974, cuando uno de los líderes del partido de la mayoría, Liberación Nacional (PLN), Rodrigo Carazo, renunció a esa agrupación política y se unió a la oposición, para ganar la presidencia de la república, en 1978. Como Presidente,

Carazo se volvió sumamente impopular debido a condiciones más allá de su control. Él fue alcanzado por los acontecimientos de la crisis de Centroamérica, incluida la Guerra Civil en Nicaragua, y la crisis económica mundial de los años ochenta (que también tuvo un tremendo impacto en la economía costarricense). A pesar de su impopularidad personal, el partido de oposición pudo consolidarse, reorganizarse y definir más claramente su ideología. El Presidente Carazo entregó la presidencia, en 1982, con una imagen política muy poco atractiva. Desde entonces, las encuestas de opinión han indicado que él es el presidente más impopular desde la revolución de 1948.

Rafael Ángel Calderón Fournier heredó de su padre el deseo de ser presidente. Paradójicamente, a pesar del fiasco de 1948, su padre ha mantenido la popularidad. Ese es el origen del término "calderonista". "Junior", como se llama comúnmente a Rafael Ángel hijo, creció siendo un político. Aunque nació en Nicaragua durante el exilio de su padre, recibió la mayor parte de su educación y su título de abogado en Costa Rica. A los 26 años tomó el liderazgo del partido que había llevado a su padre a la presidencia de la república. Bajo la presidencia de Rodrigo Carazo fue Ministro de Relaciones Exteriores de Costa Rica, entre 1978 y 1980. Rafael Ángel Calderón hijo se lanzó a la presidencia en 1982, en 1986, y logró obtener la victoria en su tercer intento, en 1990.

En 1982, el hijo del caudillo, bajo la enseña del Partido Unidad, perdió en su carrera por la presidencia de la República, contra Luis Alberto Monge. De 1982 a 1985 reorganizó el partido, empezó a formular una plataforma y un programa partidarios y comenzó a mejorar su organización política a largo del país. En 1986 Calderón perdió de nuevo contra Oscar Arias. La debilidad de la organización nacional del PUSC y su falta de capacidad para movilizar al electorado contribuyeron con su derrota. De 1986 a 1990, el PUSC mejoró y adicionalmente reelaboró su plataforma partidaria, mientras creó organizaciones locales y fortaleció significativamente las existentes. Estas unidades locales y una plataforma política más sólida fueron fundamentales para la victoria de Calderón, en 1990.

La nueva y más elaborada plataforma de partido, diseñada por Calderón, se asemejaba mucho a las de los presidentes Ronald Reagan y George Bush, en la década de los ochenta. Incluyó la reducción de los servicios estatales y del gobierno, una interpelación por un presupuesto balanceado, el aumento en el libre comercio y la privatización de agencias e instituciones gubernamentales. A pesar de ser una propuesta más conservadora, el PUSC también enarboló causas populares, como vivienda de bajo costo, para interpelar a las clases menos favorecidas. Asimismo, clamó por la reducción de la pobreza a lo largo de la nación.

En realidad, el apoyo electoral del PUSC está bifurcado, incluyendo muchas de las elites agrícolas y agro-industriales tradicionales, así como buena parte de la nueva clase de negocios conservadora. También apela al segmento más empobrecido de la población y recibe generalmente el mayor apoyo de la provincia más pobre de Costa Rica, Limón (probablemente como consecuencia de la memoria histórica en los sectores populares, de los beneficios del calderonismo "social" instaurado por el Dr. Rafael Ángel Calderón Guardia, en la década de los cuarenta).

Los partidos minoritarios

Los partidos minoritarios juegan un rol muy importante en la representación y elaboración de políticas. No participan en el poder ejecutivo, pero sí en la Asamblea Legislativa. Desde 1953 ha habido cinco legislaturas en las cuales el partido dirigente no tiene mayoría, sino solamente pluralidad. En estas circunstancias, los miembros de los partidos minoritarios han sido fundamentales para crear la mayoría necesaria al momento de aprobar las leyes. Esto ubicó a los partidos pequeños en una posición privilegiada para regatear y manipular el sistema, en beneficio de sus votantes y en dirección de su ideología. Así, en las décadas de los setenta y los ochenta, los partidos de izquierda tuvieron una influencia significativa en la política. Aún más, los partidos regionales han tenido un rol todavía más determinante. Fueron capaces de obtener beneficios políticos y económicos para sus provincias, cuestiones que de otro modo no habrían sido posibles.

Además de unirse a la mayoría en diversas ocasiones, los partidos minoritarios también pueden sabotear una legislación crítica. Por ejemplo, en 1995, el legislador Rodrigo Gutiérrez, representante del Partido Fuerza Democrática (PFD), atascó una reforma impositiva al someter más de 1200 mociones a discusión en el plenario. Pudo haber forzado a la Asamblea Legislativa a pasar semanas de inútil debate; en su lugar, obtuvo algunos compromisos de parte de otros legisladores en aspectos esenciales (Coughlin 1995: 9-10). Así, los partidos minoritarios tienen una forma de crear impacto en la conformación de políticas y pueden proponer (y, de hecho, lo hacen) importantes cambios en la agenda legislativa.

Los partidos políticos marxistas son los más viejos y más persistentes de los partidos pequeños costarricenses. El Partido Comunista de Costa Rica se organizó en 1931. En la década de los 30, se integró en un frente nacional con otros partidos progresistas. En junio de 1943, bajo el liderazgo de Manuel Mora Valverde, cambió de nombre por el de Partido Vanguardia Popular (PVP). En 1944 controlaba la organización sindical de Costa Rica (Salazar/Salazar, 1993: 64). Después de la Segunda Guerra Mundial y la "Revolución del 48", los partidos marxistas fueron declarados ilegales, primero por un acuerdo de la Junta Fundadora de la Segunda República (1948-1949), y después por el Artículo 98 de la Constitución Política promulgada en 1949.

Entre 1970 y 1974, el PVP se alió con otros grupos antiimperialistas y conformaron el Partido Acción Socialista (PASO). Con esta coalición, los comunistas pudieron participar legalmente en los procesos electorales. Esta coalición, en 1970, eligió a Manuel Mora Valverde como diputado a la Asamblea Legislativa (Salazar/Salazar, 1993: 113). En 1974. PASO logró 16.081 votos para la presidencia y el nuevo Partido Socialista Costarricense obtuvo 3.417 votos (TSE, 1986: 29). En junio de 1975 se legalizaron los partidos comunistas.

Según los Salazar (1993: 157), para las elecciones de 1978 la izquierda comprendía la necesidad de unificarse y crear una alternativa política más sólida frente a los partidos mayoritarios. Crearon entonces el Partido Pueblo Unido (PU), coalición donde se integró el PVP, el Socialista Costarricense y el Movimiento Revolucionario del Pueblo (MRP).

En las elecciones de 1978, Pueblo Unido obtuvo 22.740 votos para la presidencia, el 2,74 por ciento, y logró tres puestos en la Asamblea Legislativa. En 1982, su proceso electoral más exitoso, la coalición recibió 32.186 votos, equivalentes al 3,25 por ciento de votos para presidente y 6,2 por ciento de los votos emitidos para la Asamblea Legislativa. En esta línea, los partidos marxistas alcanzaron cuatro curules en la Asamblea Legislativa (TSE, 1982: 27, 81 y 134).

En 1982, el Partido Socialista y el Movimiento Revolucionario del Pueblo rompieron con el PVP. El Partido Vanguardia Popular, el partido comunista tradicional en Costa Rica desde 1943, se dividió en 1983, y rompió con la coalición de Pueblo Unido, cuando su máximo líder, Manuel Mora Valverde –que había sido el Secretario General desde su fundación– fue sustituido por Humberto Vargas Carbonell: "… el grupo de Vargas-Ferreto que continúa con el nombre de Vanguardia Popular y el grupo de don Manuel Mora que asume el nombre de Partido del Pueblo Costarricense" (Salom, 1987: 149). Para las elecciones de 1986, se establecieron dos coaliciones populares, Pueblo Unido y Alianza Popular, cada una postulando un candidato distinto para presidente. En 1986 y 1990, cada una ganó una curul en la Asamblea. En los últimos años, la coalición comunista ha perdido fuerza electoral significativamente. En 1994 y 1998 no tuvo representación legislativa. Cuando la coalición incluyó al Partido Vanguardia Popular, fue capaz de ganar cuatro curules en el Parlamento (1978 y 1982). En el 2002, la izquierda radical parecía estar completamente moribunda.

Desde los años setenta, otros partidos pequeños han participado en los procesos electorales. Algunos de estos representan pequeñas fracciones religiosas, mientras otros están más estrechamente asociados con personalidades fuertes. Por otro lado, los partidos minoritarios han sido partidos regionales o provinciales. Algunos han podido ganar asientos en la Asamblea Legislativa. El más exitoso de ellos ha sido un partido pequeño de la Provincia de Cartago, la Unión Agrícola Cartaginesa, que ha estado presente en la Asamblea Legislativa durante varios períodos. La Unión Generaleña es el otro partido que ha obtenido puestos en ocasiones en la Asamblea Legislativa, pero que también ha postulado permanentemente un candidato para la presidencia.

Los candidatos para la Asamblea Legislativa se seleccionan de acuerdo con un sistema de representación proporcional modificado. Cada partido presenta una lista de candidatos para cada provincia. En muchos casos, no es obligatorio que los representantes vivan en las áreas que representarían. Los partidos seleccionan a los candidatos y los ponen en el orden que prefieran. Los candidatos más cercanos a la cima de las listas son los que obtienen curules en la Asamblea Legislativa, cuando su partido obtiene votos suficientes para lograr una proporción de asientos por la provincia. A menudo esta manipulación de las elites del partido molesta a los votantes. Por ejemplo, en 1990 y 1994, el PLN perdió un puesto en Cartago, a favor de un Partido Agrícola Independiente, por no seleccionar como candidato a ninguna persona conocida en la provincia.

La continuidad no es una característica en la política costarricense, porque un representante no puede mantenerse en el puesto durante dos períodos consecutivos. El período electoral es de cuatro años, así que las personas previamente elegidas estuvieron al menos ese período fuera del congreso. Con poco o ningún personal permanente y ninguno de los beneficios de la continuidad en el puesto, hay poca especialización, poco seguimiento de los problemas de la región representada y no se tiene una base sólida para lanzarse como candidato a la presidencia de la república.

La Tabla 1.5 ilustra la alternabilidad de poder entre el PLN y las coaliciones de oposición. También, muestra el desarrollo y la evolución de las dos fuerzas de oposición al PLN. El control del PLN en la Asamblea Legislativa es evidente como se muestra en la tabla.

TABLA 1.5

Partidos políticos y Gobierno de Costa Rica
(1940-2002)

Año[1]	Presidente	Partido en la presidencia	Partido mayoritario en Asamblea Legislativa
1940	Rafael Ángel Calderón G.	Partido Republicano Nacional (PRN)	PRN
1944	Teodoro Picado M.	PRN	PRN
1948[2]	José Figueres Ferrer	Junta Fundadora de la Segunda República	Disuelta
1949[3]	Otilio Ulate Blanco	Partido Unión Nacional (PUN)	PUN
1953[4]	José Figueres Ferrer	Partido Liberación Nacional (PLN)	PLN
1958	Mario Echandi Jiménez	PUN	PLN++
1962	Francisco Orlich B.	PLN	PLN
1966	José Joaquín Trejos F.	Partido Unificación Nacional (PUN)	PLN
1970	José Figueres Ferrer	PLN	PLN
1974	Daniel Oduber Quirós	PLN	PLN++
1978	Rodrigo Carazo Odio	Coalición Unidad (CA)	CA++
1982	Luis Alberto Monge	PLN	PLN
1986	Oscar Arias Sánchez	PLN	PLN
1990	Rafael Ángel Calderón Fournier	Partido Unidad Social Cristiana (PUSC)	PUSC
1994	José María Figueres Olsen	PLN	PLN++
1998	Miguel Ángel Rodríguez	PUSC	PUSC++: Pluralismo
2002	Abel Pacheco De la Espriella	PUSC	PUSC++: Fragmentado

1   Los períodos de gobierno comienzan el 8 de noviembre y concluyen cuatro años después, hasta el 8 de mayo de 1958.
2   Del 8 de mayo de 1948 al 7 de noviembre de 1949.
3   Del 8 de noviembre de 1949 al 8 de noviembre de 1953.
4   Del 8 de noviembre de 1953 al 8 de mayo de 1958.
++ Sin mayoría completa o con una cuasimayoría.

En seis períodos legislativos, la Asamblea no ha sido controlada ni una sola vez por el partido en la presidencia. En esas ocasiones, el partido gobernante ha tenido que contar con el apoyo de las otras agrupaciones políticas para obtener la aprobación de su agenda legislativa.

La evolución de los partidos de oposición al PLN se ilustra con mayor precisión en la Tabla 1.6. Es evidente también el control del PLN en la presidencia. Asimismo, se hacen plausibles en esa tabla otros elementos de la política costarricense. La elite política de los partidos mayoritarios encabeza continuamente las listas electorales con los mismos nombres. José "Pepe" Figueres gobernó la nación en tres ocasiones, y es la única personalidad que lo ha hecho en tiempos modernos pues, en 1969 la Constitución Política se modificó para impedir la reelección. Empezando con la elección de Mario Echandi, que ganó una vez y participó en dos oportunidades como candidato, como lo han hecho algunos otros. Rodrigo Carazo perdió en las primarias del PLN en 1970, y después participó, dos veces, como candidato de oposición. Finalmente, ganó la presidencia en 1978. Los nombres de Rafael Ángel Calderón Fournier y de Miguel Ángel Rodríguez Echeverría dominan la dirección de PUSC desde 1982 al 2002.

Si se examinan los niveles de liderazgo en la Asamblea Legislativa, en las organizaciones político-partidarias, en las instancias gubernamentales y en la mayor parte de las instituciones autónomas, se encuentran prácticas similares. Las mismas personalidades aparecen, una y otra vez, en los puestos de dirección superior y también en los gabinetes de los presidentes electos.

La cúpula política es una red de familiares y asociados, similar a esos grupos que los mexicanos conocen con el término de "camarillas".

El apoyo popular costarricense hacia sus presidentes electos fluctúa de manera significativa. La mayoría empieza con apoyo bastante positivo, con excepciones, como la de Miguel Ángel Rodríguez. A la mitad de su administración, su popularidad decae. A finales de sus períodos, la mayoría de los presidentes han recuperado algún nivel de apoyo popular, cuando algunos de sus proyectos legislativos y agendas políticas empiezan a ejecutarse.

TABLA 1.6
Candidatos presidenciales más importantes
1953-2002

Año	PLN	PUSC	OTROS (Coaliciones antiPLN)
1953	**José "Pepe" Figueres F.**		Fernando Castro Cervantes (Partido Demócrata)
1958	Francisco Orlich B.		**Mario Echandi Jiménez** (Unión Nacional)
1962	**Francisco Orlich B.**		Rafael Ángel Calderón Guardia (Republicano Nacional) Otilio Ulate Blanco (Unión Nacional)
1966	Daniel Oduber Quirós		**José Joaquín Trejos F.** (Unificación Nacional)
1970	**José "Pepe" Figueres F.** *(Rodrigo Carazo O.)		Mario Echandi Jiménez (Unificación Nacional)
1974	**Daniel Oduber Quirós**		Fernando Trejos E. (Unificación Nacional) Rodrigo Carazo Odio (Renovación Democrática)
1978	Luis Alberto Monge A.		**Rodrigo Carazo Odio** **(UNIDAD)
1982	**Luis Alberto Monge A.**		Rafael Ángel Calderón F. **(UNIDAD)
1986	**Oscar Arias Sánchez**	Rafael Ángel Calderón F.	
1990	Carlos Manuel Castillo M.	**Rafael Ángel Calderón F.** *Miguel Ángel Rodríguez E.	
1994	**José María Figueres O.**	Miguel Ángel Rodríguez E.	
1998	José Miguel Corrales B.	**Miguel Ángel Rodríguez E.**	
2002	Rolando Araya M.	**Abel Pacheco de la Espriella**	

Ganador en negrita
* Perdedor ante el candidato principal en las elecciones primarias del partido.
** UNIDAD es el predecesor directo del PUSC.

Las dos excepciones más importantes en este sentido son Luis Alberto Monge y Oscar Arias, ambos del Partido Liberación Nacional. Los dos mantuvieron un nivel bastante alto de apoyo a lo largo de sus administraciones, y Oscar Arias continúa siendo una de las personalidades políticas más populares y respetadas de Costa Rica.

Oscar Arias intento utilizar esta popularidad y obtener apoyo para lograr cambiar la Constitución en 2000-2001. Su grupo apoyó la enmienda a la Constitución que le habría permitido a un ex-presidente volver a participar como candidato después de estar fuera de la presidencia al menos durante cuatro años. Si la enmienda hubiera pasado, indudablemente, él habría sido el candidato para la presidencia en 2002, y habría tenido posibilidades muy reales de obtener la victoria. El intento de enmendar

TABLA 1.7

Comparación de los índices de popularidad de varios presidentes en un momento de su administración 1981-1997. Porcentajes

Opinión	Presidente						
	Carazo 1981	Monge 1985	Arias 1989	Calderón 1993	Figueres 1997	Rodríguez 11/1998	Pacheco 02/2002
Total	100	100	100	100	100	100	100
Muy bueno	2	11	15	5	3	5	11
Bueno	7	42	49	22	13	27	38
Ni bueno ni malo	34	36	30	42	36	47	35
Malo	37	6	6	19	23	12	11
Muy malo	18	2	0	19	22	5	5
No está seguro/no responde	2	3	0	3	3	4	
Indice[a]	(46)	45	58	1	(29)	15	33

(a) Las opiniones negativas se restan de las positivas.
Los números entre paréntesis indican resultados negativos.
Nota: Este es el momento en que Carazo alcanzó su puntaje más negativo.
Fuente: CID, Opinión Pública, número 67, abril 1997, p. 23; número 76, nov. 1998, p. 9, y enero 2003, número 93, p. 24.

la constitución, en esa ocasión, falló, frustrando así la ilusión de Arias de regresar una vez más a la presidencia de la república.

En síntesis, hemos discutido sobre los más importantes elementos y características de la democracia, tal y como se aplican en Costa Rica. Nuestra conclusión es que existe un sistema democrático muy fuerte, abierto, transparente, consolidado y sustentable. Se examinaron e identificaron numerosos problemas. Se indicaron, asimismo, algunas de las características distintivas de Costa Rica. En todo proceso democrático, uno de los elementos más críticos es el mecanismo electoral. En Costa Rica, el TSE ocupa una posición señera en la administración y el control de las elecciones. En el capítulo siguiente se discutirán los roles que juega el TSE y cómo desarrolla esas tareas. Luego, el capítulo analizará la campaña electoral de 1986 y sus resultados.

El proceso electoral y las elecciones de 1986 ▌▌

El proceso electoral

La Constitución costarricense de 1949 estableció los actuales mecanismos del proceso electoral, del registro de electores y de las campañas políticas. El Tribunal Supremo de Elecciones (TSE) es responsable de la buena marcha de todo el proceso. El artículo 99 de la Carta Magna establece:

> La organización, dirección y vigilancia de los actos relativos al sufragio, corresponden en forma exclusiva al Tribunal Supremo de Elecciones, el cual goza de independencia en el desempeño de sus funciones. Del Tribunal dependen los demás organismos electorales.

La Constitución establece las siguientes funciones al Tribunal Supremo de Elecciones (artículo 102):

- Convocar a elecciones populares;
- Nombrar a los miembros de las Juntas Electorales, de acuerdo con la ley;
- Interpretar, en forma exclusiva y obligatoria, las disposiciones constitucionales y legales referentes a la materia electoral;

- Conocer en alzada las resoluciones apelables que dicten el Registro Civil y las Juntas Electorales;
- Investigar, por sí o por medio de delegados, y pronunciarse con respecto a toda denuncia formulada por los partidos sobre parcialidad política de los servidores del Estado en el ejercicio de sus cargos, o sobre actividades políticas de funcionarios a quienes les esté prohibido ejercerlas…;
- Dictar, con respecto a la fuerza pública, las medidas pertinentes para que los procesos electorales se desarrollen en condiciones de garantías y libertad irrestrictas…;
- Efectuar el escrutinio definitivo de los sufragios emitidos en las elecciones…;
- Hacer la declaratoria definitiva de la elección…;
- Las otras funciones que le encomiende esta Constitución o las leyes.

El Tribunal está compuesto de tres magistrados o jueces y tres suplentes (Ley Orgánica del TSE, Capítulo I, Artículo 3). Estas personas son escogidas por la Corte Suprema de Justicia, por al menos dos terceras partes de sus miembros. Con diecisiete jueces en la Corte, esto no siempre es un proceso sencillo. Un año antes de las elecciones y seis meses después de estas, dos de los suplentes son nombrados como miembros permanentes del Tribunal, para ayudar a los otros tres jueces durante el período de mayor intensidad del proceso electoral.

El TSE es conocido comúnmente como el cuarto poder del estado costarricense. Este organismo es muy respetado y, desde su creación, nunca ha sido acusado de parcialidad ni de corrupción. Su poder se extiende hasta tal punto que, desde seis meses antes de las elecciones y hasta tres meses después de las mismas, la Guardia Civil y las fuerzas policiales están bajo su control y no bajo el del Poder Ejecutivo. Esto tiene el propósito de prevenir que estas "fuerzas armadas" no sean utilizadas por cualquier presidente o partido político gobernante para su propio beneficio.

Con respecto al registro de electores, el TSE juega un papel dual. Por una parte, administra el Registro Civil. Así, el TSE tiene acceso a todos los nacimientos, defunciones, matrimonios y otros eventos sociales básicos que ocurren en el país. El TSE elabora la lista de los votantes por medio del Registro Civil. Esta dependencia elabora la cédula de identidad que cada ciudadano costarricense debe portar en todo momento, desde los dieciocho años de edad. La cédula se emplea también como forma de identificación ciudadana y electoral. Las personas que necesitan cédulas nuevas, debido a los cambios de dirección, cambio de estado civil, o que han perdido su documento, deben obtenerla antes de la elección. La cédula es válida por un período de diez años y debe ser renovada. El voto es obligatorio, aunque no hay pena para aquellos que no ejerzan ese derecho. Sin embargo, hay penas por no portar la cédula, lo cual puede resultar hasta en encarcelación y multa, pues es el documento oficial que garantiza la identidad de toda persona mayor de edad.

En 1986, la semana precedente a la elección, el Registro Civil en San José estaba colmado de personas en espera de obtener cédulas nuevas. Aquellos con quienes hablé indicaron que tenían que esperar menos de 30 minutos para obtenerla, que estaban satisfechos con el trabajo de los funcionarios del Registro y que el personal era cortés y eficiente. Lo que habría tomado días o semanas en otras naciones latinoamericanas, se cumplía de manera expedita.

Hombres y mujeres mayores de 18 años son elegibles para votar. En las elecciones de febrero de 1986 eran elegibles 1.486.474 costarricenses. Los resultados finales indicaron que un total de 1.185.222 votantes elegibles sufragó, o sea, el 79,7 por ciento del electorado (Villegas, febrero, 1986). En 1982 había votado el 77 por ciento. Aunque votar es obligatorio, la multa impuesta por no hacerlo no ha sido aplicada en recientes elecciones (USDS; 1986: 4-5). Rafael Villegas, entonces Presidente del TSE, declaró que aproximadamente el 10 por ciento de los no-votantes estaba fuera del país en el momento de la elección. En Costa Rica no existe el voto a distancia, en ausencia. Si esta afirmación es correcta, entonces casi el 90 por ciento de las personas elegibles para votar intervinieron en el proceso, haciendo de Costa Rica una de las democracias de mayor participación electoral en el mundo. Por comparación, este hecho hace aparecer pálida la democracia estadounidense, con aproximadamente un 60 por ciento de la totalidad de los votantes reales potenciales. En Costa Rica hay tres tipos de electores:

a. Los que efectivamente ejercen el derecho al voto.
b. Los que, habiéndose inscrito como votantes, no lo hacen.
c. Los que tienen derecho a inscribirse como electores pero que no lo hacen. Esa cifra comprende también a estos últimos.

El TSE elige a todos los delegados y presidentes de todos los distritos electorales del país. Los capacita y el día de las elecciones los ubica en cada centro electoral. También, organiza y administra los lugares de recepción de los votos, llamados "mesas" electorales. En 1986 había 6.751 mesas de la votación, 135 más que en 1982. Las escuelas de enseñanza primaria se transforman en sedes electorales en todo el país y se pueden ubicar hasta 20 mesas electorales en un solo recinto, de acuerdo con el número de aulas disponibles y el número de votantes del barrio. Cada una de las mesas tiene, aproximadamente, 200 votantes registrados.

En 1994 había 8.363 distritos (mesas) electorales. Por lo menos tres delegados deben estar presentes en cada mesa, la cual está compuesta por delegados de todos los partidos políticos implicados, quienes eligen un presidente y un secretario entre ellos. Para 1990 había más de 23.000 delegados electorales nombrados, y más de 25.000 en 1994. Más de 500.000 voluntarios de todos los partidos participaron activamente el día "E" (el día de las Elecciones) de 1994 (Calderón; 28 de enero, 1994: 11). Unos 880 coordinadores adicionales del TSE trabajaron ese día, para asegurarse de que todas las mesas operaran sin problema. Si a alguno de los delegados lo encontraran violando cualquier ley electoral, podría ser castigado, pero no se le puede impedir ir a su mesa ese día, ya que tienen inmunidad política durante las 24 horas. El costo de la actividad del TSE, incluyendo tiempo extra para sus propios empleados, la impresión de las papeletas y la verificación del conteo, sumó 240 millones de colones, aproximadamente (US$ 2,57 millones), para las elecciones de 1990, lo cual es aproximadamente 0,3 por ciento de los gastos gubernamentales totales por año. En 1994, la cifra ascendió a 449,6 millones de colones.

Una parte de las campañas políticas es financiada con la deuda pública: "El monto total de la deuda pública en 1990-1994 fue de 1.982,6 millones de colones; en 1994-1998 ese monto fue de 2.931,4 millones de colones. ... En 1998, el costo por cada voto válido emitido fue de 2.561,8 colones (9,47 dólares) al tipo de cambio ... [en] diciembre 1998." (Auditoría, 2001, vol. 2: 185)

A pesar del hecho de que la labor de los jueces en las mesas no es remunerada, las elecciones son un asunto oneroso. Empiezan a trabajar el día de la elección, antes de las 4:00 de la mañana, contando las papeletas limpias y armando las urnas (cajas de cartón) receptoras de votos. El trabajo se hace en grupo, para asegurar que todas las papeletas electorales sean consideradas y que las cajas estén vacías al empezar. Las votaciones comienzan a las 5:00 de la mañana y concluyen a las 6:00 de la tarde. En ese momento se cierran con llave las puertas de las aulas y comienza el conteo. Cualquiera que se encuentre haciendo fila, después de las 6:00 de la tarde, pierde el derecho a votar; la mayoría de los costarricenses asisten a los centros de votación antes del mediodía. Hay tres urnas separadas para depositar las papeletas: una para las de presidente y vicepresidentes, otra para las de diputados y la última para las de los candidatos a los gobiernos múnices.

Hay, pues, tres formularios distintos para cada ámbito electoral: presidencial, legislativo y municipal. Las papeletas se cuentan en cada mesa y los totales se anotan en las hojas oficiales. Luego del escrutinio, se envía un telegrama a las oficinas centrales de TSE, en San José, con los datos finales de cada mesa. Como último paso, las papeletas se empaquetan, junto con los formularios sobrantes y la hoja con el conteo oficial, firmada por los jueces de la mesa electoral presentes, y el paquete se traslada a la sede central del Tribunal. Todos los paquetes llegan a las oficinas centrales de TSE, a más tardar, a las 4:00 de la mañana del lunes posterior a las elecciones. El Tribunal verifica los telegramas con las hojas del conteo inicial, enviados desde cada mesa electoral y, durante el mes posterior a la jornada de las elecciones, se cuentan nuevamente los votos de cada mesa receptora, para confirmar la veracidad del telegrama respectivo. Normalmente, El TSE anuncia los resultados oficiales después de las 9:30 de la noche de ese domingo, con base en los datos de los telegramas recibidos. Los totales preliminares, que anuncian al ganador para la presidencia, están disponibles después de las 3:00 de la mañana del lunes posterior al proceso.

El día de la elección, en 1986, la sala de conferencias de prensa del TSE era el lugar preferido por todo el mundo, a partir de las diez de la noche. En 1986, la mayoría de las personalidades de la vida nacional estaban allí. Asistió hasta el expresidente José "Pepe" Figueres Ferrer. El Embajador estadounidense sonrió educadamente cuando el Embajador nicaragüense entró y se sentó en primera fila. Allí estaban también más de cien invitados latinoamericanos en calidad de observadores oficiales. Después de las 10:30 p.m. era obvio quién sería el triunfador. Como no se entrevistaba a los electores a la salida de las urnas electorales, ni tampoco se publican encuestas de opinión en la semana anterior a las elecciones. La inquietud por hacer una proyección sobre los posibles ganadores es menos pronunciada que en los Estados Unidos. En 1990 empezaron a utilizarse entrevistas de salida de los recintos electorales para proyectar los resultados, alrededor de una hora después de cerrar las urnas.

Aunque algunos estudios indican que los costarricenses no participan mucho en política, excepto para votar, y otros señalan que lo hacen menos que en democracias económicamente desarrolladas, en realidad tienen una participación muy activa durante el día de las elecciones (Biesanz, *et al.*; 1982: 187). En 1986 el electorado votó no solo en una proporción muy alta, casi un 25 por ciento más que en una elección presidencial de los Estados Unidos, sino que muchísima gente intervino en otras actividades importantes.

Con casi 7.000 mesas electorales, el número de voluntarios era de más de 20.000 personas. Además, la juventud (de 12 a 16 años de edad) estuvo ampliamente representada, pues en cada recinto electoral muchísimos jóvenes, que obviamente apoyaban a los dos candidatos mayoritarios, se sentaron afuera de las instalaciones, para indicarle a los votantes en cuál mesa estaban registrados. Luego, uno de los jóvenes servía de guía a la persona hasta la mesa indicada. Hubo, así, miles de jóvenes envueltos en la contienda electoral.

Además, en la ciudad de San José se establecieron dos lugares de votación, donde asistieron muchos niños para participar en un proceso electoral extraoficial pero semejante, como una experiencia de aprendizaje. El proceso electoral infantil comenzó en 1978, con el propósito de promover los valores cívicos y democráticos entre ellos. De 1978 a 1994, participaron 50.000 niños en este programa. El proceso se realizó de la misma forma que el oficial en 1986; cuando los visitamos, había una fila de más de 500 padres, acompañados de sus niños, que esperaban una oportunidad para que sus hijos ejercieran el voto. Esta fue la única congestión que se presentó en todo el proceso electoral. Las mesas de votación de los adultos no tenían a más de 10 personas en fila, incluso en las horas pico. En 1998 y 2002, no había largas filas y tampoco las hubo en las elecciones infantiles.

También se hizo evidente la participación de todos los niveles de la sociedad y de todas las edades. Conforme se aproximaba el día de la elección, automóviles, camiones, e incluso autobuses, desplegaron las banderas de sus candidatos favoritos. Estas aparecieron sobre los techos de las casas, en las ventanas de los edificios, de las tiendas y oficinas. Los niños, de pie, en las esquinas, ondeaban sus banderas hacia la calle. Todos hablaban de las elecciones. Los comités de transporte de cada partido se organizaron minuciosamente, para llevar a los centros de votación la mayor cantidad posible de seguidores.

El día de la elección, en 1986, la actividad fue aún más intensa. Una familia que conozco ilustra la proporción de compromiso asumido. El padre participó como delegado de mesa de su partido. La madre preparó más de 500 bocadillos, para alimentar a los voluntarios de su agrupación a lo largo del día. Las dos hijas adolescentes también participaron, una haciendo campaña y colaborando en diferentes actividades, y la otra ayudando a las personas a localizar sus mesas. Este tipo de compromiso electoral familiar no es raro en la sociedad costarricense.

El derecho al sufragio está protegido de diferentes maneras. El votante, al arribar al recinto electoral, debe presentar su cédula de identidad a los miembros de la mesa. Las mesas tienen copias impresas de las cédulas, que incluyen la fotografía de los votantes así como una lista del registro con sus nombres. Después de la verificación, se le entregan los tres formularios al votante. Luego, en un cubículo especial, dentro del aula, el elector ejerce su derecho confidencial al voto. Ahí, con tinta indeleble, imprime su huella del dedo pulgar en la casilla escogida, en cada una de las papeletas electorales. Después, sale del cubículo con las papeletas bien dobladas, las deposita en las urnas electorales y sumerge el dedo del índice derecho en otra botella de tinta indeleble. Así, es casi imposible votar más de una vez. Y, con el triple conteo oficial de las papeletas, es también muy difícil alterar el proceso.

Lo que asombra a cualquier extranjero es el uso de la impresión de la huella del dedo pulgar en una papeleta electoral. Habiendo vivido en países más autoritarios, pensé que dejar tal muestra de identificación, sobre todo política, era algo inaudito. Para un costarricense es impensable que se utilice esta huella para algo más que el conteo de los votos.

En 1998 hubo cambios en la ley electoral. Los más evidentes fueron la prohibición de utilizar dinero público para las banderas de cada partido. El otro fue marcar la papeleta con una "X" y no con la huella digital, como se acostumbraba. En 2001, el TSE llevó a la Asamblea Legislativa buena cantidad de reformas a la ley electoral, incluida la votación a distancia, o en ausencia, como se verá más adelante, pero la mayor parte de esas reformas no se aprobaron para las elecciones de 2002.

Los partidos políticos

En 1985 se registraron seis partidos con candidatos para la presidencia y 16 para conformar la Asamblea Legislativa. Muchos de los partidos más pequeños formaron uniones extraoficiales y oficiales, que solo redujeron el número de candidatos para el primer puesto de la república. Otras agrupaciones tenían solamente candidatos provinciales para diputados o para regidores municipales, y no estaban registrados nacionalmente. Para estas elecciones, además del PLN y el PUSC, hubo cuatro partidos minoritarios que compitieron por la presidencia de la república.

Estos incluyeron dos uniones progresistas Alianza Popular (PAP) y Pueblo Unido (PPU), y dos partidos conservadores, el Partido Independiente (PI) y la Alianza Cristiana Nacional (PACN).

Aunque tuvieron que solventar muchos problemas nacionales e internacionales, el PLN y Luis Alberto Monge, presidente de 1982 a 1986, se mantuvieron muy populares a lo largo del país, aunque la administración Monge estuvo envuelta en un gran escándalo financiero que implicaba más de dos millones de dólares estadounidenses. También, accedió a las presiones de ese país para construir un aeropuerto secreto en Guanacaste, para el uso de la Agencia Central de Inteligencia, y asimismo militarizó una parte de la Guardia Civil. A pesar de todo esto, el presidente Monge se mantuvo como uno de los presidentes más populares en la historia moderna de Costa Rica.

El PUSC concretó una base ideológica muy conservadora, bajo la dirección de Rafael Ángel Calderón Fournier. Se produjeron folletos, con el programa de partido, sobre los problemas más acuciantes del país y las cuestiones candentes de la campaña, y se desarrolló una base ideológica mucho más específica que la elaborada por el PLN en el pasado. En 1986, Calderón explicó en su discurso de traspaso de la Presidencia que legaba a la política de Costa Rica un partido muy bien organizado, con una ideología, un programa específico y un conjunto de metas.

Se establecieron dos coaliciones marxistas para las elecciones de 1986, Pueblo Unido y Alianza Popular. La coalición el Pueblo Unido, que participó en 1978 y en 1982, se dividió en el nuevo Partido de Coalición del Pueblo Unido (Pueblo Unido o PCPU), como resultado de la exclusión del PVP de Pueblo Unido, en 1984. PCPU quedó con mayoría del Partido Socialista Costarricense (PS) y el viejo Movimiento Revolucionario del Pueblo (MRP). Una fracción radical de PS y otra del MRP fundaron la coalición Partido Unión de Alianza Popular (Alianza Popular o PCAP), en 1985. La Unión de la Alianza Popular estaba compuesta por el Partido Vanguardia Popular (PVP) y el Frente Amplio Democrático (FAD) (Salazar y Salazar 1991: 158-160).

Estas dos agrupaciones de los partidos comunistas fueron resultado de la fragmentación ideológica y del choque de personalidades dentro del movimiento. En 1978, los comunistas habían alcanzado cuatro curules en la Asamblea Legislativa, y en 1982 obtuvieron tres lugares. En 1986, debido a la fragmentación y a la lucha política, obtuvieron solo dos curules, una para cada fracción. Pueblo Unido recibió el 0,57 por ciento de los votos para presidente y Alianza Popular logró el 0,76 por ciento. Para la Asamblea Legislativa, PU obtuvo el 2,73 por ciento de los votos, mientras Alianza Popular alcanzó el 2,41 por ciento (TSE, Marzo, 1986).

El Partido Trotskista también evolucionó con los años pero, en general, no ha intervenido en el proceso electoral o en la estrategia del "Frente Unido", aunque sí participó como el Partido Revolucionario de los Trabajadores en Lucha (PRTL) en las elecciones de 1990, sin mucho éxito. En 1982, una de los más prominentes líderes de este partido, Alejandra Calderón Fournier, hermana de Rafael Ángel Calderón, murió en un accidente automovilístico.

Los otros dos partidos menores que habían lanzado candidato a la presidencia, el Partido Independiente y el Partido Alianza Cristiana Nacional, llevaron también candidatos a diputados. El Partido Independiente fue fundado, en 1973, por Eugenio Jiménez Sancho. Él se opuso al papel dominante de los dos partidos mayoritarios y a sus políticas económicas durante la última década. La Alianza Cristiana Nacional es un partido fuertemente anticomunista, que tiene una plataforma basada en la moralidad y los principios cristianos, y hace énfasis en las soluciones sociales y humanitarias de los problemas del país.

Además, siete partidos pequeños presentaron candidatos para las representaciones provinciales en la Asamblea Legislativa. El único que tuvo éxito fue el Partido Independiente Agrícola, que ganó en Cartago, así como lo había venido haciendo durante años.

La Campaña

Aunque la ley prohíbe hacer campaña durante seis meses anteriores a la elección, los dos partidos principales empezaron a organizar el trabajo poco después del proceso electoral de 1982.

Debido a las grandes divisiones dentro del PLN, los tres precandidatos principales empezaron a hacer campaña en serio desde mediados de 1984. El PUSC, por otra parte, escogió temprano a Calderón Fournier como candidato a la presidencia y pudo mirar con satisfacción la lucha interna en el PLN.

No obstante, Calderón tenía que superar la imagen negativa que había dejado el expresidente Rodrigo Carazo Odio, quien perdió su popularidad por varias razones, entre las que se destacan las económicas y las relaciones con Nicaragua. El expresidente Carazo gobernó durante la crisis económica más devastadora que Costa Rica haya enfrentado desde la revolución de 1948. Los déficits gubernamentales subieron y Costa Rica se comprometió de tal forma que enfrentó una de las mayores deudas externas per cápita del mundo. El colón, que se había mantenido sólido por varios años (alrededor de 8.60 por dólar estadounidense hasta 1978), se devaluó a más de 65 colones por dólar, en 1982. La inflación llegó a un 80 por ciento aproximadamente. La clase media sufrió un declive muy elevado en su estilo de vida, de más del 30 por ciento. Ante todos estos problemas, Carazo fue incapaz de tomar decisiones serias frente a la crisis económica. No fue sino hasta que Luis Alberto Monge llegó al poder, en 1982, que se adoptaron normativas políticas para invertir esta zambullida económica.

Además, las políticas de Carazo con respecto a Nicaragua también le crearon fuertes antagonismos. En 1978 y 1979, el gobierno de Costa Rica era uno de los principales soportes exteriores de la revolución antisomozista del Sandinismo. Esta actitud era bastante popular en ese momento. Pero en 1980 y 1981, cuando la revolución asumió una orientación antidemocrática y procomunista, los costarricenses empezaron a retirarle su apoyo. A pesar de estos cambios en la mentalidad popular, Carazo continuó con sus posiciones prosandinistas, perdiendo así legitimidad entre el electorado.

Entretanto, dentro del PLN se estaban desarrollando hendiduras y las fracciones más importantes se basaban más en la personalidad de los líderes que en la política o en la ideología. A principios de 1984, Alberto Fait Lizano, segundo vicepresidente bajo la administración de Luis Alberto Monge, renunció a su posición y empezó su precampaña para la candidatura presidencial. Su nombre apareció pintado en las carreteras, edificios y carteleras. Algunos turistas se preguntaban si este no sería un ardid publicitario para un nuevo modelo de automóvil. En marzo de 1984, Carlos Manuel Castillo, quién había renunciado a su puesto como presidente del Banco Central de Costa Rica, también empezó a desarrollar una campaña semejante. Su posición se sumó a las fisuras del partido y atrajo a la contienda a los expresidentes José "Pepe" Figueres Ferrer y Daniel Oduber Quirós.

Cuando la precampaña de Fait no convenció a los seguidores del partido, Oscar Arias Sánchez, Secretario General del mismo, entró en la competencia. De marzo de 1984 a enero de 1985, la precampaña fue actividad permanente en el partido. A fines de noviembre de 1984, Alberto Fait le dio su adhesión a Oscar Arias, lo cual este aumentó su influencia dentro del partido.

Finalmente, con el apoyo de una inclinación izquierdista intrapartido ("los Turcos Jóvenes") y los seguidores de Fait, Arias fue capaz de derrotar a Castillo en la Asamblea Nacional del PLN que, por primera vez en la historia de esa agrupación política, seleccionó a su candidato con el voto universal de sus miembros, en lugar de la usual decisión de la cúpula del Partido. La victoria, sin embargo, dejó al PLN muy dividido, ya que los expresidentes José Figueres y Daniel Oduber habían apoyado la candidatura de Castillo.

Oscar Arias Sánchez resulto ser un candidato excelente. Había estudiado economía y leyes en la Universidad de Costa Rica y recibió su doctorado en ciencias políticas en Inglaterra. Ha escrito dos libros críticos muy importantes sobre su país y la política: **Grupos de Presión en Costa Rica**, en 1971, y **¿Quién gobierna en Costa Rica?**, en 1976. También escribió **Nuevos Rumbos para el Desarrollo Costarricense**, en 1979. Ha sido profesor de ciencias políticas en la Universidad de Costa Rica y también sirvió en el gobierno como Ministro de Planificación y política económica bajo la administración del Presidente Daniel Oduber Quirós. Fue electo diputado en la Asamblea Legislativa de 1978 a 1982. De 1985 a 1985 fungió como Secretario General del Partido Liberación Nacional, cuando preparó su campaña para la presidencia.

En general, la campaña electoral en Costa Rica es intensa y a escala nacional, pero normalmente se evitan los ataques personales. Durante su campaña electoral, los candidatos intentan visitar cada comunidad, por lo menos una vez. Cuando las elecciones se acercan, se celebran plazas públicas, al aire libre, en las principales ciudades, siendo definitiva la de San José. Cada partido, entonces, anuncia su fuerza electoral según la magnitud de la plaza pública capitalina.

En 1986 los dos partidos mayores insistieron en haber realizado la reunión más grande en la capital. Un candidato presidencial, incluso, mandó medir el área asignada a cada partido e intentó así calcular la asistencia. Él calculó cuántas personas cabían de pie en ese espacio y concluyó en que la reunión de su partido había congregado más seguidores. Las reuniones de las agrupaciones políticas menores eran interesantes, pero generalmente pequeñas y con menor cobertura por parte de los medios de comunicación. La reunión en San José de Pueblo Unido y Alianza Popular, los dos partidos filocomunistas, fue notable por su franqueza y por el reducido número de personas que asistieron como creyentes en su ideología. En ambos casos, había más espectadores que partidarios.

Aunque las reuniones del PLN y el PUSC en los suburbios de la capital estaban bien organizadas, la del PUSC parecía mayor, y Calderón, al contrario de Arias, provocaba emociones más intensas de parte de sus seguidores. Con base en estas reuniones se habría supuesto una fácil victoria para Calderón.

Como norma explícita, los candidatos raramente atacan la vida privada de sus rivales. Los escándalos sobre sexo y asuntos familiares se relegan para chismear (Ameringer; 1982: 57-66). A pesar de algunas imputaciones financieras que tuvieron lugar en la campaña de 1986, los ataques más personales quedaban para las campañas del secreteo. La Unidad acusó al PLN de corrupción, ocurrida durante la administración Monge. Circulaban abiertamente comentarios sobre el suegro de Calderón y sus contactos con el narcotráfico.

En Costa Rica, el gobierno otorga a los partidos políticos un presupuesto para financiar las campañas electorales, aunque este dinero no cubre las elecciones primarias, o precampañas. El artículo 96 de la Constitución Política costarricense establece que se le otorgará a los partidos políticos no más del promedio de dos por ciento del Presupuesto Nacional, de los tres años anteriores a las elecciones, para cubrir los gastos del proceso electoral. La cantidad entregada se determina por el porcentaje de votos que cada partido recibió en la elección anterior. Si un partido no obtiene el cinco por ciento de los votos, no consigue financiamiento gubernamental. Un problema, consecuencia de este principio constitucional, es que los partidos políticos nuevos no tienen financiación, y aquellos partidos que desaparecen aún tienen derecho a esos fondos públicos. Puesto que el PLN había ganado en 1982, recibió más dinero para su campaña de 1986 que cualquier otra agrupación política.

En la elección de 1986 se gastaron, aproximadamente, 500 millones de colones (US$ 10 millones). El director del TSE en ese momento, Rafael Villegas, declaró que la elección era cara, pero, en el análisis final, era un precio reducido a pagar por las ventajas que ofrece semejante sistema democrático (Villegas, febrero, 1986).

Los problemas

Algunos analistas sentían que, por lo menos hasta el último mes, la campaña había sido "la más tranquila en la historia" (Tico Times, 29 de noviembre, 1985: 1). Calderón empezó, en 1985, con una ventaja considerable en las encuestas de opinión. Arias comenzó a reducir su distancia con respecto a su contendor hacia el fin del año electoral, cuando también empezaron a sanar las fisuras del PLN y los expresidentes Figueres Ferrer y Oduber Quirós iniciaron su participación activa a favor de Arias.

Uno de los problemas más grandes aprovechado por el PUSC era la corrupción en el PLN. Se informó sobre eso en los medios de comunicación, en las reuniones y por medio de maledicencia y el humor negro. El asunto, sin embargo, no pasó a más y no tuvo consecuencias visibles ni para la presidencia de Monge ni para la candidatura de Arias. Cualquier forma de corrupción que había existido se había mantenido en los ámbitos de menor jerarquía de la administración y los perpetradores estaban siendo investigados.

Durante la campaña, el económico se resaltó en todas sus facetas como uno de los problemas cruciales. Asimismo, se puso énfasis en la crisis de la deuda externa, el déficit del presupuesto nacional, la alta tasa de desempleo, la necesidad de promover la alta tecnología, un decaído mercado de exportaciones y la carestía de recursos para los programas sociales, así como la carencia de viviendas para los sectores populares.

Como estrategia de campaña, Rafael Ángel Calderón Fournier y el PUSC utilizaron la publicación de panfletos sobre muchos de estos asuntos, donde se presentaron medidas específicas para evacuarlos. El PLN y Oscar Arias discutieron los problemas y plantearon sus propuestas en forma más general, se mantuvieron en sus líneas programáticas e hicieron énfasis en la necesidad de conservar los mismos planteamientos políticos de Monge, que había tenido gran éxito enfrentando la inflación y reduciendo la deuda. Arias era renuente a sugerir programas específicos, con excepción del de vivienda popular y unos cuantos proyectos sociales.

Otro de los problemas que atacó Calderón Fournier fue el tamaño de la burocracia gubernamental. Aunque casi el 25 por ciento de los empleados costarricenses trabaja para el estado, este punto no despertó interés significativo entre el electorado. De hecho, este tema afectó a Calderón, ya que muchos empleados gubernamentales temieron perder sus puestos de trabajo si triunfaba el PUSC.

El problema más significativo de la campaña electoral resultó ser la política exterior. Poco después del triunfo del sandinismo, las relaciones entre Costa Rica y Nicaragua comenzaron a decaer progresivamente. Aunque Costa Rica había sido una importante fuente de suministros para los sandinistas durante la revolución, Nicaragua se volvió más hacia Cuba e ignoró a sus viejos aliados, Panamá, Venezuela y Costa Rica.

Durante 1984, la mayoría de los costarricenses percibió el régimen sandinista como una amenaza para su seguridad. Los costarricenses temieron tanto una invasión terrestre de Nicaragua como una subversión interior orquestada desde Managua. Los incidentes fronterizos entre las dos naciones se hicieron más frecuentes y culminaron el 31 de mayo de 1985, cuando dos guardias civiles costarricenses fueron asesinados en una emboscada atribuida a los sandinistas por la administración Monge. El problema de los refugiados de Nicaragua, la supuesta ayuda de Costa Rica a los "contras" y las confrontaciones diplomáticas minaron también las relaciones entre los dos países. Estas empeoraron a lo largo de 1985 y se rompieron en tres ocasiones. Los costarricenses temieron tanto la creciente fuerza militar de Nicaragua como la belicosidad en aumento de los Estados Unidos, y su apoyo a los "contras", en su antagonismo con el gobierno sandinista (estos problemas se discuten en el capítulo siguiente).

No obstante, los dos candidatos apoyaron el mantenimiento de relaciones estrechas con los Estados Unidos, y ambos admitieron la necesidad de continuar con la inversión estadounidense y el apoyo financiero internacional a Costa Rica. A lo largo de 1986, los lazos entre los Estados Unidos y Costa Rica aumentaron de manera sustancial. La ayuda para el desarrollo económico se incrementó considerablemente después de 1979. El total recibido de la cooperación estadounidense creció de US$ 16 millones, en 1980, a más de US$ 220 millones, en 1985 (USDS; 1986b: 26).

Estados Unidos también es el socio comercial número uno de Costa Rica. De 1980 a 1985, Costa Rica envió entre el 30-35 por ciento de sus exportaciones totales a los Estados Unidos, e importó entre el 35-38 por ciento desde los Estados Unidos. Para 1990, Costa Rica importaba 40,3 por ciento de los Estados Unidos y exportaba a ese país el 45,7 por ciento (Herrera, 1995: 58 y 67). En contraste, la región centroamericana entera recibió, aproximadamente, entre el 19-27 por ciento de las exportaciones de Costa Rica y alcanzó alrededor de un 12-15 por ciento de sus importaciones (Gobierno de Costa Rica, febrero de 1986).

Aunque hay poco detalle e información sobre la inversión extranjera total o la inversión de EE. UU. en Costa Rica, la

Embajada Americana en San José estima que las inversiones estadounidenses suman, aproximadamente, US$ 550 millones (FET; 1984: 19). Más de 300 empresas estadounidenses operaban en Costa Rica, y sus actividades comprendían desde productos farmacéuticos hasta ropa y agroquímicos. Las mayores inversiones estadounidenses están en el sector agrícola y, tradicionalmente, el banano ha sido el producto principal. United Brands y Del Monte son los mayores inversionistas en agricultura (Barry: 1989; 80).

Además de la actividad económica y la receptividad a la ayuda de los Estados Unidos, los costarricenses son fundamentalmente proestadounidenses. Ellos también apoyaron con entusiasmo al Presidente Ronald Reagan. Las encuestas de opinión registraron que, en 1984, más del 80 por ciento del electorado costarricense habría votado por el Presidente Reagan de haber tenido la oportunidad. Es fácil entender por qué ambos candidatos asumieron posiciones proestadounidenses.

Desde inicios de la administración, el presidente Monge había esgrimido la neutralidad como política exterior. Él proclamó que Costa Rica permanecería neutral en todos los conflictos militares, aunque continuaría con su alineación económica y diplomática con el Oeste. Oscar Arias continuó apoyando el concepto de neutralidad que, según entendía, tenía sólido apoyo popular. Arias también era creyente en el proceso de paz de Contadora, ya que esperaba que este llegara a resolver automáticamente la violencia centroamericana y las guerras civiles en el Istmo.

Calderón, su mayor antagonista, cometió el error de unirse a los ideales de la administración Reagan, asumiendo una línea dura contra Nicaragua. En un momento dado, él dijo que haría desaparecer la palabra "neutralidad" del léxico político costarricense (Lincoln; 1985: 120). Más tarde, declaró que, si Nicaragua invadía a Honduras y él llegaba a la presidencia, enviaría a los miembros de la Guardia Civil costarricense para ayudar a los hondureños a defenderse. Estas declaraciones perjudicaron enormemente a Calderón, frente a una población cauta, sin deseos de inmiscuirse en ningún conflicto ni de ejercer presiones en el exterior.

El día de las elecciones se hizo evidente tanto el deseo de neutralidad como los asuntos relacionados con la paz. Después de votar, cuando salió del recinto de votación, el presidente Monge recibió una gran caja, de parte de un niño, como un regalo. Él la abrió y saltó volando una paloma blanca. La muchedumbre, en el patio escolar, hizo ostensible su solidaridad con aplausos y salutaciones y el presidente Monge, con lágrimas en sus ojos, se mostró profundamente conmovido.

La Fiesta Nacional

La campaña presidencial en Costa Rica, incluso hasta el día de la elección, es conocida en el país como la Fiesta Cívica. En la mayoría de las naciones, las elecciones presidenciales se consideran importantes, pero no siempre concentrar la atención de todo el público. En Costa Rica, el proceso electoral ha sido una pasión nacional.

Que la elección de 1986 costarricense reflejara poco interés de parte del gobierno y de los medios de comunicación estadounidenses podría explicarse, quizás, porque habían preocupaciones más urgentes en otras latitudes. Las elecciones de 1984, en Nicaragua, habían estado supervisadas estrictamente por la prensa estadounidense y por la administración Reagan, y las más recientes elecciones en El Salvador, Guatemala y Honduras habían recibido sustancial atención por parte de los Estados Unidos. Era como si el mismo éxito de Costa Rica, con elecciones abiertas, honradas, eficaces, las hiciera invisibles a aquellos ojos acostumbrados a buscar problemas.

Costa Rica demostró, una vez más, que puede ser un modelo para todos los países latinoamericanos y para muchos otros del Tercer Mundo, e incluso del Primero. Demostró que, a pesar de ser una nación pobre, dependiente, en vías de desarrollo, la democracia como sistema y como proceso puede ayudar a definir los problemas, a resolver conflictos, y puede crear una política pública eficaz.

Los costarricenses aman el juego de la política. La semana anterior a la elección, el país parecía ser la sede del Campeonato Mundial de Fútbol (o de la Serie Mundial de Béisbol). Entusiastas seguidores de los partidos políticos competían en los centros de las ciudades, desfilando con sus vehículos, cantando y haciendo algarabía; andaban de arriba para abajo y gritaban frases a favor de sus candidatos y partidos. Las personas vestían los colores partidarios y usaban sombreros, banderas y estandartes, y también decoraban sus autos con sus colores. Los automovilistas sonaban sus bocinas al ritmo que representaba a sus candidatos. Algunas banderas eran tan grandes como pequeños los vehículos que las transportaban. Los símbolos partidarios estaban presentes también sobre los techos de las casas, en árboles y ventanas de muchas residencias y tiendas. La mayor parte del tiempo, la competencia entre fuerzas contrarias era amistosa y cortés, aunque a veces el entusiasmo transgredía los límites y las luchas aparecían. Sin embargo, tal violencia era rara y fugaz, por lo que los daños físicos eran escasos. Los niños, jóvenes y adultos participaban en estas celebraciones con mucho entusiasmo, muy implicados en su partidismo político. Las plazas públicas adquirieron una atmósfera de carnaval: vendedores ambulantes ofrecían comidas, bebidas y adornos de los partidos políticos. Las bandas tocaban música popular, nacionalista, y canciones políticas. El ambiente de las plazas públicas era verdaderamente festivo.

Resultados

A inicios de la campaña, parecía que Calderón y el PUSC ganarían fácilmente las elecciones. Las encuestas nacionales los ubicaban con una ventaja de veinte puntos. Cuando la campaña maduró, la ventaja de Calderón disminuyó. El PLN sanó las heridas del triple fraccionamiento en la elección primaria y, a finales de 1985, ambos expresidentes liberacionistas (Figueres y Oduber) dieron su apoyo a Oscar Arias.

Entre el 25 de noviembre y el 15 de diciembre, las encuestas de opinión pública indicaban que la brecha ya no existía y los candidatos estaban empatados. Ambos candidatos fijaron veintiún plazas públicas, a celebrarse entre el 2 y 15 de diciembre. Desde el 15 de diciembre hasta el primero de enero hubo tregua política navideña y se supone que oficialmente nadie hizo campaña.

Después de la tregua electoral no se publicó ninguna encuesta, así que ningún partido pudo utilizar "encuestas que mostraran a sus candidatos al frente". Calderón dijo que él ganaría por un margen de 150,000 votos. Arias sostuvo que él obtendría 50,000 votos más que Calderón. Arias demostró ser más preciso, pues ganó por un poco menos de 78,000 votos.

Los resultados finales de la elección dieron a Arias 620.314 votos, o sea, el 52,3 por ciento de los votos, y a Calderón 542.434 votos, el 45,7 por ciento. Liberación ganó 29 curules en la Asamblea Legislativa, con el 47,9 por ciento de los votos, y el Partido Unidad Social Cristiana (PUSC) obtuvo 25 puestos, con el 41,5 por ciento, en comparación con las 18 curules que había logrado en la última legislatura.

¿Por qué ganó Arias y perdió Calderón?, ¿cuáles fueron los aspectos decisivos? Rubín Hernández, de CAPEL, analizó estas preguntas y parte de lo siguiente deriva de su interpretación de los hechos (Presentación Pública).

Muchos de los observadores sostuvieron, de manera insistente, la ventaja del PLN sobre su adversario, porque "los liberacionistas pueden ganar cuando su partido no está dividido". La lucha interna del PLN casi da la victoria a Calderón pero, al final, el partido se unió y resolvió sus diferencias. Con su organización nacional, sus raíces y su capacidad para conseguir nuevos partidarios, el PLN pudo lograr la victoria contra una coalición muy fuerte.

Segundo, el gobierno de Monge acabó su período como uno de los más populares en la historia de Costa Rica. Este nivel de popularidad era difícil de superar. Además, muchos votantes todavía asociaban a Calderón con el gobierno de Carazo, el más impopular en Costa Rica desde 1948.

Tercero, los problemas agobiaron a Calderón. La política exterior fue particularmente problemática para él. Su posición contra la neutralidad nacional contrastaba con el 80 por ciento de la opinión pública costarricense. Más allá del problema de neutralidad, Calderón se alió estrechamente con la política pro-bélica y antisandinista de la administración Reagan.

Finalmente, algunos costarricenses creyeron que Calderón era demasiado carismático. Sus seguidores eran más escandalosos, más comprometidos, menos flexibles y más críticos hacia el PLN que lo usual en la política costarricense. Sus concentraciones estuvieron bien preparadas, eran dinámicas, y fueron muy entusiastas. Según algunos analistas, esto causó una repercusión negativa. Llevó al desencanto a algunos votantes y al miedo genuino a otros. Igualmente, otros creyeron que semejante nivel de carisma no era muy "tico", al menos no a la manera del costarricense, y así se votó contra Calderón.

Pudo haber muchas otras razones. Los votantes jóvenes se identificaron con los "Turcos Jóvenes" del PLN, cuyo líder era Oscar Arias. La clase trabajadora urbana se impresionó con la promesa de Arias de construir viviendas populares. La personalidad de Calderón, más que atraer a los votantes independientes, los alejó. La mayor presión de los seguidores de Calderón se concentró en la corrupción de la administración Monge, pero este problema había perdido fuerza para el 2 de febrero. Los pequeños comerciantes y los trabajadores del estado temieron también que se repitiera el desastre financiero de Carazo, o por lo menos una reducción del empleo gubernamental. Finalmente, pareciera que alguna parte de la izquierda le dio su adhesión a Arias; para ellos Calderón era muy conservador y muy proestadounidense.

Antes de que Arias tomara posesión, este sugirió que la administración Reagan concentrara sus esfuerzos en ayudar a los regímenes democráticos de Centroamérica y dejara de apoyar a los "contras" nicaragüense. Su discurso irritó a algunos miembros de la administración Reagan, lo que redujo y retardó la ayuda y el apoyo estadounidense a Costa Rica.

Antes de que Arias tomara posesión, las relaciones con Nicaragua, congeladas desde junio de 1985, volvieron a su cauce. Se intercambiaron embajadores y las comunicaciones se normalizaron, con lo cual evidenció que Costa Rica se distanciaba de la administración Reagan e intentaba crear una política exterior más independiente.

Arias puso énfasis en el proceso de paz de Contadora, en una orientación regional para la solución de la crisis en Centroamérica, y en respuestas no militares a los problemas potencialmente explosivos del Istmo. Arias intentó trabajar de manera estrecha con las otras naciones centroamericanas, como se hizo manifiesto en las reuniones de paz sostenidas en Guatemala, en mayo de 1986. Estas reuniones regionales buscaron mejorar las relaciones con Nicaragua. Pero, debido a la magnitud del antagonismo y la intransigencia entre los Estados Unidos y el país centroamericano, esto fue muy difícil. Sin embargo, Arias continuó buscando la paz.

El concepto de neutralidad siguió vigente y se practicaría una política de no-interferencia y no-intervención. Como resultado, para los "contras" se hizo más difícil operar en la frontera norteña de Costa Rica. Ya varios líderes de la "contra" habían sido arrestados por la Guardia Civil costarricense, pero fueron rápidamente liberados.

Arias declaró, en su discurso inaugural, que Costa Rica tenía muchos amigos que vendrían en su defensa si los sandinistas invadían el país. Por consiguiente, Costa Rica necesitaba encontrar la forma de impedir que los hermanos centroamericanos se mataran entre ellos:

"Costa Rica se mantendrá alejada de la guerra. Lo hará para fortalecer su arraigada tradición de paz. Lo hará para preservar sus tradiciones civilistas. Lo hará para conservar un clima propicio de desarrollo económico y de armonía social.

Seremos neutrales en los conflictos bélicos regionales. Estamos contra la guerra. Para nosotros la paz es un valor incuestionable. Nuestra fuerza ha sido el derecho internacional, y lo será siempre. Nunca negociaremos sobre la dignidad nacional. No toleraremos amenaza, ofensa o acto alguno que menoscabe esa dignidad. Somos una nación de ciudadanos razonables y amantes de la paz. Pero que nadie interprete que estas virtudes, que nos enaltecen, puedan debilitar nuestra decisión inquebrantable de defender a Costa Rica. Nunca claudicaremos en nuestra lucha contra cualquier amenaza a nuestra soberanía."(Arias, 1989: 95).

Las relaciones económicas y diplomáticas con los Estados Unidos continuaron sin grandes problemas. En ese sentido, surgieron algunos, debido a la Ley de ayuda a la "contra" aprobada por el Congreso estadounidense pero, por otra parte, se esperaba que la administración Arias trabajara estrechamente con los Estados Unidos hasta donde fuera posible. Arias declaró que su primera prioridad era la paz en la región y, la segunda, el progreso económico. Él buscó continuar la recuperación económica iniciada por el Presidente Monge. De seguido, declaró: "nosotros vamos a cumplir nuestros compromisos financieros extranjeros, pero lucharemos en todos los frentes por mejorar las condiciones para nuestro desarrollo" (Tico Times; 9 de mayo de 1986: 8).

Arias continuó la política de mejorar el entrenamiento y capacitación de la Guardia Civil, pero se opuso en forma decidida al restablecimiento de una organización militar profesional. Él declaró, en un discurso de campaña, que Costa Rica había tenido una opción entre pan y rifles, y había escogido pan. Las políticas de desarrollo social y económico continuaron como prioritarias.

En la administración Arias, la educación comprendió una buena porción del presupuesto. Se crearon más de 25.000 empleos y se construyeron más de 80.000 nuevas viviendas. Sus programas dieron énfasis al desarrollo socioeconómico.

Conclusiones

¿Quién ganó las elecciones? Los titulares de los diarios y las caricaturas políticas indicaron que quien había ganado era Costa Rica. El proceso democrático, crítico de la estabilidad de la nación, mostró madurez y vitalidad. Una caricatura política mostraba a dos ticos recogiendo la bandera de Costa Rica, entre estandartes rotos de sus partidos. Esa escena ocurrió muchas veces en la realidad. Vehículos que habían enarbolado la bandera de su partido el día de las elecciones, llevaban la bandera nacional el lunes posterior a ellas.

La Fiesta Nacional acabó sin resaca. Los ganadores no molestaron a los perdedores. A diferencia de otros países, en donde el día después de las elecciones se celebra con intensidad la victoria, las celebraciones en San José fueron apacibles; la oposición parecía aceptar los resultados sin rencor.

El nuevo presidente lo dijo muy bien: "Costa Rica es la capital latinoamericana de la democracia. Este es el tiempo para la democracia, las dictaduras pertenecen al pasado... no hay ninguna habitación para los tiranos en nuestro continente" (Tico Times; 9 de mayo de 1986: 4-5).

A muchos ciudadanos, el proceso electoral les pareció más importante que el resultado. "A la manera tica" había triunfado y había empezado de nuevo el trabajo arduo para promover el desarrollo. Indudablemente, el presidente Arias sería puesto a prueba por el ambiente de agitación alrededor suyo, por las fuerzas que luchaban por la hegemonía en Nicaragua y por la pobreza prolongada de Centroamérica, pero el deseo nacional de tener éxito existe en Costa Rica y el fundamento político está firmemente asentado.

Atrapados entre dos mundos

Introducción

El costarricense Amado Madrigal Porras es un conductor de camiones contenedores, de cuarenta años de edad, que ha transportado carga para sus clientes por toda América Central durante más de 20 años. En junio de 1984, se puso en camino con dos camiones cargados de cristalería y de platos destinados a un centro comercial de Honduras. Su hijo, de 22 años, y él, tenían que atravesar Nicaragua con los dos vehículos, con el propósito de llegar a su destino. En este viaje, los detuvieron en un pueblito nicaragüense, como a 80 kilómetros de la frontera con Costa Rica. Los encarcelaron e incomunicaron durante 16 días y recibieron amenazas de muerte. Cuando su esposa se enteró de que no habían llegado a su destino, en Honduras, gastó cientos de dólares tratando de localizarlos y de buscar su liberación. Finalmente, fueron liberados y se les permitió conducir sus vehículos de regreso a su país; sin embargo, les decomisaron y destruyeron la mayor parte de su carga y ellos fueron compelidos a no regresar nunca a Nicaragua. Desde ese entonces, Porras quedó "confinado" a conducir vehículos solamente entre Costa Rica y Panamá (Porras, 1984).

Juan José Mendoza (nombre ficticio), de 19 años, era el hijo de un pequeño finquero del sur de Nicaragua. Él supo que su padre había sido amenazado por los sandinistas y que su madre había estallado en lágrimas con la noticia. La familia dejó sus tierras, heredadas de generaciones, mientras Juan se unía a la Alianza Revolucionaria Democrática (ARDE), el principal grupo antisandinista que operaba en la frontera sur de Nicaragua, en 1984. Juan combatió con esos contras durante los primeros meses de 1984, hasta que se quedaron sin municiones, entonces los hombres se retiraron de la zona de combate, y atravesaron la frontera costarricense. En junio de 1984 Juan encontró a algunos de sus familiares en el campo de refugiados de Tilarán (Mendoza, 1984).

En octubre de 1986, Eugene Hansefus (mercenario estadounidense, de 45 años) fue tomado prisionero por el gobierno sandinista de Nicaragua. Él se encontraba en una avioneta llena de suministros bélicos que había despegado de El Salvador. Para evadir los radares militares estadounidenses en Honduras e impedir también ser detectados por las fuerzas sandinistas en el terreno, estas muy secretas actividades intentaban confundir y eludir a todo el mundo, incluso a las tropas estadounidenses, que no estaban informadas sobre esta operación clandestina. La avioneta intentaba evitar el territorio nicaragüense y atravesó el mar, hacia Costa Rica y, después, probablemente, aterrizó en una pista secreta en este país, antes de entregar armas y municiones a las fuerzas del Frente Democrático Nicaragüense, en Honduras. Cuando la aeronave cayó en territorio nicaragüense, Hansefus, el único sobreviviente, fue capturado por las tropas nicaragüenses, ofreciendo evidencia explícita del apoyo de los Estados Unidos a los grupos antisandinistas. Su captura condujo a una investigación del Congreso dentro de los mismos Estados Unidos.

Todos estos casos ilustran cómo los conflictos internacionales modifican la vida de las personas. Las decisiones políticas tomadas en Washington, San José y Managua, afectan directamente a la gente de esas tres naciones. En las discusiones sobre política, sobre ideología, y en la toma de decisiones, a menudo se pasa por alto el impacto de esos actos sobre los individuos. Esto también evidencia el impacto que tienen esos diferendos en el sistema internacional sobre la política interior de un país pequeño.

A mediados de los 80, Costa Rica se encontró atrapada entre dos fuerzas contradictorias, un gobierno anticomunista y un vecino procomunista. Los gobernantes costarricenses estaban muy presionados por los Estados Unidos para que adoptaran una política exterior antimarxista, por una parte y, por otra, estaban sujetos por la geografía a un modus vivendi con una Nicaragua de inclinación marxista. La violencia regional amenazaba la soberanía y el estilo de vida de los costarricenses, cuyo país no tiene un ejército con el cual protegerse. Grupos internos demandaban la restauración de la fuerza militar para asegurar la seguridad nacional, mientras que la mayoría de los costarricenses preferían que la Guardia Civil permaneciera como estaba. Los refugiados en Costa Rica procedían de diferentes países latinoamericanos y tenían ideologías y propuestas que oscilaban desde la ultraderecha hasta la extrema izquierda. Los "contras" usaban el territorio costarricense como santuario para reabastecerse, mientras Costa Rica intentaba establecer una política de neutralidad, de acuerdos con el gobierno sandinista. Costa Rica fue golpeada por la realidad regional y el conflicto global este-oeste de la Guerra Fría. Además, el fuerte compromiso de la administración Reagan hacia el sector privado, ayudando a las empresas privadas, entraba directamente en conflicto con las regulaciones costarricenses, contra su economía controlada por el estado. Así, el país también tenía que acomodarse a las instituciones financieras internacionales, como el Banco Mundial y el Fondo Monetario Internacional. Costa Rica, como pequeña nación dependiente, fue atrapada entre la necesidad de servir a sus propios intereses específicos y al mismo tiempo conocer las demandas de las fuerzas internacionales que eclipsaban –incluso hasta la exacerbación– muchos de aquellos mismos intereses.

Antecedentes

En 1980, la violencia ponía en riesgo la tranquila democracia costarricense. La violencia en Nicaragua creaba temor y desasosiego en Costa Rica, y entre los costarricenses se extendió ampliamente la creencia de que las actividades terroristas dentro de su territorio, engendradas por el vecino posiblemente aumentarían. La permanente estabilidad de la región se sustituyó por el malestar, la violencia y la inestabilidad a largo plazo. Fue entonces cuando la más antigua democracia en ejercicio en América Latina se encontró en una situación precaria y difícil.

En los años 80, la política centroamericana difería mucho con respecto al pasado. Se sustituyó a los dictadores personalistas como la dinastía Somoza por dictadores o juntas militares "ideológicas", como las en El Salvador y Guatemala, y una extensa guerra civil y el terrorismo sustituyeron la violencia a corto plazo. Sin embargo, continuaba el contraste entre Costa Rica y el resto de la región. Estado y violencia guerrillera, terrorismo e influencia militar, plagaban los gobiernos electos democráticamente en Guatemala, El Salvador y Honduras, y los sandinistas estaban volviéndose crecientemente autoritarios. En contraste, las diferencias políticas en Costa Rica se resolvían por medio de procesos políticos legales en las ramas legislativa y ejecutiva de la administración. La democracia costarricense continuaba sus actividades pacíficamente, aunque la presión para alterar el marco político crecía y podría amenazar el sistema democrático que ha hecho de Costa Rica una sociedad muy orgullosa de su gobierno.

La situación se complicaba porque los asuntos internacionales, regionales e interiores, chocaban entre sí. Este capítulo no cubre todas esas interrelaciones, se concentra en los dos más importantes, las relaciones con los Estados Unidos y con Nicaragua. Los más importantes aspectos (las decisiones políticas internas con respecto a la neutralidad y a los procesos de paz) son también consecuencia de esas presiones externas. Esas condiciones crearon el mayor dilema para la historia reciente de Costa Rica.

Formulación de una política exterior

Aunque el presidente costarricense parecía ser el principal artífice de la política exterior, la situación era mucho más compleja.

Los asesores más importantes, así como los principales ministros del gabinete, y cuadros burócratas a cargo de áreas especializadas como banca, finanzas, comercio, agricultura, asistían a los presidentes Luis Alberto Monge y Oscar Arias en el proceso de toma de decisiones. Instituciones auxiliares e individuos de menor jerarquía alimentaban los análisis, pero tuvieron un impacto menor en la formulación y puesta en ejecución de la política exterior. No obstante, el presidente permanecía en el centro del aparato decisorio sobre política exterior (Rojas; 1984: 28). El mismo proceso se había hecho evidente en administraciones previas.

En 1978, Rodrigo Carazo Odio obtuvo una aplastante victoria en los comicios y asumió la presidencia de la república. La campaña electoral se centró en asuntos interiores y en la viabilidad de la alegada corrupción del contrincante Partido Liberación Nacional (PLN). El partido de Carazo, Partido Unidad Nacional (PUN), se atribuía competencia y moralidad. Aunque la campaña se enfocó en temas interiores, la administración Carazo ejercería un enorme impacto en la política exterior.

Carazo y sus más importantes asesores, Rafael Ángel Calderón Fournier, ministro de Relaciones Exteriores, y Juan José Echeverría Brealy, ministro de Seguridad Pública, alteraron la política exterior costarricense en líneas fundamentales que tuvieron implicaciones duraderas.

Entre 1978 y 1979, el presidente Carazo no explicó al pueblo costarricense la verdadera naturaleza de la ayuda y de la ayuda y apoyo de su administración a la guerrilla sandinista. Mientras las fuerzas del FSLN operaban fuera de la provincia de Guanacaste, y las armas y suministros atravesaban Costa Rica en su ayuda, mientras que el presidente Carazo pregonaba una política de neutralidad (Denton/Acuña; 1984: 45).

Las dos líneas políticas iniciadas, y que probaron tener las consecuencias más trascendentales, fueron: a) la decisión de ofrecer ayuda y apoyo a los sandinistas en su guerra civil contra Anastasio Somoza, en Nicaragua (1978-1979); y, b) la decisión de conseguir millones de dólares en préstamos internacionales entre 1979 y 1982. En consecuencia, en 1983 Costa Rica logró la triste distinción de tener una de las mayores deudas externas per cápita en el mundo (Contreras; 1999: 14; y, Lizano: 1999; 225-227).

Cuando la verdadera naturaleza de la relación entre la administración Carazo y el FSLN se hizo del conocimiento de los costarricense y comprendieron "que los sandinistas establecerían otro gobierno antidemocrático al norte de Costa Rica, y con filiación claramente comunista, el desencanto fue rápido y profundo" (Denton/Acuña: 1984; 46).

En 1982, el PLN retomó el control del gobierno, cuando su candidato, Luis Alberto Monge Álvarez, encabezó la papeleta y obtuvo la presidencia. En ese momento, la campaña electoral se concentró más en lo económico y las relaciones exteriores que en la campaña de 1978, pero no sorprende el hecho de que la mayor parte de las innovaciones de la administración Monge se hayan dado en el área de la política exterior.

El presidente Monge revivió la tradicional postura costarricense de oposición a Nicaragua, y diseñó una nueva política de neutralidad para hacer frente a la expansión política y militar de la crisis en América Central y a las intervenciones de los Estados Unidos en la región. Dada la recesión económica en Costa Rica, él también recurrió al recurso de otorgar numerosas concesiones a los Estados Unidos a cambio de asistencia financiera. Para resolver los problemas de la política exterior, hizo uso de los tradicionales instrumentos diplomáticos y de las instituciones internacionales, tales como la Organización de Estados Americanos (OEA), el Grupo de Contadora y otros organismos regionales.

Esos ejemplos ilustran hasta dónde un presidente puede influir individualmente, y hasta determinar la planeación y materialización de la política exterior costarricense. Aunque el presidente, en los casos citados, asume la dirección de las políticas del estado, otras instituciones, grupos e individuos, contribuyen de manera significativa a alimentarlas continuamente. Líderes nacionales y organizaciones internacionales ejercieron, también (o trataron de ejercer), una influencia muy grande, con condicionamientos y presiones fuera de Costa Rica.

Varios actos de los Estados Unidos distorsionaron las líneas políticas costarricenses y crearon problemas mucho mayores para Monge y para el PLN. Esto también forzó a Costa Rica a actuar contra sus propios intereses nacionales a largo plazo. La reputación y la popularidad del presidente Monge sufrieron menoscabo cuando se hicieron públicos estos asuntos.

Un análisis de la toma de decisiones costarricense no puede ignorar las realidades de la política interior; por ejemplo, las divisiones que existían entre los múltiples grupos de presión y los partidos políticos, tanto dentro como fuera del país. Son primordiales el rol y la influencia del presidente en la formulación de la política exterior y los intentos de la administración de proteger los intereses nacionales. Muchos de los desafíos de las relaciones exteriores costarricenses tuvieron como antecedente las presiones incompatibles que recibió el presidente de estos grupos internos.

Crisis interna y crisis internacional

Costa Rica enfrentó muchas dificultades económicas, políticas y de relaciones exteriores. Las dificultades interiores, como casi siempre, se añadieron a los peores problemas que el país enfrentaba desde la Segunda Guerra Mundial e incluían: crisis económica; déficit presupuestario; bancarrota de la mayor empresa estatal del país, la Corporación Costarricense para el Desarrollo (CODESA); crecimiento del desempleo y baja en la producción agrícola; descenso de los precios de los productos exportables (bananos, café, azúcar, etc.); desempleo rural; invasiones de tierras; huelgas; y desempleo y pérdida de ingresos para las clases medias. Costa Rica sufrió intensamente un malestar económico que amenazaba no solo la calidad de la vida sino también todo el sistema democrático.

Estos críticos problemas internos se subdimensionaron frente a los internacionales, que afectaron la economía interna tanto o más que esos conflictos interiores. El deterioro del intercambio regional, dado que Nicaragua se ubica entre Costa Rica y sus principales clientes de la región, Guatemala, El Salvador y Honduras; una deuda nicaragüense imposible de pagar; una asombrosa deuda a prestamistas extranjeros; y la presencia de más de 200.000 refugiados buscando asilo, empleo, comida y habitación en Costa Rica; todo lo cual ejerció un tremendo impacto en la economía de la nación.

Las políticas internacionales exacerbaban las dificultades interiores. Costa Rica apoyaba el proceso de paz de Contadora y el Plan Arias para la Paz, y se esforzaba por mantener normales sus relaciones con la administración estadounidense, que era escéptica en torno a ambas propuestas de paz. Esas relaciones se complicaron aún más por la presencia en Costa Rica de los "contras" antisandinistas, apoyados por los Estados Unidos pero rechazados por el gobierno costarricense. Las operaciones de esas fuerzas "contras" desde el territorio costarricense no solamente incrementaban las dificultades reales entre Costa Rica y Nicaragua, sino que también amenazaban continuamente con una escalada militar del conflicto en la frontera norte costarricense.

La combinación de la crisis interior y de las dificultades internacionales se complicó aún más con la existencia de grupos de exiliados políticos y disidentes que vivían en Costa Rica. Por años, Costa Rica fue el paraíso para exiliados políticos de toda América Latina, independientemente de su filiación política. Gente desde la derecha radical hasta la extrema izquierda consiguió refugio en Costa Rica, desde el siglo XIX, y este fenómeno creció considerablemente en el siglo XX. En los 80, algunos de esos grupos provocaron problemas en este país con actos de terrorismo y las amenazas de violencia aparecieron por primera vez después de 1948. Solo entre 1982 y 1983 se recuerdan once actos terroristas (USIA, 1984). La mayor parte de los costarricenses atribuyó a extranjeros tanto esta violencia como el crecimiento de la criminalidad. De acuerdo con otro informe, se cometieron numerosos crímenes como resultado de la presencia de los "contras" en el norte costarricense. Se dieron 15 asaltos, 28 homicidios, hubo 27 heridos, cinco enfrentamientos con la Guardia Civil, 17 secuestros y seis desaparecidos (Zeledón: 1987; 271)

Había informes de la existencia de grupos paramilitares, tanto de extrema derecha como de extrema izquierda, armados y entrenando en el país. Un grupo de la extrema derecha era el Movimiento Costa Rica Libre (MCRL), que alegaba tener miles de miembros y relaciones muy estrechas con otros grupos paramilitares en Centro América. Ha sido el más antiguo, más activo y de mayor influencia de los grupos paramilitares. Se fundó en 1961, y recibió apoyo tanto de los Estados Unidos como de las fuerzas de seguridad costarricenses (Barry: 1989; 25). En los setenta, el MCRL organizaba manifestaciones contra la administración de José Figueres. Este grupo armado contaba con más de 10.000 miembros y usaba campos de entrenamiento y armas modernas. Este grupo fue reactivado vigorosamente en los ochenta, cuando empezaron a aumentar los temores al sandinismo (Mourelos: 1983; 218-19 y 255-57). Por otra parte, se insistió en que había grupos simpatizantes de Nicaragua, y otros relacionados con Cuba, que también tenían campos de entrenamiento en Costa Rica. Se confiscaron tanto armas como municiones de estos grupos entre 1984 y 1986. A diferencia de los "contras", el blanco de esos grupos extremistas era el interior mismo de Costa Rica. Los "contras" (tales como ARDE y FDN, que se fusionaron después en la Unidad Nicaragüense Opositora, o UNO) utilizaban el territorio costarricense como refugio en sus combates contra el gobierno sandinista de Nicaragua, y así amenazaban también el territorio y el gobierno costarricenses. De esa manera, el país fue literalmente inundado por olas de violencia, tanto a favor como en contra de los sandinistas.

Un incidente que ocurrió el 8 de agosto de 1984 ofrece la mejor ilustración de la situación del aparato político costarricense. Se creó el rumor entre los periodistas y el gobierno de que se estaba tramando un golpe de estado. Se puso en alerta a la Guardia Civil, se cerraron las calles centrales de San José, se detuvo el tráfico y, por supuesto, se asustó a la población. Al poco tiempo se supo que era un rumor totalmente infundado, resultado de un chiste que el ministro de seguridad pública, Ángel Edmundo Solano Calderón, le hizo a la prensa. El chiste llevó a la administración Monge a una de sus más serias crisis políticas y originó la decisión del presidente de pedirle la renuncia al gabinete entero, así como a otros importantes funcionarios del estado costarricense. Finalmente, solo a siete funcionarios se les aceptó la renuncia, incluidos cuatro de sus ministros, uno de los cuales fue el propio Solano Calderón (La Nación, 1984ª: 1).

La situación había llegado a tal punto que algunos periodistas fueron incapaces para discernir entre un chiste y los hechos. En realidad, las posibilidades de que ocurra un golpe de estado eran y son extremadamente remotas, tanto porque las precondiciones para tal hecho no existían, como también porque los valores políticos, así como sus instituciones, rechazan este tipo de actitudes antiéticas. Sin embargo, este episodio es revelador del grado de inseguridad que había permeado en la sociedad costarricense en ese momento.

A pesar de los problemas internos, los costarricenses percibieron la enorme amenaza que provenía del exterior. Una vasta mayoría de la población (entrevistada entre 1984 y 1987), concebía a Nicaragua como su enemigo. Había mucho temor de que en cualquier momento se llegara a un conflicto mayúsculo entre las dos naciones. Tanto los diarios como los comentarios en la vía pública confirmaban esas conclusiones e indicaban una amplísima preocupación porque Nicaragua tuviera planes para una invasión masiva y directa a Costa Rica. El miedo a una invasión permeaba a la población entera: trabajadores de la administración pública, profesores universitarios, conductores de taxi y vendedores en los mercados. Existía la percepción de que los nicaragüenses acumulaban tropas (estimadas en 100.000 hombres) con el propósito de agredir abiertamente a sus vecinos, en general, pero particularmente a Costa Rica.

Costa Rica y Nicaragua

Conflictos históricos

Históricamente, las relaciones entre Costa Rica y Nicaragua han sido más hostiles que amigables. Desde los años de 1821, y particularmente después de 1838, ha habido conflictos, rivalidades políticas y hasta amenazas de guerra entre ambos territorios. Hay cinco aspectos que tradicionalmente han provocado fricciones. Primero, la existencia de una frontera imprecisa que ha causado y aún causa problemas. En 1824, el partido norteño de Nicoya se anexó a Costa Rica, en lo que hoy comprende una buena parte de la Provincia de Guanacaste. De 1838 a 1848, ambos países negociaron acaloradamente la disputada frontera norte, concentrándose en los problemas del lado noroeste y en la necesidad de un puerto en la costa caribeña (Obregón; 1978: 2). Esas diferencias incluían no solo el partido de Nicoya, sino también los derechos de navegación en el río San Juan, en la línea fronteriza del noreste. Los cuestionamientos en torno al río San Juan continúan irritando a ambos países hasta en el siglo XXI.

Segundo, Nicaragua es la única nación que ha invadido a Costa Rica en varias ocasiones; esto ocurrió en 1856, cuando William Walker, un aventurero y filibustero estadounidense, obtuvo la presidencia nicaragüense. Hubo invasiones similares organizadas por los regímenes de Anastasio Somoza padre e hijo, ocurridas a finales de los 40, de los 50, y también en 1978-79 y, por el régimen sandinista, en 1983-86.

La divergente evolución política de las dos naciones ha servido como tercer punto de fricción. Durante la mayor parte de su historia, los dos países han tenido regímenes políticos muy diferentes. Costa Rica ha mantenido un incomparable sistema democrático, mientras que Nicaragua ha estado plagada de dictadores. Esas diferencias han hecho incompatibles las buenas relaciones, especialmente a partir de 1948. Después de 1948, Costa Rica se puso muy en contra de los Somoza. Llegó a ser casi obsesiva su animadversión (por eso, los costarricenses apoyaron a los sandinistas entre 1977 y 1980.)

Cuarto, ambas naciones tienen diferentes culturas y distintos sistemas de valores. Ninguna de las dos tiene alta estima por la otra y las actitudes nacionalistas de ambas poblaciones provocan diferencias y conflictos, más que resaltar las semejanzas y promover la cooperación.

Quinto, y último, el desarrollo económico y social de cada nación ha sido muy diferente. Costa Rica tiene un alto nivel de educación, una estructura de clases más igualitaria, un sistema de seguridad social universal y un elevado nivel de desarrollo económico. En contraste, Nicaragua tiene alto nivel de analfabetismo, pobreza devastadora, precario sistema de seguridad social y un extremo subdesarrollo rural. Esta disparidad entre las dos sociedades, en sus condiciones básicas de vida, funciona también como otra fuente de tensiones.

Conflictos a principios de los 80

En 1983, Robert D. Tomasek identificó las siguientes causas como las más importantes para el deterioro de las relaciones entre Costa Rica y Nicaragua a inicios de los años 80: 1) El desencanto de los costarricenses con respecto al sistema político nicaragüense; 2) Las políticas de asilo costarricenses en relación con los exiliados, que Nicaragua creía servían para encubrir y proteger a los contrarrevolucionarios; 3) La imposición de restricciones nicaragüense a los derechos costarricenses de libre navegación por el río San Juan; 4) La percepción de los costarricenses de que Nicaragua estaba envuelta en la subversión interna; 5) los costarricenses pensaban que Nicaragua procuraba, por medio de sutiles campañas de desinformación, desacreditar internacionalmente a Costa Rica; y, 6) la percepción de que Nicaragua impugnaba el honor nacional y la dignidad de los costarricenses (Tomasek: 1984; 3-4).

Esos problemas, aunque críticos, fueron sobredimensionados por el temor a una posible invasión nicaragüense. El temor a la subversión interna, que hizo aparición en 1983, se recrudeció e incrementó con actos de terrorismo desde 1982-1983. Esta incluía bombas, asesinatos, secuestros e intentos de eliminación de antisandinistas en territorio costarricense. Al mismo tiempo, los problemas económicos aumentaron, el comercio disminuyó y se elevó significativamente la deuda nicaragüense a Costa Rica. En esta coyuntura, se deterioraron las relaciones diplomáticas entre ambos países a tal punto, que fueron suspendidas en junio de 1985, y no se restauraron sino hasta inicios de 1987.

Las violaciones a la soberanía costarricense reveladas por la Comisión Tower durante sus investigaciones del escándalo Irán-Contras en los Estados Unidos crearon problemas adicionales para Costa Rica. La ayuda estadounidense a los "contras", vía Costa Rica, fue un asunto esencial entre 1985 y 1987. Este hecho, junto con la presión de los Estados Unidos para evadir el proceso de Contadora y para desactivar cualquier acuerdo diplomático con Nicaragua, ejercía presión adicional en las frágiles relaciones Costa Rica-Nicaragua.

Desencanto con Nicaragua

Como indicó Tomasek, el desencanto de los costarricenses con el régimen de los sandinistas comenzó a ascender después de 1982, como resultado de los cambios en la orientación política de cada país; en tanto los nicaragüenses incrementaban sus nexos con Cuba y con el bloque soviético, por una parte, Costa Rica fortalecía sus relaciones con los Estados Unidos, por la otra.

También, los cambios de personalidades jugaron un papel importante. El presidente Carazo (1978-1982) tenía una disposición favorable hacia el régimen sandinista; pero esta actitud oficial cambió drásticamente después de la elección de Luis Alberto Monge como presidente, en 1982.

En Nicaragua, cambios en el personal y la consolidación en el gobierno de los más radicales marxistas miembros de la Junta provocaron también dificultades para que Costa Rica pudiera mantener cercanas las relaciones. La mayor parte de los líderes antisomocistas no marxistas que perdieron influencia en Nicaragua se exiliaron en San José, donde se establecieron como una audiencia atenta que alegaba que la junta nicaragüense no solo incrementaba en su actitud autoritaria, sino que también exageraba el marxismo tanto en la teoría como en la práctica.

Además, el Ministro de Relaciones Exteriores de la administración Monge, Fernando Volio Jiménez, quien ejercía una fuerte influencia en la política exterior hasta su dimisión en diciembre de 1983, fue un enérgico anticomunista, opuesto a los sandinistas. Su presencia en el gabinete de Monge contribuyó al creciente antagonismo entre ambas naciones.

Política de asilo

El problema de los refugiados, la segunda causa según Tomasek para el deterioro de las relaciones entre las dos naciones, también se intensificó entre 1984 y 1987. Nicaragua no solamente acusó a Costa Rica de dar refugio a las fuerzas antisandinistas (los "contras"), sino que acusó también al gobierno costarricense de darles ayuda y apoyo. A pesar de que la administración Monge se decidió a cerrar algunas de las oficinas de los "contras" y a restringir sus actividades, ARDE continuaba sus movimientos a lo largo de la frontera. Además, el FDN, que originalmente había centrado sus combates en el norte de Nicaragua, se trasladó al sur, cerca de La Cruz (poblado costarricense, a 20 Km. de la frontera), a finales de 1984. Los líderes políticos de esos grupos "contras" se unificaron posteriormente, en 1986, para formar la Unión Nacional Opositora (UNO), la cual continuó con sus oficinas y su presencia manifiesta en Costa Rica.

El 31 de mayo de 1985 los conflictos en la frontera norte costarricense desembocaron en ataques a las patrullas de la Guardia Civil localizadas cerca de Las Crucitas, en la rivera del río San Juan. Disparos provenientes de la vertiente nicaragüense saldaron la vida de dos miembros de ese cuerpo de vigilancia. Costa Rica culpó al ejército sandinista, y Nicaragua responsabilizó a los "contras". Cuando la OEA terminó su investigación, se abstuvo de asignarle la responsabilidad a ninguno de los lados.

Sin embargo, como resultado de esas muertes, las emociones en San José se elevaron considerablemente. Una turba airada atacó la embajada de Nicaragua, quebró ventanas, arrancó el emblema oficial y lo lanzó a la calle, donde lo destruyeron, en una demostración que fue sofocada finalmente por la policía. Con posterioridad, los empleados de la embajada confesaron que habían temido por sus vidas. Estos incidentes condujeron a la suspensión de las relaciones diplomáticas. La presencia de los "contras" en la frontera norte costarricense continuó pesando en las relaciones oficiales.

Este conflicto creó dificultades adicionales. Los pequeños parceleros del área, en la frontera con Nicaragua, temían por su seguridad, y los rebeldes "contras", escasos de suministros y municiones, cruzaban hacia Costa Rica como refugiados. A partir de 1981, Costa Rica fue literalmente inundada de inin nicaragüenses. El movimiento de refugiados creció a finales de 1984, aumentando muy rápidamente en marzo-abril de 1985, cuando las tropas sandinistas extendieron su programa de reubicación hasta la frontera misma. Consecuentemente, así como creció el flujo de refugiados, así aumentaron las fricciones entre Costa Rica y Nicaragua. La situación de los migrantes nicaragüenses fue un serio problema para la administración Arias, entre 1986 y 1987.

El número de refugiados se incrementó en cerca de 400 personas por mes durante la primera mitad de 1986. Aunque solamente se habían registrado 25.000 en ese momento, los informes oficiales estimaban que habían entrado más de 250.000 (Tico Times; 1986b: 9). Costa Rica nunca ha tenido ni recursos ni asistencia internacional para atender alimentación, vivienda y vestido para tal número de refugiados. Esta situación comenzó a afectar la opinión pública costarricense, así como a las políticas nacionales de asilo y de apertura a los refugiados. Primero, el país se inundó de refugiados salvadoreños entre 1980 y 1982, para ser casi inmediatamente golpeado por una segunda ola procedente de Nicaragua. En uno de los campamentos de refugiados que visitó el autor, encontró que la población se había duplicado entre junio de 1984 y junio de 1985, y su composición había cambiado significativamente, desde una mayoría de mujeres y de niños a alrededor del 50 por ciento de hombres, entre los 14 y 36 años de edad (cambio que reflejaba muy bien el destino de los desafortunados de ARDE durante buena parte de 1985). En 1986 se abrió un nuevo campamento para refugiados al sur de Costa Rica, para ubicar el creciente número de inmigrantes y trasladarlos fuera de las áreas de combate, en el norte.

La navegación sobre el río San Juan

El tercer problema propuesto por Tomasek es la navegación sobre todo el río San Juan, un conflicto fronterizo que data desde el siglo XIX. Este problema se exacerbó cuando los "contras" emplearon este río como refugio y como punto de partida para atacar el territorio nicaragüense. En consecuencia, el enfrentamiento armado reavivó la disputa en torno al territorio fronterizo. Ese conflicto continuó aún después de la caída de los sandinistas, en 1990, y sigue siendo fuente de malestar hasta el presente.

La subversión

El cuarto punto es la percepción de que Nicaragua estaba involucrada en la subversión interna en Costa Rica. Esta creencia se materializó cuando, en 1982, explotó una bomba en un club que frecuentaban marinos estadounidenses, en San José. En los dos años siguientes, se dieron más de once actos terroristas, según registró oficialmente el gobierno. Después, se creyó en un rumor sobre un intento de golpe de estado (en 1984), con lo cual creció la percepción de que tanto el terrorismo como la subversión estaban en aumento. Ese mismo año, los dirigentes antisandinistas Alfonso Robelo y Edén Pastora estuvieron a punto de ser asesinados en distintos atentados terroristas. Posteriormente, los ataques terroristas contra opositores a los sandinistas menos conocidos siguieron ocupando la atención de las fuerzas de seguridad costarricenses. En 1985, los terroristas destruyeron postes de alta tensión en el norte de Costa Rica y a inicios de 1986 atacaron el Consulado de los Estados Unidos.

Los problemas con Nicaragua entre 1983 y 1987

El quinto y sexto problemas mencionados por Tomasek (p.e., los ataques políticos y diplomáticos nicaragüenses contra Costa Rica) se analizarán en el apartado de las relaciones entre Costa Rica y los Estados Unidos. Los momentos críticos de 1983 se minimizaron frente a otro tipo de problemas. En 1986, los costarricenses percibían al ejército sandinista como una amenaza directa a su gobierno, a su soberanía, a su economía, a su estilo de vida y a la paz.

En el camino, Nicaragua fue consolidando el más grande y mejor equipado ejército de la región centroamericana; llegaron a tener el mayor ejército de América Latina, de acuerdo con el ingreso per cápita. Los Estados Unidos estimaron el ejército regular nicaragüense en más de sesenta mil personas, y la reserva activa, en alrededor de cincuenta mil. Además, a fines de 1986, la milicia civil comprendía cerca de cien mil personas. Estaban equipados con la más avanzada tecnología militar a su disposición, que incluía tanques pesados, vehículos blindados, cañones, misiles, y los más sofisticados helicópteros soviéticos, los Mi-24Hind D. En los Estados Unidos y en Costa Rica hubo temor de que los nicaragüenses importaran aviones MIG y otro tipo de armamento (US-DD-DS, 1985), pero nunca lo hicieron. Nicaragua insistía en la necesidad de contar con un ejército de esas dimensiones para combatir a los "contras" y detener la amenaza constante de una invasión estadounidense. Sin embargo, la mayoría de los costarricenses no aceptaba esa justificación, pues creían que Nicaragua estaba preparando un asalto frontal a su territorio. Esos temores se confirmaron por el hecho de que, desde 1983, el ejército sandinista atacaba puestos fronterizos, pueblos y fincas, y asesinaba guardias civiles costarricenses en represalia por las incursiones "contras" en el sur de Nicaragua.

Los cambios en la opinión pública testimoniaron la preocupación creciente en Costa Rica. En 1978, la mayor parte de los costarricenses eran muy antisomocistas y por eso apoyaban a los sandinistas con armas, alimentos y como refugio, a pesar de la existencia de radicales izquierdistas en el movimiento. Los costarricenses estaban ya hartos de los Somoza. En noviembre de 1983, sin embargo, el 80 por ciento de los entrevistados percibía a Nicaragua como un enemigo y el 84 por ciento consideraba que Nicaragua interfería demasiado en la política interior costarricense. En febrero de 1984, el 42 por ciento quería que los "contras" ganaran la guerra a los sandinistas y más del 60 por ciento pensaba que los "contras" merecían que Costa Rica les concediera ayuda en alimentos y medicinas. No obstante, muy pocos pensaban que los "contras" tuvieran un apoyo comparable al que habían recibido los sandinistas entre 1978 y 1979. A mediados de 1986, los costarricenses continuaban viendo a Nicaragua como una amenaza: el 77 por ciento dijo que Nicaragua era la mayor amenaza, mientras el 12 por ciento lo veía como una amenaza a medias; y el 84 por ciento expresó opiniones muy negativas hacia el gobierno y la sociedad nicaragüenses (CID, 1983, 1984 y 1986).

Costa Rica tiene una pequeña Guardia Civil, que se asemeja más a una fuerza policial que a una organización militar. Compuesta de aproximadamente 8.000 personas (incluidos 3.000

guardias rurales, que actúan más como cuerpo policial en provincias y como guardias fronterizos que como fuerzas de defensa). La mayor parte de los guardias civiles cumplen papeles policiales y de control de tráfico en las áreas urbanas.

La Guardia Civil estaba pobremente entrenada, pobremente pagada y tenían poquísimo armamento moderno, equipo, uniformes, e incluso vivienda. En una confrontación directa con fuerzas como las del ejército popular sandinista, el país habría estado casi indefenso e inhabilitado para detener, y mucho menos expulsar, una invasión a su territorio.

Entre 1984 y 1986, con el propósito de reducir el temor interno y crear algún tipo de fuerzas de seguridad, unidades especiales de la Guardia Civil empezaron a recibir adiestramiento militar, los Estados Unidos construyeron una base de entrenamiento militar, en Murciélago, al norte de Costa Rica, y se entrenaba alrededor de 700 hombres a la vez, en defensa, combate antiguerrilla, control de disturbios y antiterrorismo. Hasta mediados de 1986, aproximadamente, cuatro grupos, recibieron este entrenamiento. La administración Arias puso fin al programa, a finales de ese mismo año.

Aunque algunos críticos acusaron a la Guardia Civil de estar constituyéndose en una fuerza militar, con entrenamiento, equipo, uniformes y armas, de hecho era más bien una fuerza policial especializada, más cercana al equipo SWAT en los Estados Unidos. Con la adquisición de una amplia y mejor entrenada fuerza de defensa, los costarricenses esperaban alcanzar un nivel de seguridad aunque, al mismo tiempo, anhelaban que esa fuerza no fuera militar.

Los problemas de comercio, la deuda nicaragüense y el acoso de los ciudadanos costarricenses en Nicaragua enfriaron considerablemente las relaciones bilaterales. El comercio entre las dos naciones tuvo una caída constante desde 1979 hasta 1986. Nicaragua no tuvo capacidad para pagar a Costa Rica sus importaciones y la energía eléctrica suministrada, por lo que, en junio de 1983, Nicaragua debía a Costa Rica más de US$ 150 millones, entre bienes y electricidad (US-DC; 1984: 14). Aunque los bienes ya habían sido comercializados y la energía consumida, en 1987 la deuda nicaragüense sobrepasó los US$ 250 millones, alrededor del 25 por ciento del ingreso costarricense por exportaciones.

Otra de las fuentes de tensión fueron las diferencias diplomáticas. Por ejemplo, en diciembre de 1984, José Manuel Urbina, un estudiante nicaragüense, pidió y logró asilo político en la embajada costarricense en Managua. En Navidad, personal de seguridad nicaragüense secuestró a Urbina en los terrenos de la embajada. Este incidente enfrió aún más las relaciones diplomáticas, hasta el punto de casi provocar su ruptura. Se canceló una reunión del Grupo de Contadora y las relaciones continuaron tensas hasta que, finalmente, Urbina fue liberado, el 5 de marzo de 1985, y puesto en un avión hacia Bogotá, Colombia. Las relaciones mejoraron un poco, para hundirse de nuevo, después del ataque armado contra los dos guardias civiles en Las Crucitas (mayo de 1985). Costa Rica respondió llamando a consultas en San José a su embajador en Nicaragua, en el mes de junio. Nicaragua tomó represalias y también hizo regresar a su embajador, argumentando la violencia con que fue tratada la embajada durante los disturbios. Durante la administración Monge, las relaciones continuaron muy frías. Cuando el presidente Arias asumió la presidencia, en mayo de 1986, uno de sus primeros pasos fue comenzar a buscar el nuevo embajador para Nicaragua. Sin embargo, no fue sino hasta marzo de 1987 que el nuevo embajador fue finalmente aceptado y comenzaron a marchar las relaciones diplomáticas.

Hubo otras dificultades en las relaciones entre ambos estados. En 1986, Nicaragua decidió iniciar acciones legales en la Corte Internacional de Justicia porque Costa Rica era culpable de ayudar a los "contras". A diferencia de los Estados Unidos, Costa Rica reconoció la jurisdicción de la Corte en este asunto. La preparación para la defensa del caso fue costosa en dinero, tiempo y personal, gastos que el gobierno podría enfrentar con dificultades. Costa Rica tenía poco que ganar y mucho que perder en este caso; sin embargo, como respuesta a las negociaciones del Plan Arias para la Paz, el gobierno nicaragüense abandonó rápidamente el asunto, en agosto de 1987.

En una atmósfera de temor, animadversión y amenazas procedente de Nicaragua, el gobierno costarricense a menudo reaccionó en exceso a las demostraciones de desorden civil. Por ejemplo, en mayo de 1985, un pequeño grupo de estudiantes organizó una "Marcha por la Paz" hacia la Asamblea Legislativa; fueron detenidos más o menos a un kilómetro del edificio, fueron arrestados y estuvieron en prisión durante dos días. La acción policial fue pronta, sobredimensionada y, especialmente, efectiva (entrevista del autor con uno de los participantes detenido).

Seis meses después, a mediados de diciembre de 1985, un grupo pacifista internacional planeó su propia "Marcha por la Paz" a través de toda América Central, desde el norte de Panamá hasta México. A pesar de haber recibido la autorización gubernamental para cruzar Costa Rica, los manifestantes fueron acosados desde su llegada a San José. El 15 de diciembre, se atacó el albergue donde estaban alojados esa noche. Por más de dos horas, la muchedumbre los abucheó, cantó y les lanzó piedras y, finalmente, dejaron el albergue muy deteriorado. De acuerdo con Barry (1989: 25), estas protestas las organizó y dirigió el Movimiento Costa Rica Libre (MCRL). La policía reaccionó de manera muy lenta e hizo muy poco para prevenir la destrucción de la propiedad, y nadie fue detenido. Al día siguiente, se transportó al grupo pacifista en buses a la frontera con Nicaragua, donde se desintegró la marcha. Honduras, El Salvador y Guatemala también rehusaron autorizar la marcha a través de sus territorios, a raíz de los episodios en Costa Rica.

Estos casos ilustran la seriedad con la cual muchos costarricenses percibían la tensa situación. Las actitudes que pretendían apoyar el gobierno nicaragüense o los sandinistas se vieron con hostilidad y provocaron la violencia en los costarricenses, normalmente tolerantes y corteses. Durante toda la década de los 80 continuaron tanto la sensación de amenaza y de temor a la subversión interna y a la invasión desde el norte.

Relaciones entre Costa Rica y los Estados Unidos

En general, las relaciones entre Costa Rica y los Estados Unidos han sido favorables desde la Segunda Guerra Mundial.

Durante los 1980, ambos países se comprometieron a desarrollar áreas comunes de intereses y preocupaciones: 1) En política, ambas naciones buscaron que la democracia costarricense permaneciera sólida, viable y pluralista; 2) En economía, ambas naciones tenían interés en resolver las crisis de endeudamiento y estabilizar el sistema económico; 3) En defensa, ambas compartían la preocupación porque Costa Rica era vulnerable a una invasión y a una subversión interna; 4) Internacionalmente, ambas experimentaron una pérdida de credibilidad debido a cuestionables decisiones políticas y/o a la desinformación que estaba circulando; y, 5) Ambas percibían el problema de los refugiados potencialmente tan crítico como el de defensa. Sin embargo, la vulnerabilidad de una pequeña nación dependiente como Costa Rica a las presiones que podía ejercer una determinada superpotencia, reducía la compatibilidad de ambas naciones. Las presiones estadounidenses a los líderes costarricenses fueron casi aplastantes.

Los costarricenses están orgullosos de su sistema democrático y le conceden un alto grado de legitimidad. Pueden estar en desacuerdo con la política, las personalidades, o sobre cuál partido político gobernaría mejor Costa Rica, pero la aceptación de la democracia es casi universal. Estados Unidos tiene un interés doble en que continúe ese régimen democrático. El sistema costarricense es el más compatible con el sistema estadounidense en toda la América Central. Segundo, la democracia costarricense cumple el papel de vitrina que los Estados Unidos muestra como modelo a seguir a las otras naciones latinoamericanas.

Para la administración Reagan era especialmente importante tener una democracia exitosa en la Cuenca del Caribe. La política oficial de la administración en esta parte del mundo promovía el crecimiento de las prácticas democráticas, y Costa Rica, como la más antigua democracia en la América Latina, era la piedra angular de esos planteamientos.

El segundo aspecto compartido fue el económico. Una severa crisis económica puede polarizar un sistema político, erosionar su legitimidad y debilitar los mecanismos democráticos. Puede también promover condiciones de pobreza, hambre y desempleo, las cuales acrecientan los niveles de insatisfacción y producen un clima propicio para el desasosiego, la rebelión y, finalmente, la revolución. Ese ha sido el caldo de cultivo para el marxismo en toda América Latina.

En 1983, Costa Rica estuvo en capacidad de readecuar algunos de los débitos exteriores y obtener apoyo del Fondo Monetario Internacional (FMI). En 1984, la Agencia Internacional para el Desarrollo estadounidense (USAID) otorgó más de US$ 23 millones únicamente para la ayuda al desarrollo. La asistencia total de los Estados Unidos, para ese año, se remontó a más de US$ 192 millones, comparados con solamente US$ 16 millones otorgados a Costa Rica en 1980. Esta asistencia creció hasta los US$ 220 millones en 1985, cuando Costa Rica se ubicó en el noveno puesto entre los diez países más beneficiados por la asistencia estadounidense en el mundo entero (US-AID, 1984). La asignación sumó US$ 154,5 millones en 1986, US$ 184 millones más para 1987, y la AID otorgó solamente US$ 118 para el año 1988. A mediados de 1984, el presidente Monge viajó con su canciller, Carlos José Gutiérrez, por varias naciones oesteeuropeas, y al año siguiente (mayo de 1985), al Oriente, para conseguir, entre otras cosas, asistencia económica e incremento del comercio, la inversión, y ayudar así a refinanciar la gigantesca deuda exterior costarricense.

Como resultado de todo esto, de los contactos diplomáticos, en 1985 obtuvo compromisos por más de US$ 45 millones en asistencia para la región centroamericana. La cooperación de las naciones hizo crecer también el comercio y expandir las inversiones, además de otros logros económicos.

Sin embargo, los Estados Unidos dominaban los intercambio y las inversiones en Costa Rica. Las compañías estadounidenses de manufactura se cerraron, las agroquímicas, como las de pesticidas, también, así como las de chips para computadoras. La mayor inversión en el país proviene de los Estados Unidos y el mayor inversor en el país sigue siendo los Estados Unidos (Barry: 1989; 79-81). Es también la nación con el mayor acuerdo de intercambio. En 1996, Costa Rica realizó alrededor del 37 por ciento de sus exportaciones hacia los Estados Unidos, e importó de ese país alrededor del 45,5 por ciento de los bienes (Menjívar/ Rodríguez: 1998; 58 y 68).

A pesar de estos éxitos, la economía costarricense no logró una buena recuperación. El país sufrió todavía de alto desempleo, un extenso déficit gubernamental y bajos precios para los productos agrícolas de exportación –hasta la pérdida (en 1985) de las tierras de la Compañía Bananera en las costas del Pacífico. En 1985, la combinación de esos problemas causó una caída de 4,9 por ciento de las exportaciones totales, para un crecimiento real del PNB de solo 1,6 por ciento. Entre 1985 y 1986, la inflación se mantuvo por encima del 10 por ciento.

A finales de 1983 los costarricenses se sentían deprimidos por las perspectivas de su futuro económico; solo el 26 por ciento de los entrevistados opinaba que 1984 sería mejor que 1981, mientras que el 25 por ciento pensaba en más o menos igual; pero el 48 por ciento tenía la creencia de que las cosas serían peores (USIA, 1984). En 1987, el nivel de pesimismo se mantuvo casi constante, con el 47 por ciento creyendo que el futuro podría ser peor, mientras solamente el 21 por ciento pensó que podría ser mejor (CID; 1987: 59). En efecto, entre 1984 y 1986 hubo un pequeño repunte económico. Las mini-devaluaciones continuaron desde 1985 hasta 1987, reflejando claramente la situación, con una tasa anual de inflación que excedía el 10 por ciento y demostrando la debilidad general de la economía (US-DC, 1984 y 1986). A pesar del pesimismo y de la difícil situación económica, el sistema democrático emergió más sólido que antes.

El tercer aspecto en común fue la defensa. Mientras los costarricenses temían por una potencial invasión armada y por los estragos de una subversión interna en crecimiento, los políticos se sentían presionados y discutían en busca de soluciones. Tanto la administración Monge como la Arias continuaban oponiéndose a la idea de un ejército costarricense. Había mayor temor por la potencial amenaza que representaba un sistema político sostenido por las fuerzas armadas que por una supuesta invasión.

Sin embargo, crecían las presiones políticas para profesionalizar la Guardia Civil y reducir, así, el recurrente cambio de sus miembros tras cada elección y, al mismo tiempo, establecer rangos profesionales. Organizaciones muy poderosas como los grupos empresariales y la Cámara de Comercio deseaban unas fuerzas de defensa sólidas y estaban dispuestas a reestablecer el ejército para lograrlo (La Nación: 1984b; 16ª).

Los Estados Unidos accedieron a apoyar la capacitación de la Guardia Civil, pero no a organizar una agrupación militar. La ayuda militar estadounidense creció, de $2.63 millones, en 1983, a más de US$ 11 millones en 1985. Para 1987, se solicitaron más de $3.3 millones (USDS; 1986b: 26). Inicialmente, algunas de los programas militares de los Estados Unidos se manejaron de manera muy torpe. Por ejemplo, en 1983 hubo el deseo de los Estados Unidos de enviar un contingente de Guardias Nacionales y de miembros del cuerpo de ingenieros estadounidenses, con el propósito de construir carreteras y de reparar el aeropuerto de Liberia, en el noroeste de Costa Rica. Esta sugerencia se hizo pública antes de que los políticos nacionales hubieran respondido, situación que resultó muy embarazosa para la administración costarricense y provocó acusaciones de interferencia militar de los Estados Unidos. Esto provocó el retiro de la propuesta. Eventualmente, en febrero de 1986, un pequeño contingente de 150 hombres del cuerpo de ingenieros estadounidense llegó a Costa Rica para construir carreteras y puentes en la región costera del sudeste del Pacífico, finalizando sus labores en dos meses (Tico Times: 1986; 11). A comienzos de 1987, se envió un grupo similar. Tanto la ayuda militar como la económica declinó entre 1986 y 1987; algunos líderes políticos temían que la reducción fuera el resultado del disgusto de la administración Reagan con el gobierno de Oscar Arias, por su falta de entusiasmo hacia las posiciones políticas estadounidenses con respecto a los "contras", y por la franqueza del presidente Arias al oponerse a ellas abiertamente, durante la campaña electoral.

Reportajes publicados en medios de izquierda en los Estados Unidos, a propósito de la ayuda militar estadounidense a Costa Rica entre 1984 y 1985, fueron extremadamente críticos con este tipo de ayuda. Muchos costarricenses interpretaron estos reportajes hostiles como parte de las campañas de desinformación mencionadas anteriormente. Se publicó que los Estados Unidos habían ejercido presiones muy fuertes sobre la administración Monge para militarizarse, y se implicaba que los Estados Unidos estaban forzando a Costa Rica para que creara un ejército, para que realizaran maniobras conjuntas y, en general, para que se asemejara más a Honduras. Por ejemplo, el Informe Washington del Consejo de los Asuntos Hemisféricos indicaba que "el controversial embajador de los Estados Unidos en Costa Rica, Curtin A. Windsor hijo, fue el pivote de la embestida persuasiva para que el presidente costarricense, Luis Alberto Monge, incrementara la capacidad de defensa de su país". El artículo llegó a decir que los Estados Unidos habían ejercido presiones en el gobierno costarricense: "incansables esfuerzos para agenciarse concesiones militares en San José, con el propósito de promover la venta de armas estadounidenses a ese país" (The Washington Report on the Hemisphere, 1984: 1 y 6).

En el mismo sentido, el Informe NACLA de las Américas exponía que "Incluso a los líderes costarricenses les gustaría tener unas más eficientes fuerzas policiales, pero no están nada felices de que los Estados Unidos esté empeñado en militarizar su país" (Edelman y Hutchcroft: 1984; 11). Si esos reportajes fueron ciertos o no, sus efectos redujeron la credibilidad y la legitimidad de los líderes costarricenses y, además, cumplieron los mismos propósitos que las campañas de desinformación. En efecto, la mayor parte de los reportajes fueron bastante veraces. Lo que sí quedó claro en agosto de 1987 es que cierto personal estadounidense ejerció presiones para que Costa Rica se militarizara y permitiera que la ayuda a los "contras" se canalizara a través del territorio nacional. El exgeneral estadounidense, Richard Secord, y el exembajador de los Estados Unidos en Costa Rica, Lewis A. Tambs, convencieron al presidente Monge para que autorizara la construcción y uso de un aeropuerto secreto en el nordeste de Costa Rica. Este aeropuerto, cercano a la frontera con Nicaragua, se construyó en forma secreta, con fondos y personal de los Estados Unidos, con la intención de transportar por aire armas, municiones y otros suministros para los "contras". (Tower Report; 1987: III-23; Iran-Contra Hearings, Tico Times; 1987: 1, 10).

Los Estados Unidos ejercieron presiones adicionales a las administraciones Monge y Arias, reteniendo la ayuda estadounidense a Costa Rica. La más descarada de esas amenazas provino del

Teniente Coronel Oliver North, de acuerdo con documentos secretos del Consejo Nacional de Seguridad (NSC) sometidos a la Comisión Tower. Aparentemente, el Teniente Coronel North excedió su autoridad y la de su despacho, contactando directamente al presidente de Costa Rica y amenazándolo de retener la ayuda económica si Costa Rica obstaculizaba sus actividades (Tower Report; 1987: 111-123).

A pesar de la formación especial recibida por la Guardia Civil y la Guardia Rural, Costa Rica continuaba estando indefensa, comparada con sus vecinos, pues poseía menos de 8.000 individuos en la Guardia Civil, de las cuales poco menos de una tercera parte pertenecía a la Guardia Rural, eran guardas fronterizos o conformaban las fuerzas de defensa. No era posible compararla con más de 15.000 hombres de la Guardia Nacional de Panamá; 45.000 hombres armados en El Salvador, y cerca de 30.000 militares en Honduras, y mucho menos contra el ejército nicaragüense, con más de 60.000 conscriptos (sin mencionar más de 50.000 reservistas activos). La guardia costarricense continuaba siendo pequeña, subequipada, pobremente entrenada y completamente vulnerable.

En contraste, el Ejército Popular Sandinista se transformó en una de las más grandes y mejor equipadas fuerzas armadas en América Central. Nicaragua justificaba esa militarización para controlar su inacabada guerra civil frente a las fuerzas "contras", estimadas en alrededor de 12.000 a 15.000 combatientes, y estar preparados también para enfrentar la invasión de las tropas de los Estados Unidos. En diciembre de 1984, en Nicaragua creció, hasta sus límites extremos, el temor a una invasión estadounidense directa, y continuó, aunque en menor grado hasta 1985, e incluso un año después. A pesar de los razonamientos nicaragüenses, los costarricenses veían crecer el ejército nicaragüense con recelo y temor, porque podría ser usado en su contra.

La subversión interna presentaba un problema igualmente preocupante, pero de diferente naturaleza. Los actos terroristas comenzaron en 1981 y continuaron hasta 1987. Estos incidentes incluyeron el secuestro de un avión de SANSA, en 1981, un ataque por parte de los izquierdistas a los marinos estadounidenses, en San José (17 de marzo de 1981), un intento fatal de secuestro de un empresario japonés (noviembre de 1982). Asimismo, explotaron carros-bombas y granadas y se utilizaron armas automáticas, y hubo otros secuestros y atentados. Tan temprano como en 1981, el 59 por ciento de los entrevistados protestaba contra el terrorismo, tanto de extremistas nacionales como extranjeros, y contra la presencia de organizaciones marxistas en Costa Rica (Denton/Acuña: 1984; 110).

Dentro del Ministerio de Seguridad Pública (y no el de Gobernación, al cual pertenecen la Guardia Civil y la Guardia Rural), la administración Monge creó una pequeña unidad antiterrorista para que se encargara de combatir el terrorismo. También estableció ahí una nueva unidad, más orientada profesionalmente y menos susceptible al bamboleo político, con lo cual se puso fin al constante cambio del personal. Sin embargo, en pequeña escala, esta innovación hasta contó con mucha oposición dentro del partido gobernante (PLN).

Aunque los costarricenses se oponen a la existencia de cualquier estructura militar formal, también están en contra de ideologías extremas, tanto de derecha como de izquierda. En consecuencia, provocaba temor que Costa Rica fuera presa de un país inestable y violento, que fuera infiltrado por otros estados, como El Líbano desde 1970 hasta 1990, con la cantidad de exiliados y refugiados viviendo ahí, con un gobierno y una guardia civil incapaz de controlar esos grupos extranacionales, que eran percibidos a menudo como encubridores, como instigadores o, finalmente, como extremistas (Tico Times; 1984: 10). En consecuencia, los costarricenses mismos se encontraron enfrentados a un dilema: temer a una organización militar, profesional, por una parte o, por otra, crear un sistema de defensa capaz de proteger su democracia y controlar a los grupos extremistas.

El cuarto asunto más importante entre los Estados Unidos y Costa Rica se refiere a los aspectos militares y de defensa, y ambos estaban relacionados con la desinformación y las distorsiones aparecidas en los reportajes periodísticos. El problema afectó tanto a los Estados Unidos como a Costa Rica. La credibilidad y el punto de vista de Costa Rica no fueron tomados seriamente en cuenta por algunas naciones latinoamericanas (México, en particular), e incluso por algunas europeas. Los viajes del presidente Monge a Europa y Oriente, en 1984 y 1985, se concibieron, en parte, como contrapartida a la imagen negativa de Costa Rica que proyectaban los medios informativos extracontinentales (La Nación: 1984c y d).

Muchos costarricenses consideraron que la campaña incluyó información engañosa, mentiras y datos ambiguos. Los marxistas, tanto locales como internacionales, se percibieron como la fuente de esa desinformación. El expresidente Monge expresó, en mayo de 1987, que:

> Desde 1982, denunciamos la existencia de una masiva y muy bien financiada campaña para destruir la imagen de Costa Rica. Como no fue posible para nosotros contrarrestar los efectos negativos de esa campaña, tuvimos que prepararnos para enfrentar el hecho de que otros círculos oficiales y periodistas harían eco de la información habitual, que había sido propalada por la máquina propagandística del comunismo internacional (Tico Times: 1987; 10).

Quinto, la presión que supuestamente estaban ejerciendo los Estados Unidos sobre los cuadros decisorios costarricenses tuvo también implicaciones regionales. Por ejemplo, en febrero de 1987, la presión que los miembros de la administración Reagan ejercían sobre los presidentes de la América Central para que no concedieran ningún valor a la conferencia de paz propuesta por el presidente Arias. Las implicaciones consistieron en que las negociaciones de paz continuaron, pero no produjeron resultados tangibles. Las amenazas de reducir la ayuda y el apoyo económico estadounidenses fueron herramientas muy poderosas en semejantes combates diplomáticos.

El sexto y último aspecto más importante, el de los refugiados y exiliados políticos, fue crítico para Costa Rica y también afectó a los Estados Unidos en diferentes sentidos. El apoyo estadounidense a los "contras" causó muchísimos problemas a Costa Rica: 1) Las unidades "contras" en el sur de Nicaragua usaban el suelo costarricense como refugio y como depósito de municiones y suministros, una práctica que amenazaba la seguridad de

Costa Rica, ponía en peligro su neutralidad e invitaba a Nicaragua a tomar represalias; 2) Cuando los fondos procedentes de los Estados Unidos se terminaron, los "contras" de Nicaragua escaparon hacia Costa Rica, mezclándose con los refugiados civiles y los inmigrantes ilegales, y recurriendo al crimen a menudo para sobrevivir, puesto que no tenían trabajo ni eran elegibles para la ayuda social; 3) Las presiones para que Costa Rica apoyara las actividades de los "contras" no solo pusieron en riesgo todas las relaciones entre Estados Unidos y Costa Rica, sino que también amenazaron seriamente la democracia costarricense.

Los problemas políticos y económicos de los refugiados no relacionados con las guerrillas crecieron considerablemente. Estos constituían alrededor del 10 por ciento de la población de Costa Rica; muchos estaban desempleados y (en muchos casos) inempleables y, además, extenuando continuamente una frágil economía agobiada por las dificultades. Este segmento de la población constituía una amenaza para la salud y la seguridad de los costarricenses. El país necesitaba tanto de la ayuda estadounidense como del apoyo internacional para controlar esta situación, pero fue muy poco lo recibido. El continuo flujo de refugiados incrementaba enormemente la numerosa población exiliada en los últimos tiempos, lo cual fue también una fuente de dificultades políticas y económicas para el país (Ameriguer: 1982; 90-92).

Con semejantes retos, Costa Rica hizo frente a muchas decisiones difíciles. Uno de los analistas costarricenses sugirió tres opciones: 1) Apoyar a los izquierdistas en Nicaragua, El Salvador y Guatemala; 2) Llevar a cabo una "guerra santa" contra el totalitarismo; o, 3) Observar una neutralidad estricta (Rojas Aravena: 1984; 59-70).

Hubo fortísimas presiones para que la nación aceptara la segunda opción y se uniera a los Estados Unidos en su guerra contra el comunismo. Costa Rica hubiera podido militarizarse y haber dejado a las naciones amigas usar su territorio en los combates contra la izquierda. Por otra parte, las convicciones ideológicas socialdemócratas de Monge y de Arias tuvieron mayor congruencia con algunos aspectos de la revolución sandinista que con las del capitalismo estadounidense y las propuestas políticas de la Guerra Fría.

Mucha gente de la izquierda, en contraposición con Arias y el PLN, hubiera preferido una política exterior más radical, que llevara a una unión con las fuerzas progresistas regionales.

A pesar de esas tan divergentes presiones, el presidente Monge instituyó una sola fuerza policial. Asimismo, decretó que Costa Rica era militarmente neutral. Esa política de neutralidad difirió de la acepción que se le da al término en otros países. De acuerdo con la definición de Monge, Costa Rica permanecía políticamente unida a los Estados Unidos en la Organización de las Naciones Unidas, y se mantenía alineada con el mundo económicamente capitalista, llevando sus asuntos como de costumbre. Solamente en el sentido militar, Costa Rica mantenía estricta neutralidad alrededor de los conflictos de la región.

El presidente Arias centró buena parte de su campaña (1985) en el tema de la paz. Planteaba que continuaría con las políticas pacifistas de Monge y que seguiría luchando para que la ley de neutralidad perpetua y no-armada se aprobara en la Asamblea Legislativa. El 8 de mayo de 1986, en su discurso inaugural, Arias reafirmó su interés en la neutralidad y en los procesos del Grupo de Contadora, resaltando su esperanza de que la paz del pacto de Contadora se firmara el 6 de junio de 1986 (pero no fue así). Ahí mismo convocó a la Cumbre Centroamericana, a realizarse en Esquipulas, Guatemala, en febrero de 1987, con el propósito de obtener un acuerdo entre los presidentes centroamericanos para buscar la solución pacífica a las constantes crisis de la región.

La política de neutralidad

El 15 de septiembre de 1983, el presidente Luis Alberto Monge anunció que el país adoptaba una política de neutralidad. Propuso que tal política debería ser permanente, activa y no-armada –en relación con los conflictos militares. Este concepto de neutralidad difiere en algunos aspectos de la neutralidad en Suiza y Austria, por ejemplo. La mayor diferencia entre la neutralidad costarricense y la de Austria y Suiza: 1) Austria y Suiza están militarizadas, con milicias fuertemente armadas y entrenadas, mientras que Costa Rica no lo está; y, 2) la neutralidad de las primeras tiene un estatuto internacional, mientras que la de Costa Rica no lo tiene; 3) finalmente, Austria y Suiza no forman parte de ningún pacto de defensa regional (como, por ejemplo, la OTAN), mientras que Costa Rica forma parte del Pacto de Río y recurre a él para su protección. Precisamente porque Costa Rica no posee un ejército regular establecido, ni una milicia civil con la cual proteger su territorio en momentos de conflicto, era indispensable relacionarla con la Organización de las Naciones Unidas (ONU), o con la Organización de los Estados Americanos (OEA), o con el Pacto de Río. Entonces, a diferencia de Suiza, Costa Rica quiere permanecer desarmada, es decir, no poseer un ejército o unas milicias establecidas. Esa neutralidad es activa en el sentido de que Costa Rica quiere mantener su representación tanto en la ONU como en la OEA y desea continuar participando en otras organizaciones internacionales, a diferencia de Suiza, que no formó parte de la ONU hasta el 2002. Eso también significa que sigue siendo signataria del Pacto de Río. El presidente Monge deseaba que esa política de neutralidad no tuviera fin. Para asegurarse de que ese sería el caso, sometió a la Asamblea Legislativa una reforma constitucional. Sin embargo, esa reforma no se aprobó nunca.

De acuerdo con sus proponentes, esa política de neutralidad reflejaba la historia y la tradición costarricenses. Sus ciudadanos, dicen ellos, son pacíficos por naturaleza, aprecian el orden y desdeñan la violencia y el desorden de los países vecinos. Desde 1822, Costa Rica declaró el derecho de permanecer "neutral e inmune" en torno a los conflictos regionales. Esta política ha sido confirmada por diferentes administraciones en 1823, 1848 y 1865 (Mourelo; 1984: 9-16) y fue reafirmada diplomáticamente en el siglo XX, en las Conferencias Panamericanas de 1907, 1922 y 1939 (Rojas; 1984: 31-34).

Por otra parte, se puede argumentar que, históricamente, Costa Rica no siempre ha mantenido su neutralidad en la región. En 1948, como resultado de un compromiso adquirido por José Figueres Ferrer, en 1947, Costa Rica aceptó ser la base de operaciones para la Legión Caribe. Figueres había prometido a la Legión ayuda y apoyo en sus combates contra los dictadores de Nicaragua, Honduras y República Dominicana (Ameringer; 1982: 81). Durante la década de 1950, Costa Rica continuó dando apoyo a las luchas contra la familia Somoza, en Nicaragua, y contra otros dictadores de la región caribeña.

En 1978, Costa Rica también tuvo un activo rol, no neutral, dando apoyo a la Revolución Sandinista. A mediados de 1979, aeronaves con suministros para los sandinistas aterrizaban abiertamente en los aeropuertos costarricenses y grandes contenedores con armamento transitaban por las carreteras costarricenses, con el consentimiento de la administración Carazo.

Después de las elecciones de 1982, las relaciones con Nicaragua cambiaron significativamente. En 1983, el presidente Monge afirmó:

> La paz de Costa Rica está en peligro, porque el istmo centroamericano está en pie de guerra... El espectro de la guerra es cada día más real... La paz de Costa Rica está contra la guerra. Los costarricenses estamos contra la violencia como medio de superar las discrepancias políticas. Los antiguos creían que la guerra era la racionalidad última de la política, pero los costarricenses creemos que la guerra es la última irracionalidad, el fracaso de toda política. La experiencia contemporánea de Centroamérica nos reafirma en esta convicción. Una política de paz es el imperativo ineludible de la hora actual. Toda política exterior y toda política de seguridad tienen que estar al servicio de esta idea. Una política de paz es la verdadera y única política de nuestra época. (Mourelo; 1984: 64-65)

Dado lo inadecuado de un ejército costarricense, sobre todo para la seguridad nacional, no es sorprendente que Costa Rica se haya tornado hacia la neutralidad internacional. Declarándose neutral, Costa Rica esperaba evitar una confrontación directa con las fuerzas regulares nicaragüenses y, al mismo tiempo, mantener sus relaciones estrechas con los Estados Unidos. Costa Rica necesitaba seguir recibiendo ayuda y apoyo, pues su economía dependía muchísimo de la asistencia económica estadounidense. Esta situación enfrentó a los estadistas con un dilema, pues necesitaban mantener buenas relaciones con Nicaragua, al mismo tiempo que requerían de la ayuda estadounidense. La neutralidad pareció ser la mejor vía para conciliar estos conflictivos intereses.

Críticas a la política de neutralidad

Las críticas a esa concepción de neutralidad vinieron de derechas e izquierdas. Los políticos de derecha reclamaban que esa política dejaba militarmente vulnerable al país, sin ninguna defensa convincente. Esas críticas pretendían el restablecimiento del ejército o, al menos, un acuerdo formal de defensa con los Estados Unidos (un acuerdo bilateral para reemplazar el Pacto de Río). Hubo muchas oportunidades para firmar tal documento, incluso uno semejante al firmado con Honduras.

Tanto la administración Monge como la Arias rechazaron estas propuestas y creyeron que ellos mantenían el apoyo del público en ese sentido. Jorge Urbina, viceministro de Relaciones Exteriores, insistía en que el 80 por ciento de los costarricenses apoyaba la neutralidad y otras fuentes confirmaron sus razonamientos (entrevista, 1984). Las encuestas de opinión pública indicaron que el 79 por ciento de los entrevistados apoyaba esta posición (CID; 1984: 40). Una encuesta realizada en setiembre de 1983 señaló, también, que el 83 por ciento se oponía a la creación de un ejército y el 77 por ciento no quería ver el país comprando armamento militar (PSC; 1984: 1).

En la campaña para las elecciones presidenciales de 1986, el candidato de oposición del Partido Social Cristiano (PUSC), Rafael Ángel Calderón Fournier, expresó que esa neutralidad era inaceptable y que su administración haría todo lo posible por erradicar la palabra "neutralidad" del vocabulario de las relaciones exteriores costarricenses (Lincoln; 1985: 120). Posiblemente, esa actitud del candidato contribuyó a su derrota (Furlong; 1986: 7). La política de neutralidad fue uno de los más importantes temas de la campaña electoral de 1986 y aún en 1987continuaba provocando debates.

Las mayores críticas hacia la neutralidad provinieron, sin embargo, de la izquierda, la cual, generalmente, apoyaba las concepciones de neutralidad más tradicionales, aunque el gobierno sandinista fue de los primeros desde el exterior que declaró su apoyo a las directrices políticas de Monge. Las críticas, sin embargo, no tenían como objetivo oponerse per se a la neutralidad, pero sí a su empleo particular, pues la izquierda clamaba porque esa "definición" de neutralidad estaba fuera del sentido comúnmente aceptado.

Esta oposición tuvo su origen en el hecho de que la neutralidad permitía a los "contras" operar abiertamente desde Costa Rica y también permitía a los Estados Unidos, su ejército y su Central de Inteligencia (CIA), ejercer una indebida influencia en Costa Rica. Los opositores también insistieron en que era demasiado fácil para los Estados Unidos canalizar el apoyo a los "contras" a través de Costa Rica. La amenaza real para la democracia costarricense, clamaban, eran esas "fuerzas imperialistas, antirrevolucionarias", las cuales, junto con los militares estadounidenses, fueron creciendo y extendiendo su influencia y su número por toda Costa Rica (PSC; 1984: ii-iii). La política de neutralidad no fue tal, puesto que en la práctica favorecía a los Estados Unidos y perjudicaba a Nicaragua y a los sandinistas. Era necesario mantener una neutralidad tradicional para que esta fuera aceptada por la izquierda.

Costa Rica, Contadora y el Plan Arias para la Paz

La alternativa de intentar trabajar con antagonistas mientras se mantienen buenas relaciones con ambos fue obvia en el proceso de Contadora y en el de pacificación. La política de neutralidad costarricense fue esencial para que la cooperación con el Grupo de Contadora prosiguiera negociando la paz regional. El temor de los costarricenses a Nicaragua y su dependencia de los Estados Unidos contribuyeron a fortalecer esa alternativa. Sin embargo, los aspectos más importantes de la política exterior costarricense dependieron del Proceso de Paz de Contadora.

Tanto la administración de Monge como la de Arias querían que las negociaciones de paz se desarrollaran en un contexto regional y fuera de la confrontación Este-Oeste de la Guerra Fría. Un acuerdo de paz aceptable podría reducir considerablemente los más graves problemas de Costa Rica: 1) la economía podría mejorar cuando se reestableciera el comercio; 2) podrían desaparecer las presiones para transformar la Guardia Civil en un ejército; y, 3) el flujo de refugiados disminuiría.

Sin embargo, los costarricenses tenían poca confianza en los nicaragüenses. Continuaba el temor de que el gobierno sandinista no cumpliera todos los puntos de un acuerdo elaborados por el grupo Contadora y que, por lo tanto, siguiera siendo la mayor amenaza para la soberanía costarricense y para la paz de toda la región. Los costarricenses, asimismo, temían que la subversión y el terrorismo no pudieran ser controlados con un tratado de paz. La ambivalencia, creada por el deseo de encontrar la paz y también por el miedo hacia Nicaragua, provocaba expectativas en la negociación muy difíciles de concretar.

Sin embargo, las presiones para resolver el conflicto continuaron hasta 1987. Costa Rica estaba muy preocupada porque fracasara el proceso de Contadora. Los Estados Unidos siguieron con su demanda de que ellos debían ser incluidos en estas negociaciones, cosa a la que se rehusaron los sandinistas. Los dirigentes políticos costarricenses se encontraron frente a una situación delicada: por una parte, negociar un acuerdo razonable con Nicaragua, sin dejar de ser aliados de la administración Reagan, por otra. Los deseos de encontrar la paz chocaban con la necesidad de continuar recibiendo ayuda militar, apoyo y asistencia estadounidenses.

En enero de 1983, Costa Rica impulsó Contadora desde sus inicios, pero ese apoyo oscilaba desde el más entusiasta hasta el más indiferente, desde la cooperación hasta la confrontación. Costa Rica tuvo problemas particularmente con México, a quien acusó (al igual que a otras naciones) de posiciones pro-sandinistas. Eso fue cierto, en especial cuando se estaban investigando los hechos que desembocaron en el asesinato de dos Guardias Civiles en Las Crucitas, en 1985, así como cuando los países de Contadora no apoyaron a Costa Rica en sus protestas contra las violaciones de la frontera y los ataques en territorio costarricense.

En ese momento, Costa Rica buscaba organizar una fuerza de paz internacional que se ubicara en la frontera norte y restringiera el ingreso de las tropas nicaragüenses, al mismo tiempo que ejerciera control sobre los "contras" y sus actividades. Tanto la OEA como los países del Grupo de Contadora rechazaron esta iniciativa. Sin esta fuerza internacional, Costa Rica no tenía más camino que defenderse a sí misma de los sandinistas, al mismo tiempo que impedir a los "contras" usar el territorio nacional como refugio, como sitio seguro para reabastecerse cada vez que lo quisieran.

Por los continuos fracasos de Contadora –y porque Costa Rica perdió la confianza en el proceso–, el presidente Arias se vio obligado a ofrecer una nueva propuesta de pacificación contra la violencia y la inestabilidad en Centroamérica. Originalmente, en junio de 1986, Arias deseaba una especie de acuerdo preliminar de paz, posterior a la reunión de presidentes centroamericanos realizada en Esquipulas, Guatemala, en mayo de 1986, que produjera una resolución conjunta para continuar las negociaciones, pero no un acuerdo de paz. Este había sido rechazado.

En febrero de 1987, el presidente Arias convocó a otra reunión de mandatarios centroamericanos, en San José. El presidente Daniel Ortega, de Nicaragua, no fue invitado. En esa oportunidad, Arias presentó una propuesta de paz de diez puntos que fue posteriormente conocida como el "Plan Arias para la Paz". Los otros jefes de estado recibieron la propuesta con muchas reservas, pero no hicieron recomendaciones. Como Daniel Ortega no estaba presente, no tomaron ninguna decisión. La administración Arias buscó establecer un consenso sobre los principios expresados en el documento antes de presentarlo a los nicaragüenses, pero los otros presidentes se negaron. Arias continuó presionando a sus colegas para que hicieran reformas o aprobaran el documento. Él estaba dispuesto a elaborarlo de acuerdo con las necesidades de los otros presidentes, pero solamente recibió observaciones mínimas. Se prepararon nuevas reuniones para principios de junio de ese mismo año. Estaban conscientes de que podría socavarse todo tanto con objeciones de Nicaragua como de los Estados Unidos.

Fuentes diplomáticas estadounidenses expresaron otros puntos de vista sobre la propuesta: "los buenos resultados de las conversaciones de Esquipulas representarían la mayor pesadilla para Washington. Sería un desastre para nosotros que Nicaragua dijera '¡De acuerdo, aceptamos el plan tal y como está!'" (Kinzer; : 8). Una escisión entre los gobernantes colocaría a El Salvador y Honduras frente a Guatemala, Costa Rica y Nicaragua. Los Estados Unidos y sus aliados estarían en una situación muy difícil si se materializaba un grupo de apoyo a los acuerdos de paz de Arias. La reunión se pospuso de junio a agosto de 1987.

En junio, Arias y su Ministro de Relaciones Exteriores intensificaron su campaña para ganar adeptos. Arias viajó a los Estados Unidos y el 17 de junio se reunió con el presidente Reagan para solicitarle su apoyo para las iniciativas de paz, pero su visita no tuvo éxito. El Ministro de Relaciones Exteriores costarricense se comunicó con los nicaragüenses, incluido el presidente Daniel Ortega, para discutir sus diferencias y para confirmar su presencia en la reunión de agosto, y asegurar así la mayor participación posible. Los otros presidentes centroamericanos también fueron objeto de atenciones. Se hicieron muchísimas llamadas telefónicas, prácticamente a diario. Los presidentes se llamaban entre sí, y los ministros de relaciones exteriores también. Esta era una nueva experiencia para los estadistas en Centroamérica (Urbina, 1984).

A finales de julio de 1987, un popular adivinador vaticinó que el Plan Arias para la Paz no sería aprobado en agosto y que sería nuevamente pospuesto. A pesar de la diligencia de la diplomacia viajera y telefónica, a finales de julio no había habido ninguna reunión oficial de ministros de relaciones exteriores, o de diplomáticos, para establecer las normas de funcionamiento y solucionar las diferencias, antes de que tuviera lugar la reunión de presidentes, en agosto. Finalmente, los ministros de exteriores se reunieron los primeros cuatro días de agosto de 1987, en Honduras, y el 6 de agosto, en Guatemala. La cumbre presidencial se realizó entre el 7 y el 8 de agosto.

El presidente Reagan intentó desviar la atención de la reunión de presidentes al presentar su propia "propuesta de paz" la víspera de la apertura de las sesiones. Esta medida produjo el efecto contrario, pues los presidentes centroamericanos sorprendieron a todo el mundo aprobando el acuerdo y firmándolo, el 7 de agosto de 1987. Víctor Hugo Tinoco, primer viceministro del Relaciones Exteriores de Nicaragua, dijo:

Estos Acuerdos de Paz no tienen precedentes en la historia de Centroamérica. El Acuerdo de Guatemala refleja una primera actitud de independencia nacional y de contradicción con el interés de Estados Unidos en Centroamérica. Es innegable que el Acuerdo de Guatemala viene a dejar de lado la propuesta de Reagan. Efectivamente, no puede dejar de ser una contradicción significativa con la política de la administración norteamericana (Tinoco, 1988: 36).

Nicaragua hizo concesiones, y los "contras" clamaron, porque necesitaban más tiempo para deponer las armas y abandonar la lucha; sin embargo, ellos aceptaron básicamente el acuerdo. A pesar de que el escepticismo continuó, la esperanza comenzó a echar raíces. El presidente Arias puso énfasis en esto durante su recorrido por los Estados Unidos: en septiembre manifestó:

"Yo digo que nuestro mayor desafío es llevar la paz a Centro América, un deseo que quiero compartir con ustedes. En agosto, cinco países centroamericanos firmaron un acuerdo de paz en Ciudad de Guatemala. Detrás de los problemas que asolan hoy la región hay una historia de 200 años de injusticias. Millones de seres humanos viven todavía en una pobreza oprobiosa por causa fundamental de la tragedia que enfrentamos actualmente. Estamos convencidos de que los riesgos que tomamos para la pacificación serán siempre menores que los irreparables costos de la guerra.

El plan para la pacificación anima la reconciliación nacional en países donde se enfrentan hermanos contra hermanos. 'Vendar las heridas', en la frase de Lincoln, nosotros promovemos el diálogo y la amnistía, el cese del fuego lo más pronto posible y la democratización sin demora. Clamamos por elecciones libres, que reflejen los deseos verdaderos de las mayorías. Exigimos la suspensión de la ayuda militar a los insurgentes. Queremos garantías de que nuestros territorios no serán usados para atacar otros pueblos. Nosotros buscamos una reducción de los armamentos" (New York Times; 1987: 8).

Conclusiones

En 1980, Costa Rica comenzó uno de los más difíciles períodos de su historia. Fue atrapada entre presiones regionales e intereses globales. El Plan Arias para la Paz sacó a la nación de una disyuntiva. Mientras Nicaragua lo apoyaba, los Estados Unidos continuaba oponiéndose y declarando su rechazo a cualquier complacencia con los sandinistas.

Las relaciones entre Nicaragua y Costa Rica nunca se cerraron. Pero mejoraron notablemente y continuaron con el desarrollo del proceso de paz. En 1990 aumentaron los progresos, luego de que los sandinistas perdieron las elecciones. Las relaciones entre las dos naciones continuaron siendo algo antagónicas a causa de sus incompatibles sistemas económico, político y cultural, así como a la disparidad de su poder militar.

Debido a esos problemas y temores, y especialmente a la crisis económica, Costa Rica ha debido mantener relaciones muy estrechas con los Estados Unidos; esto los obligó a buscar más ayuda. Esta situación no hizo más que incrementar su dependencia y sus temores de ser aplastada por "el coloso del Norte". A pesar de todo esto, la administración Arias logró una postura más independiente en la región y sorprendió al mundo con los progresos de su plan de paz.

Costa Rica recibió el impacto de la lucha de los Estados Unidos contra los sandinistas, a pesar del deseo de sus dirigentes de permanecer alejados del conflicto. Estadistas como el presidente Arias sugirieron alternativas a los Estados Unidos y pusieron énfasis en sus propias políticas de neutralidad y anhelos por la paz. Pronto, los problemas creados por los "contras" y su impacto en la soberanía territorial costarricense, en su comercio y colaboración de parte de los Estados Unidos estuvieron fuera de control y de la influencia directa de sus propios dirigentes. Ellos mismos fueron atrapados entre dos mundos de conflictos que los rodearon.

Para octubre de 1987 se dieron algunos progresos en relación con el Plan Arias para la Paz, y los dirigentes centroamericanos se tornaron optimistas. La evolución hacia la paz procedía más despacio de lo esperado. El Premio Nóbel de la Paz que se le concedió a Oscar Arias (octubre de 1987) representó un incentivo adicional para que la región persistiera en sus esfuerzos para acabar con la violencia. Si el plan de Arias no hubiera sido adoptado, probablemente la violencia hubiera continuado hasta el final del siglo XX.

Como indicó el presidente Arias en el Congreso de los Estados Unidos:

> Tenemos fechas límites. A pesar de todo, nos esforzamos por lograr las mismas metas, aunque requieran de extensos períodos. No vamos a caer en la trampa puesta por alguien que nos impone calendarios cada día, ansioso de enterrar nuestras últimas esperanzas. Hemos abierto las puertas a la razón en Centro América, y a la reconciliación y al diálogo. Tan largo como sea necesario para lograrlo, la esperanza nunca nos abandonará. (New York Times; set. 1987: 8).

Muchos libros y artículos se han escrito con respecto al Plan Arias para la Paz y a Esquipulas II, incluyendo el libro de Oscar Arias, **El Camino de la paz**. Por lo tanto, esta discusión debe concluir. El Plan de Paz funcionó. Tomó años ponerlo en ejecución, pero para 1994 la mayor parte de la violencia política de la región había terminado y los otrora enemigos usaban votos y no balas para lograr el poder político en sus respectivos países.

El éxito de la oposición: las elecciones de 1990

Introducción

En Octubre de 1989, Costa Rica celebró su primer centenario como nación democrática. Para celebrar esa centenaria conmemoración, San José organizó la Cumbre del Hemisferio Occidental, en la cual participaron 16 jefes de estado, incluido el presidente George Bush, quien iba acompañado por algunos otros congresistas. Se reunieron para conocer una miríada de problemas endémicos de Centro América: guerra civil, violencia, tráfico de estupefacientes, congelamiento económico, intercambio, desarrollo. Estos problemas restringen a esas naciones en su progreso hacia procesos democráticos y organización política y social como la que se ha construido en Costa Rica. A pesar de que las naciones centroamericanas se habían convertido en democracias con elecciones libres desde 1984, muchos de los más importantes aspectos políticos de la democracia estaban todavía ausentes de la región.

Aunque se mantuvo la continuidad del Plan Arias para la Paz, y en la mayoría de los países centroamericanos hubo elecciones en 1989 y 1990, la celebración del centenario de la democracia terminó con una nota amarga. El presidente Daniel Ortega, de Nicaragua, anunció el final del cese del fuego y el renacimiento de la guerra a los "contras". Igualmente, en cuestión de días, el frente Farabundo Martí para la Liberación Nacional (FMLN), el mayor grupo guerrillero de El Salvador, quebró también el prolongado cese al fuego y logró movilizarse de los campos hacia los centros urbanos de su país. El FMLN sorprendió tanto a las fuerzas político-militares interiores como a la comunidad internacional, llevando la lucha al centro de la nación. Para complicar las cosas, en Panamá hubo un intento de golpe de estado para deponer al General Manuel Antonio Noriega. Esta circunstancia creó una nueva dimensión en la crisis centroamericana, la cual eventualmente propició la invasión a Panamá por parte de las fuerzas estadounidenses, la captura del general Noriega y su posterior traslado a los Estados Unidos.

A pesar de la turbulencia política y de las guerras que la rodeaban, Costa Rica continuó celebrando sus tradiciones democráticas e inició la campaña electoral para presidente, en noviembre de 1989. El proceso terminó en febrero de 1990, con otra elección democrática, concurrida, justa y abierta. Docenas de observadores internacionales aprendieron mucho de la contienda, al ver de primera mano estas justas electorales. Muchos de ellos, de naciones centroamericanas, envidiaban el ambiente de franqueza y apertura en el cual se celebraron. No hubo problemas con la distribución de las papeletas, ni con el conteo de los votos, ni con la validación de los resultados finales. Esto ocurrió en claro contraste con las prácticas de la mayoría de los países centroamericanos y de otras naciones de América Latina, en donde las papeletas son insuficientes y no se distribuyen en lugares alejados de la capital. Fue también muy diferente por la transparencia de todo el proceso y del conteo final. Generalmente, estos aspectos han sido muy cuestionados en otras naciones.

La administración Arias

En febrero de 1986, Oscar Arias Sánchez obtuvo una sorpresiva victoria sobre Rafael Ángel Calderón Fournier. Aunque Arias había hecho varias promesas sobre temas interiores, al asumir el gobierno puso especial énfasis en una política de paz. Por sus esfuerzos en una iniciativa pacificadora para América Central, Arias fue galardonado con el premio Nóbel de la Paz, en 1987. A pesar de la resistencia del gobierno de los Estados Unidos y del plan de paz del presidente Reagan, el programa de Arias todavía funcionaba y redujo significantemente el combate y la destrucción en América Central, y abrió las puertas para numerosas reuniones entre las fuerzas en conflicto, tanto en El Salvador como en Nicaragua. El plan también disminuyó las amenazas de revolución en Guatemala gracias a este proceso pacificador. Hasta Honduras fue capaz de interactuar mejor con sus refugiados. Además de sus propuestas internacionales, el presidente Arias ganó apoyo por muchas de sus propuestas internas, siendo la más famosa la construcción de 80.000 viviendas de bajo costo.

El Presidente Arias y su esposa, Margarita, se convirtieron en las figuras políticas más apreciadas de Costa Rica desde 1948. Su popularidad se comparaba con la de don Pepe Figueres Ferrer, el padre de la revolución de 1948. Oscar Arias y Margarita Penón sobrepasaron, incluso, la popularidad del expresidente Luis Alberto Monge (1982-1986).

A pesar de su carisma, el presidente Arias no participó de manera activa en las elecciones de 1990. Como se ha mencionado, la ley electoral costarricense impide que un presidente haga campaña a favor de su partido. No solo estaba inhabilitado para intervenir en el proceso sino también para utilizar electoralmente sus logros y el progreso económico que Costa Rica había experimentado en los pasados ocho años. Por lo tanto, no solo se vio imposibilitado de ayudar directamente al candidato presidencial de su partido, Carlos Manuel Castillo Morales, sino que tampoco pudo hacer nada ni a favor de su partido ni de otros candidatos. Es sabido que por norma constitucional ningún presidente en ejercicio puede participar en política.

Los partidos políticos

En 1990 varios partidos políticos participaron en las elecciones. Dieciocho agrupaciones presentaron candidatos para las cincuenta y siete plazas de la Asamblea Legislativa, pero solamente cinco de esos partidos obtuvieron curules en el parlamento. Cinco de los dieciséis partidos minoritarios inscribieron candidatos tanto para la presidencia como para la Asamblea Legislativa.

Siete partidos presentaron candidatos para el sillón presidencial. Los dos principales, el Partido Unidad Social Cristiana (PUSC) y el Partido Liberación Nacional (PLN), fueron los únicos que hicieron campaña formal para la presidencia y elaboraron programas completos tanto para la campaña como plataformas para el desarrollo de las políticas públicas. Aunque los otros partidos también tenían propuestas políticas claras e hicieron campaña con ellas, muy pocos costarricenses apoyaron a las otras agrupaciones políticas y la mayoría del electorado ni siquiera conoció a los otros candidatos. Esta percepción se verifica en el hecho de que esos cinco partidos solo obtuvieron el 1,3 por ciento de los votos en 1990.

Los partidos políticos mayoritarios

Para 1989, el PLN escogió a Carlos Manuel Castillo como su candidato presidencial. En 1985, él perdió en las elecciones primarias contra Oscar Arias. Castillo era muy cercano a la vieja guardia del Partido y fungió como vicepresidente de la República de 1974 a 1978, durante la presidencia de Daniel Oduber Quirós. De 1978 a 1982 formó parte de la Asamblea Legislativa; fue presidente del Banco Central de Costa Rica durante el gobierno de Luis Alberto Monge. Recibió un título en leyes en Costa Rica, al igual que un doctorado en Economía Agrícola y en Ciencias Políticas, en universidades estadounidenses. Castillo poseía una extensa experiencia en economía internacional. Se desempeñó como Secretario General del Sistema Económico Integrado de América Central (SIECA), fue presidente del Consejo Económico Centroamericano y, además, laboró como consejero de otras muchas entidades internacionales. Muchos académicos creen que él habría sido un buen presidente gracias a sus conocimientos en política, economía, agricultura y control bancario. Aún así, la mayoría cree que Castillo era un candidato con pocas posibilidades, debido a su escasa capacidad para mostrar una imagen de triunfador.

El PUSC escogió a Rafael Ángel Calderón Fournier como candidato a la presidencia para 1989, después de una intensa batalla interna. Otros líderes del partido, en especial Miguel Ángel Rodríguez, le creyeron cuando, en 1986, Calderón había afirmado que no participaría como candidato en las elecciones del 89. Era obvio para muchos que Calderón sería un excelente candidato, pero existían reservas acerca de su capacidad para ser un buen presidente.

Bajo la antigua bandera del partido Unidad Social Cristiana, Calderón había perdido su carrera presidencial contra Luis Alberto Monge. En 1986 Calderón perdió de nuevo contra Oscar Arias, en buena medida por su incapacidad para movilizar al electorado hacia las urnas. Entre 1986 y 1990, el PUSC creó nuevas organizaciones locales y fortaleció las ya existentes. En las elecciones de 1990 estas nuevas agrupaciones locales tuvieron mucha influencia en la victoria de Calderón.

Los partidos minoritarios

En el proceso electoral de 1990 el socialismo estuvo representado por dos partidos uno socialista y otro trotskista: Pueblo Unido y el Partido Revolucionario de los Trabajadores en Lucha. Entre 1988 y 1989, las organizaciones de la Izquierda no comunistas se retiraron de la coalición del Partido Pueblo Unido y formaron una nueva coalición llamada Partido Progresista. Los partidos comunistas tradicionales, incluyendo a Vanguardia Popular y a Alianza Popular, no presentaron candidatos a las elecciones de 1990. La reorganizada coalición de Pueblo Unido eligió un representante a la Asamblea en 1990, con apenas un tres por ciento de los votos. Este partido tuvo menos éxito con su candidato presidencial, el cual obtuvo apenas un 0,7 por ciento de los votos. El Partido Trotskista también evolucionó con los años pero, en general, no ha participado en el proceso electoral o en la estrategia del "Frente Unido". El Partido Revolucionario de los Trabajadores en Lucha (PRTL, anteriormente PRT), obtuvo únicamente 1.000 votos (el 0,07 por ciento del total). El común de la gente sabía muy poco del partido, de sus programas o de sus candidatos. Muchos de los entrevistados por este autor ni siquiera sabían que había participado en las elecciones. Estas coaliciones filocomunistas perdieron mucho poder en los últimos doce años. En 1990, los partidos izquierdistas disminuyeron tanto el apoyo popular que únicamente obtuvieron una curul en la Asamblea Legislativa.

Los votos obtenidos por estos partidos se pueden considerar como votos "de protesta" contra los partidos de orientación capitalista, PLN-PUSC. El candidato presidencial de Pueblo Unido pregonaba: "Usaremos esta oportunidad electoral para denunciar a los partidos burgueses y organizarnos contra el ganador, ya sea Castillo o Calderón" (La Nación, 2 de febrero de 1990: 5ª).

El Partido Progresista, de tendencia izquierdista moderada, sin inclinaciones marxistas o comunistas, se separó de Pueblo Unido en 1988. Se organizó con el propósito de atraer tanto a los intelectuales como a aquellos electores deseosos de propuestas con una línea más popular. Este partido no obtuvo muchos votos a escala nacional y fracasó en la Asamblea, pues no logró ni el cinco por ciento necesario para obtener financiación gubernamental para el siguiente proceso eleccionario.

Los demás partidos minoritarios incluían a un nuevo partido en la escena política, Unión Generaleña. A pesar de representar una región específica del país, el Partido tenía una organización nacional, aunque sus programas concernían únicamente a los asuntos de la región de San Isidro de El General. Ganaron un puesto en el Congreso. El tercer partido minoritario en obtener una curul en la Asamblea Legislativa fue el Unión Agrícola Cartaginés, el cual ha colocado representantes de manera consistente en la Asamblea durante los pasados dieciséis años.

Los otros partidos minoritarios fueron aún menos afortunados. El candidato del Partido Independiente fue detenido, bajo cargos de corrupción de menores, dos semanas antes de los comicios. Aunque fue liberado bajo fianza antes de las elecciones, las acusaciones destruyeron completamente su credibilidad. El Partido Alianza Nacional Cristiana (PANC) fue el último de los minoritarios en presentar candidato a la presidencia; obtuvo solo 5.000 votos en todo el país. Este partido, sus líderes y programas, eran totalmente desconocidos. Algunos votantes entrevistados no estaban seguros si era un partido evangelista protestante o una agrupación católica. Las personas mejor informadas conocían de las relaciones de este partido con los grupos evangélicos costarricenses. Durante la campaña, el partido hizo hincapié en la necesidad de incrementar la calidad espiritual del país, reducir la corrupción y desarrollar mayores cualidades morales en los políticos. Las demás asociaciones políticas minoritarias tenían escasa base provincial y muy reducido apoyo nacional. Los partidos provinciales de Limón y de Alajuela no ganaron suficientes votos para diputados, como tampoco lo lograron los partidos aún más pequeños que presentaron candidatos solo para la Asamblea Legislativa.

Durante la campaña, muchos partidos minoritarios se quejaron de no haber estado invitados a discutir en debates públicos, en mesas redondas, en debates por televisión, etc., y de tener graves problemas económicos, pues no recibieron apoyo financiero del Estado. Se vieron pocas banderas de estas agrupaciones políticas, carentes de publicidad y demostraciones públicas, y esto provocó que no tuvieran muchas posibilidades de llevar su mensaje a los electores.

La campaña electoral

En el pasado, las campañas electorales costarricenses duraban al menos seis meses, pero las nuevas reglamentaciones emitidas por el TSE disminuyeron ese período a solo tres meses (noviembre, diciembre y enero) para algunas de las actividades políticas. Esta nueva reglamentación restringió aún más las reuniones públicas masivas. Las plazas públicas eran las actividades más importantes en la vida política nacional. Los principales partidos políticos usaron grupos musicales reconocidos, personalidades famosas y hasta payasos, para atraer a la gente. Con la excepción de las semanas previas a Navidad y Año Nuevo, estas plazas públicas se llevaron a cabo casi a diario, durante tres meses. Este período más corto de campaña tuvo la tendencia de hacer menos interesante y poco excitante el proceso, contrario a la creencia de volverlo más intenso y decisivo, como lo habían predicho muchos analistas políticos.

A pesar del poco brillo de las elecciones, estas fueron sumamente onerosas. El costo total de la campaña llegó a los 1.880 millones de colones o sea US$ 20 millones. Alrededor de 15 dólares por voto, casi un 2,5 por ciento de los gastos gubernamentales de 1989. El costo es demasiado alto para un país pequeño. Cerca de la mitad de esta cifra salió de los fondos del estado. El erario costarricense suministra el dinero para cubrir la fase final del proceso electoral (es decir, no las elecciones primarias dentro de los partidos, sino las elecciones generales).

Si un partido logra menos del cinco por ciento de apoyo electoral, no recibe ayuda financiera oficial. Una de las debilidades del sistema consiste en que los partidos nuevos no disponen de esos recursos. Como el PLN había ganado las elecciones en 1986, recibió más dinero que cualquier otro partido para la contienda electoral de 1990.

Hubo muchas razones por las cuales la campaña no fue tan excitante como se anticipaba (Costa Rica: Balance..., 1989). Un analista político atribuyó este factor a homogeneidad de las propuestas políticas de los dos candidatos mayoritarios, que muchos costarricenses consideraban como "el problema del bipartidarismo". Por ejemplo, en la economía interna, las condiciones estaban circunscritas a tratados ya en uso entre el gobierno de Costa Rica, el Fondo Monetario Internacional y el Banco Mundial. Estos tratados restringen severamente las posibilidades del nuevo gobierno para cambiar, de manera significativa, la política interior. Segundo, en cuanto a la crisis de América Central, ambos candidatos apoyaron el Plan Arias para la Paz de, en ese momento en funcionamiento. Hubo un acuerdo informal, realizado antes de las elecciones, con respecto a que la crisis centroamericana no se emplearía en la campaña. Tercero, en lo concerniente a la política internacional, y en particular a las relaciones con los Estados Unidos, ambos candidatos tenían una imagen favorable en el gobierno estadounidense, por lo tanto, las relaciones continuarían sin problema entre ambos países. Ningún candidato presentó planteamientos importantes con respecto a la relación entre Costa Rica y la política exterior estadounidense.

Además de los acuerdos básicos asumidos por los dos candidatos en las cuestiones claves, algunas actividades internacionales atrajeron la atención de los votantes, alejándolos de la campaña electoral. Primero fue la cumbre presidencial, llevado a cabo en San José, en octubre de 1989. Segundo, en diciembre de 1989, los presidentes centroamericanos se reunieron, en Costa Rica, para analizar el plan de paz y los problemas surgidos a propósito de la escalada bélica en Nicaragua, con los "contras", y de los ataques guerrilleros en El Salvador. Tercero, las condiciones en Panamá, que desembocaron en la invasión estadounidense del 20 de Diciembre de 1989.

Otro factor de distracción fue la gran popularidad de los expresidentes Monge y Arias. En cierta forma estos factores enfatizaron la falta de carisma de los dos candidatos mayoritarios en 1990. De diversas maneras, el electorado costarricense mostró su desaprobación por la escogencia de los dos candidatos, tanto en los medios de comunicación como en la esfera privada. Los candidatos perdedores en la precampaña (las primarias) eran mucho más populares que los líderes escogidos por los partidos. Además, la campaña no estuvo de acuerdo con los parámetros establecidos para los ticos, y el tipo de propaganda política fue de mayor confrontación y agresividad en lo personal que de costumbre.

Se suma a todo lo anterior el hecho de que los costarricenses se vieron presionados por diferentes inquietudes. La tradición de que ningún partido político se ha sucedido a sí mismo tres veces sucesivas en el siglo XX. El fantasma del estilo autoritario de Tomás Guardia (1870-1882) campeaba en torno al PLN. El electorado, los medios de comunicación y la campaña del PUSC, dudaban de si doce años de gobierno controlados por un solo grupo sería una buena práctica para Costa Rica. La campaña de Calderón fortaleció esta imagen negativa mediante la frase "es malo mucho de lo mismo". Hubo sutiles pero claras referencias a los doce años de gobierno autoritario de Guardia. La alternabilidad en el poder ejecutivo representa una de las más importantes tradiciones políticas de Costa Rica.

Otra preocupación consistía en creer que Calderón podría llevar a otro desastre similar al creado por Rodrigo Carazo

(1978-1982). Carazo ha sido catalogado por la opinión pública como el presidente menos popular en los últimos cincuenta años. Calderón se asociaba con la imagen de Carazo, pues había sido su ministro de relaciones exteriores durante dos años (Denton, entrevista personal).

Por último, la campaña se enfocó en los aspectos negativos de cada uno de los candidatos, más que en lo relacionado con sus proyectos políticos, específicamente con sus soluciones a los problemas nacionales. Se cuestionaron dos de esos aspectos, las drogas y la corrupción. Cada candidato fue acusado de tener contacto con narcotraficantes, y específicamente, con el General Manuel Noriega, de Panamá. Las familias, las esposas, las preferencias religiosas, así como cualquier pecadillo personal, se discutieron aún más que los problemas críticos del país. Los valores básicos de la democracia, la familia, la confesión religiosa son fundamentales en la cultura costarricense, y Calderón fue más astuto al emplearlos en su favor. Después de las elecciones, cada candidato prometió celebrar la victoria con sendas celebraciones religiosas.

El principal problema de Castillo fue su imposibilidad para recuperarse de un enorme error cometido durante la campaña. A mediados de 1989, la Asamblea Legislativa envío al presidente Arias un informe con respecto a las drogas y a las personas relacionadas con los narcotraficantes. Ese documento mencionaba tanto al expresidente Oduber como al candidato Castillo. Los líderes del PUSC hicieron pública mucha de esta información y Castillo respondió de manera muy pobre a estas acusaciones. El negó cualquier relación con el narcotráfico, y luego logró, a través del PLN, que el presidente Arias "congelara" el informe hasta después de las elecciones. Su falta de liderazgo y el torpe manejo de este asunto lo acompañaron durante toda la campaña electoral.

Ambos partidos estuvieron atados al tema de la corrupción. En ese aspecto, el partido en el poder tuvo más problemas que su contrincante. El PLN venía "manchado", pues tanto en la administración Monge como en la administración Arias hubo funcionarios acusados y castigados por apropiación fraudulenta de fondos públicos.

Se puede hacer dos observaciones adicionales en relación con esta campaña. Primero, el candidato Castillo asumió como un hecho que, como el PLN había recuperado económicamente al país durante su período de ocho años, por consiguiente él no tenía que hablar nada acerca de la economía del país. Calderón, por su lado, sí discutió sobre estos asuntos e hizo creer que su partido, el PUSC, era el responsable de las condiciones económicas existentes. No fue sino muy avanzada la campaña que Castillo se percató de su error y trató de canalizar sus planteamientos hacia estos puntos, pero fue poco efectivo y nunca se recuperó en este sentido (Denton: entrevista personal).

En general, la campaña electoral de Calderón estuvo mejor enfocada, tuvo mejor publicidad y llegó al pueblo de una forma más convincente. Además, trató temas populares, tales como vivienda gratuita para los pobres, recursos para gastos escolares, etc., logrando atraer a muchísimas personas. Calderón dirigió su campaña a las clases media y trabajadora, y a los grupos sociales poco beneficiados durante la recuperación económica liberacionista. Sus tácticas fueron en apariencia extremadamente exitosas en las zonas marginales y en las provincias pobres, donde el PUSC ganó en forma abrumadora. En la zona más empobrecida de Costa Rica, la provincia de Limón, Calderón obtuvo casi dos votos por cada uno de su principal adversario. En las áreas indigentes, en la periferia josefina, alrededor de San José, Calderón también recibió más votos; sin embargo, las clases media y alta votaron por Castillo. Aunque Calderón ganó en San José, lo logró con menos de mil votos sobre quinientos mil.

En la última semana de la campaña electoral esas dos organizaciones políticas realizaron sus "plazas públicas" en San José, para mostrar la fuerza de sus respectivos partidos. La manifestación pública del PLN se llevó a cabo el 27 de enero, y atrajo a más de 200.000 personas. Realmente reinaba un ambiente festivo; sin embargo, mientras su candidato hablaba, muchos seguidores abandonaban el sitio.

El domingo 28 de enero se efectuó la demostración de fuerza del PUSC; se estima que asistieron más de 300.000 personas. Como contraste con lo ocurrido el día anterior en la actividad liberacionista, la demostración fue más entusiasta y los seguidores permanecieron atentos al discurso de su candidato hasta el final.

Ambas manifestaciones ilustraron el poco entusiasmo de los liberacionistas por su candidato y su incompetencia para atraer a sus seguidores a la ciudad capital. También se demostró que el PUSC estaba mejor organizado y que podía movilizar más fácilmente a sus votantes. La gente de Calderón se mantuvo entusiasta durante la última semana de campaña, actuando como si ya hubieran ganado los comicios. En contraste, la campaña de Castillo se quedó atrás y careció de intensidad durante la semana de cierre de campaña y tanto la propaganda televisiva y como las apariciones en la televisión del candidato fueron totalmente "planas". El intento inicial del PLN en enfatizar las dudas y sembrar incertidumbre en torno a Calderón se desvanecieron tan pronto que no produjo los efectos deseados. Muchos de los simpatizantes de Castillo asumieron tempranamente la derrota y este sentimiento prevaleció incluso el día de las elecciones, el 4 de febrero. La gente de Calderón movilizó a los votantes de manera mucho más expedita, con optimismo y entusiasmo. Calderón disfrutó de un "efecto de arrastre" durante todo ese día. Del mismo modo, el pesimismo de la gente de Castillo probablemente influyó en el comportamiento de los votantes liberacionistas.

Estas manifestaciones públicas, en San José, fueron las últimas de alrededor de 138 que se efectuaron en la semana previa al día de las elecciones, y de más de 1.000 plazas públicas efectuadas durante todo el proceso electoral. Esta vez fueron más festivas que en los comicios anteriores. Se contrataron personajes famosos y de la farándula para atraer a los simpatizantes a esas reuniones de masas. Se trasladaba a los seguidores de cada partido de plaza en plaza, para dar la apariencia de asistencias multitudinarias. El volumen de los sistemas de sonido nunca había estado tan alto y el sonido cubría cientos de metros a la redonda. Esto provocó quejas por parte del vecindario, pues el volumen excesivo elevó los niveles de contaminación acústica en las barriadas escogidas para las plazas públicas.

Los resultados

Aunque la campaña política no llamó tanto la atención internacional como el proceso electoral en Nicaragua, en el mismo mes de febrero de 1990, estos fueron unos comicios críticos para Costa Rica. El PLN se enfrentó a la tradición, intentando ganar una tercera elección seguida. Por otro lado, el PUSC derrotó parcialmente esa tradición, pues al ganar la presidencia cumplió con la alternabilidad del poder entre ambos partidos, pero también logró una clara mayoría en el Congreso, por primera vez desde 1953.

Muchos de los problemas que plagaban la región aún permanecían sin respuesta. El nuevo presidente de Costa Rica enfrentó severos problemas con el proceso de paz, Panamá estaba desestabilizada y se sucedían continuos conflictos armados en El Salvador y en Nicaragua. La economía interna necesitaba de constante afinamiento. El cambio de gobierno aumentó la inflación y produjo déficits de presupuesto, mientras crecía la incertidumbre por las futuras decisiones políticas de Calderón, y la administración Arias tomaba medidas para contener la inflación.

En Julio de 1989 la opinión pública identificó los cinco problemas nacionales más apremiantes: el más importante de todos, con un 78 por ciento, fue el costo de la vida, al que le siguió, con un 77 por ciento, tanto el tráfico de drogas como su consumo; la corrupción gubernamental recibió el 73 por ciento; el desempleo, el 53 por ciento; y el problema de la vivienda obtuvo un 39 por ciento de las opiniones emitidas (CID; No. 32: 1989). Con la excepción del costo de la vida, todos los demás temas se discutieron durante la campaña. De acuerdo con estos planteamientos públicos, la preocupación por los asuntos internos estaba por encima del interés por los asuntos internacionales. La campaña electoral se concentró en los asuntos nacionales y, en general, no se discutió sobre problemas existentes más allá de las fronteras.

La mayor excepción a esta línea la protagonizó Calderón, por su intento de relacionarse con los demócrata-cristianos de Panamá, después de la invasión estadounidense. Tradicionalmente, Calderón había mantenido contactos con Guillermo Endara y con uno de sus vicepresidentes, Ricardo Arias Calderón. Después de la asunción al poder de Endara, Calderón viajó a Panamá, donde se le vio y se le oyó apoyando a la nueva administración. Calderón, además, expresó verbalmente su acuerdo con la invasión estadounidense, mientras que Castillo fue más critico, asumiendo una postura más pro Latinoamérica. Obviamente, Calderón ganó apoyo popular con esta actitud, pues gran parte del electorado estaba a favor de esa intervención para derrotar a Noriega.

El ganador de la contienda electoral se metió en un terreno inestable en proceso de cambio. Fuerzas mundiales presionaban en Nicaragua. Panamá debía cambiar su sistema político y su modelo económico, mientras buscaba cómo solucionar la severa crisis interna. El Salvador, Honduras y Guatemala necesitaban un liderazgo excepcional para continuar con el proceso de paz. En estos temas regionales, el presidente costarricense debería cumplir un importante papel, como lo había hecho en el pasado reciente Oscar Arias. Ningún candidato sugirió siquiera desviación alguna de las políticas vigentes, pero tampoco dio muestras de liderazgo en materia regional.

Durante la campaña electoral, Calderón y el PUSC lideraron las encuestas de opinión. Entre los electores con intenciones de voto, Calderón logró un 43 por ciento, mientras Castillo obtenía un 38 por ciento, quedando un 19 por ciento para los indecisos. Las encuestas públicas también dieron una ventaja porcentual de 5 puntos a 11 a favor de Calderón. Todas mostraron un 20 por ciento de indecisos. Esta proporción no cambió significativamente al final del proceso (CID, 1989, No. 33: 21).

En esas mismas encuestas de opinión, el electorado mostró ambivalencia hacia la campaña electoral, pues, por una parte, comprendía que Liberación tenía las mejores propuestas y los mejores cuadros políticos, pero dudaba en votar por el cambio con Calderón, lo cual permite explicar el alto índice de indecisos. Mientras que la mayoría se inclinó por Calderón en la presidencia y el PUSC en la Asamblea, la misma gente manifestó un mayor apoyo hacia el PLN que hacia el PUSC. Los siguientes resultados ilustran esta ambivalencia (CID, 1989, No. 33: 29):

¿Cuál partido produce los mejores gobernantes?
66% PLN
15% PUSC

¿Cuál partido produce los mejores líderes?
64% PLN
17% PUSC

¿Cuál partido puede solucionar los problemas de Costa Rica?
54% PLN
24% PUSC

¿Cuál partido protegerá mejor la paz?
51% PLN
17% PUSC

¿Cuál partido tendrá mejores relaciones con los sandinistas?
25% PLN
24% PUSC

Dado este nivel de disonancia, fue difícil predecir el resultado de las elecciones. Las encuestas indicaban que Castillo se estaba acercando, pero ninguna daba como ganador al PLN. Los indecisos y los votantes nuevos dividieron su apoyo, aproximadamente en la misma proporción que los electores, dándole a estos, y al PUSC, la victoria. Castillo no estuvo en capacidad de usar esta disonancia en su favor. Calderón, por otra parte, fue más hábil, al usar su retórica con el argumento de que el PLN había gobernado por mucho tiempo y de que era necesario un cambio. El nivel de abstención fue muy semejante al de los indecisos y los electores se mantuvieron alejados de las urnas en un porcentaje muy similar al de los últimos treinta años, con un 18,2 por ciento (TSE, 1988).

La candidatura de Castillo dividió el partido de tal manera que fue imposible reconstituirlo. El PLN, en su convención política, tuvo que decidir entre el candidato apoyado por el expresidente

Monge, su sobrino Rolando Araya Monge, y Carlos Manuel Castillo, candidato de un miembro de la vieja guardia, el expresidente Daniel Oduber. Después de que la convención escogió a Castillo, el partido no logró integrar muy bien a los simpatizantes de Araya. Estos hicieron saber que una derrota de Castillo favorecería las aspiraciones del perdedor para las elecciones de 1994. Aún un mes después de concluidos los comicios, la fracción Monge-Araya luchaba contra la fracción Oduber-Castillo, por el liderazgo del partido.

El PUSC tuvo una experiencia similar, Miguel Ángel Rodríguez inició su precampaña, 1988, en la creencia de que Rafael Ángel Calderón no participaría como candidato para las elecciones de 1990 pues él lo había hecho explícito. Rodríguez fue derrotado en la convención, pero no se lo sacó del grupo dirigente del partido, antes bien, se convirtió en el primer candidato a diputado para la Asamblea Legislativa; esto le aseguro una posición de liderazgo tanto dentro del partido como en el Congreso. Esta medida contribuyó a consolidar su agrupación política para la lucha electoral que se avecinaba. Aparentemente, la mayor parte de los seguidores de Rodríguez votaron por Calderón. No se hizo evidente que los seguidores de Araya hayan votado por Castillo, si es que votaron.

La organización, al igual que el transporte, puede haber influido en el resultado de las urnas. Como se ha explicado, el PUSC estaba mejor organizado en el ámbito local: salieron a buscar los votos y transportaron a sus seguidores de manera más eficiente; este fue un factor crítico el día "E", cuando decenas de miles de personas debieron ser transportadas de su viviendas hasta los recintos de votación, porque la mayoría de los costarricenses no tiene auto ni vehículo propio de transporte.

Uno de los aspectos más engorrosos del sistema electoral costarricense es el hecho de que cuando la gente cambia de residencia no es constreñida a cambiar de distrito electoral. Por lo tanto, el día de las elecciones el movimiento de y hacia los centros de votación es increíble. Todos los medios de transporte del país se ponen al servicio de los partidos políticos, para que estos puedan trasladar en forma gratuita a sus seguidores a sus respectivas mesas electorales. Los partidos políticos desembolsan millones de colones por este servicio. En 1990, el PUSC organizó el transporte mejor y utilizó de manera más eficiente este sistema.

El resultado final de la elección le dio a Calderón el 50,2 por ciento y a Castillo el 46 por ciento; el PUSC ganó 29 puestos en la Asamblea Legislativa, contra 25 del PLN; los otros tres lugares los obtuvieron tres partidos minoritarios. Se creía entonces que dos de los minoritarios unirían sus fuerzas con el PUSC para lograr beneficios políticos. Pueblo Unido mantendría su ideología socialista, convirtiéndose en una voz de la oposición.

En la provincia de San José la pelea fue más cerrada: 262.760 personas votaron por Calderón, mientras que 261.997 lo hicieron por Castillo. Sin embargo, en las zonas rurales, con una población campesina y económicamente menos poderosa, la votación fue mucho más favorable a Calderón. En Puntarenas, por ejemplo, la relación fue de casi 3 a 2, y en la provincia más pobre, Limón, la relación fue de casi 2 a 1. Aparentemente, la imagen más populista de Calderón le ganó un apoyo significativo en estas regiones marginadas. El conteo final fue de 694.589 votos para Calderón y de 636.701 para Castillo. La diferencia fue de tan solo 57.888, o sea un 4,2 por ciento del total de los votantes. Los cinco partidos menores solamente obtuvieron 18.644 votos para Presidente, o sea apenas algo más del 1 por ciento, del cual Pueblo Unido logró más de la mitad de los votos (TSE; 1990: 81).

De esa manera, alrededor del 99 por ciento de los electores votaron por los dos partidos mayoritarios. El único partido que también tuvo seguidores fue Pueblo Unido, con el 0,68 por ciento de los votantes. En contraste, los dos partidos mayoritarios recibieron solamente el 88 por ciento de los votos para la Asamblea Legislativa. Pueblo Unido incrementó su cuota desde cerca de 10 mil votos a más de 44 mil, y logró un porcentaje de 3,31. Los otros los partidos minoritarios, que no participaron con candidatos para la presidencia, recibieron cerca de 79 mil votos. Los partidos mayoritarios sufrieron por la quiebra del voto y por esta causa los minoritarios vieron crecer su caudal electoral. Solo el Partido Revolucionario de los Trabajadores en Lucha perdió apoyo electoral tanto en la candidatura a la presidencia como a la Asamblea Legislativa.

TABLA 4.1

Totales finales para las elecciones presidenciales, vicepresidentes y las legislativas de 1990

Partido	Votos Presidenciales	Por ciento de Votos Válidos	Votos Legislativos	Por ciento de Votos Válidos	Quiebra del Voto
PUSC	694,589	51.49	617,478	46.21	-77,111
PLN	636,701	47.20	559,632	41.88	-77,069
Del Progreso	2,547	0.19	7,733	0.79	+5,186
Pueblo Unido	9,217	0.68	44,161	3.31	+34,944
Revolucionario De Los Trabajadores En Lucha	1,005	0.07	742	0.06	-263
Independiente	746	0.06	5,566	0.42	+4,820
Alianza Nacional Cristiana	4,209	0.31	22,154	1.66	+17,945
Nacional Independiente	-	-	10,643	0.80	10,643
Alajuelense Solidario	-	-	7,330	0.55	7,330
Unión Generaleña	-	-	32,292	2.42	32,292
Unión Agrícola Cartaginesa	-	-	14,190	1.06	14,190
Auténtico Limonense	-	-	4,901	0.37	4,901
Agrario Nacional	-	-	4,594	0.34	4,594
Acción Laborista Agrícola	-	-	4,756	0.36	4,756
Total	1.349.014	100	1.336.172	100	141.601

124

TABLA 4.2
Votos recibidos, votos validos, nulos, y blancos

	Electores Inscritos	Votos Recibidos	Votos Válidos	No Votaron "Abstención"	Nulos	Blancos
Presidenciales	1,692,050	1,384,326	1,349,014	307,724	29,919	5,393
%	100	81.81	79.73	18.2	1.77	0.32
Legislativas	1,692,050	1,383,956	1,336,172	308,094	32,723	15,061
%	100	81.79	78.97	18.2	1.93	0.89

La quiebra del voto representó alrededor del 10,5 por ciento del total de electores. Sin embargo, es una práctica que apoyan muchos votantes. Incluso en 1986, el 30 por ciento de los entrevistados estaban a favor de quebrar el voto, mientras el 43 por ciento estaba en desacuerdo (Denton/Acuña: 1984; 118).

El índice de abstención para 1990 fue el mismo que existió en 1986, 18,2 por ciento. 35.312 votos para la Presidencia fueron nulos o en blanco. Este número creció en más de 12 mil para la Asamblea Legislativa, con un total de 47.784. Para la Presidencia, el dos por ciento fue no-válido, mientras que para diputados esa cifra se acercó al tres por ciento.

Carlos Manuel Castillo perdió las elecciones debido a varios factores. Los aspectos exitosos de la campaña fueron pobres y se utilizaron de manera precaria; Castillo no era un candidato sólido, falló en unir a su partido, en motivar a los partidarios y en aprovecharse de la fuerza de su agrupación política y de su glorioso historial. Segundo, su campaña electoral no fue ni tan convincente ni tan agresiva como la de su oponente. Comenzó mal, por la supresión del informe de la Asamblea Legislativa sobre drogas, no logró relacionarse con los bien logrados programas económicos e internacionales de Arias. Falló en usar el argumento de la poca credibilidad de Calderón, al hacer promesas imposibles de cumplir, debido a la falta de recursos. Su campaña, al igual que su personalidad, carecía de emoción, compromiso y carisma. Un corto propagandístico particularmente dañino hacia Calderón solo se transmitió dos veces y ni siquiera a la hora en que se había anunciado. Hubieran sido necesarias más tácticas explotando la imagen negativa de su contrincante, aunque no fueran muy "ticas".

Finalmente, la organización de campaña de Castillo fue débil. Fracasó en unir al partido y en atraer a su causa a los partidarios de Araya. Y las organizaciones locales y el transporte no funcionaron de manera tan eficiente como en el pasado (Costa Rica: Balance de la situación, 1990).

El PLN también tuvo otros problemas, estaban actuando en contra de la tradición y Calderón se aprovechó de esta circunstancia, sus últimas tres semanas enfatizaron en la idea de que "es malo mucho de lo mismo".

Tanto Castillo como el PLN no se desempeñaron bien como favoritos; siempre estuvieron abajo en las encuestas electorales. Tampoco fueron efectivas las indicaciones de que Calderón había alcanzado su límite de apoyo popular. Los liberacionistas necesitaban mayor capacidad de convocatoria o utilizar más imágenes negativas de su oponente ante las mayorías. Nunca desarrollaron ni la una ni la otra.

Calderón utilizó de manera más eficiente que Castillo los asuntos relacionados con su personalidad y su familia: él y su esposa se mostraron como personas más próximas a la gente; él empleó, asimismo, tanto sus actividades religiosas como la unión de su familia para atraer y representar así los valores tradicionales de la sociedad costarricense.

Muchos votantes criticaron la escogencia de los candidatos del PLN para conformar el cuerpo legislativo. Los mejores y más brillantes no estaban en la lista; las personas más prominentes, respetadas y conocidas debieron estar ahí. Las organizaciones locales tampoco se tomaron en cuenta y ni siquiera fueron consultadas. Este es un factor importante a ser considerado por el liderazgo del PLN en futuras elecciones, si desean retomar la mayoría en la Asamblea Legislativa.

Por todas estas razones, el liderazgo de Castillo fue mediocre y poco conveniente con respecto a las necesidades de los electores. Él no tuvo la habilidad de Monge o de Arias para ponerle vida a la campaña electoral, motivar a las organizaciones partidarias, o reconciliar las diferencias entre las fracciones del partido. Un candidato más fuerte habría acortado la distancia, mostrando la vulnerabilidad de Calderón como político, sus conexiones con el general Noriega, sus falsas promesas y su vínculo estrecho con la administración Carazo. Estos asuntos, además de los obstáculos que Calderón debería enfrentar con la economía y su falta de credibilidad internacional, no fueron utilizados por Castillo durante la campaña.

TABLA 4.3
Totales de la Asamblea Legislativa para 1990

Provincia	PUSC	PLN	Pueblo Unido	Unión Generaleña	Unión Agrícola Cartaginesa	Total
San José	10	9	1	1		21
Alajuela	5	5				10
Cartago	3	2			1	6
Heredia	3	2				5
Puntarenas	3	3				6
Guanacaste	3	2				5
Limón	2	2				4
Total	29	25	1	1	1	57

Los partidos minoritarios no fueron muy exitosos en la conquista de la representación en la Asamblea Legislativa. Solamente Pueblo Unido, la Unión Generaleña y la Unión Agrícola Cartaginesa eligieron diputados. Con el PUSC en clara mayoría de 29 curules, los partidos pequeños no tuvieron capacidad para tener un impacto como el que habían logrado cuando ningún partido era mayoritario y era indispensable unir a los partidos pequeños en una propuesta victoriosa de iniciativas políticas. La razón por la cual el partido regional Unión Agrícola Cartaginesa obtuvo representación, así como la Alianza Nacional Cristiana no lo hizo, fue porque los partidos regionales concentraron todos sus votos en una sola provincia, mientras que la ANC distribuyó sus votos a lo largo del todo el país. La Alianza obtuvo 22.154 votos, mientras que la Unión consiguió 14.190, pero los tenía en una sola provincia, con lo cual logró una curul en la Asamblea Legislativa. Los otros dos partidos minoritarios, Pueblo Unido y Unión Generaleña, lograron también una curul en el Congreso. Estos dos partidos lograron suficientes votos en la Provincia de San José para obtener una representación.

El PUSC empezó con muchas ventajas en mayo 1990. Tenía mayoría en la nueva Asamblea Legislativa y había ganado también el ejecutivo. Nunca antes había existido un control absoluto del gobierno en sus manos. El PUSC publicó un programa de 400 páginas antes de las elecciones, que pretendía servir de "guía hacia transformación y construcción, con fe y confianza en el futuro, [para construir] una Costa Rica desarrollada con altos valores morales y al servicio de sus ciudadanos..." (PUSC; 1989: 11).

El nuevo programa se basaba en los siguientes valores ideológicos: dignidad individual; libertad; solidaridad; paz; justicia social; oportunidades de empleo; estado y bienestar común (PUSC; 1989:15-29); y, finalmente, participación política activa, popular, responsable, libre y pluralista. En el desarrollo de estos temas hay una constante tensión entre las libertades individuales y las necesidades de la sociedad. La libertad no es ilimitada, pero el estado no debería intervenir cuando las acciones privadas pudiesen ser mejores.

De acuerdo con el programa presentado, las funciones propias del estado eran escasas. Ellas incluían: planeamiento democrático para un desarrollo unificado, protección del medio ambiente y recursos naturales, estimulación de las inversiones, mejoramiento de la banca estatal, regulación y suministro de los servicios públicos tales como electricidad, agua potable, seguridad ciudadana y fortalecimiento de los beneficios de salud, educación y trabajo (PUSC; 1989: 25).

Específicamente, Calderón ofreció varios programas para los sectores más desposeídos (PUSC; 1989). Entre ellos está la construcción de 160.000 unidades habitacionales de bajo costo, ayuda educacional para los pobres, incentivos para la producción de alimentos de consumo nacional, incremento de los salarios, seguro de desempleo, mejoras en las leyes sindicales, subsidios a la canasta básica y muchos otros proyectos.

Bajo estas premisas, existían contradicciones y posibilidades conflictivas. Se elevó así el número de cuestionamientos que debían responderse a medida que el presidente Calderón intentaba concertar sus líneas políticas ulteriores. Entre estas preguntas se encontraban las siguientes: 1) ¿cómo reduciría Calderón la intervención estatal en la sociedad y en la economía y, al mismo tiempo, ayudar a los sectores más empobrecidos?; 2) ¿Cómo podría el presidente Calderón cumplir sus promesas de conceder vivienda gratuita, beneficios educativos, y a la vez reducir el déficit presupuestario gubernamental?; 3) ¿Cómo podría incrementar la producción agrícola para el consumo interno sin permitir un aumento significativo en los precios para mejorar los incentivos para el desarrollo agrícola?; 4) ¿Cómo mantener el apoyo de las elites económicas conservadoras y de derecha, y al mismo tiempo aumentar sus cargas impositivas para fundamentar los programas dirigidos hacia los pobres?; 5) ¿Cómo podría ofrecer incentivos para elevar las exportaciones y, al mismo tiempo, mejorar e incrementar la producción nacional de productos y alimentos de consumo interno?; 6) ¿Cómo podría reducir el consumo de productos extranjeros de las clases alta y media al tiempo que liberalizar el comercio exterior?; 7) ¿Cómo mantendría el creciente valor de las exportaciones de productos tradicionales y no tradicionales, y al mismo tiempo reducir los incentivos gubernamentales al comercio y la intervención estatal en la economía?; 8) ¿cómo cumpliría sus promesas a provincias cómo Limón y Guanacaste, las cuales habían tenido en el pasado poca intervención estatal necesitándola de urgencia, sin incrementar esa intervención y aumentar los programas del gobierno en la economía y en la sociedad en esas provincias?; y, finalmente, 9) ¿cómo trabajaría por la paz en la región evitando, al mismo tiempo, acomodarse a algunas de las demandas de los nuevos gobiernos en El Salvador, Guatemala y aún Nicaragua?

Conclusiones

Como ha ocurrido muchas veces en el pasado, las elecciones de Costa Rica se celebraron en un ambiente de alegría, franqueza y transparencia, algo que resulta raro en el resto de América Latina. El Secretario General de la OEA, Joao Baena Soares, en una reunión en San José, el 3 de febrero de 1990, lo dijo muy bien: "Considerando que nosotros [la OEA] estamos enviando más de 200 observadores a Nicaragua para asegurar unas elecciones justas, solo tres de nosotros vinimos a Costa Rica para observar y aprender cómo se realizan las elecciones correctamente". Varias naciones latinoamericanas enviaron a más de 150 observadores para analizar cómo realiza Costa Rica elecciones tan concurridas, abiertas y honestas.

No solo se efectuaron elecciones competentes, sino que la oposición ganó en todos los niveles, y la oposición se transformó en el partido más poderoso del país. Esta es la prueba real de un proceso democrático, cuando los grupos opositores pueden ganar las elecciones y asumir la administración del país sin problemas, conflictos o violencia. El 8 de mayo de 1990 Rafael Ángel Calderón tomó el mando de la nación y empezó una nueva era para los costarricenses.

El PUSC no solamente ganó las elecciones de 1990, sino que invirtió más de cuarenta años de dominación del PLN en el sistema político costarricense. Desde esa elección, y al menos hasta 2006, el PUSC ha llegado a ser el partido mayoritario y el PLN se transformó en el principal partido de oposición. El PUSC consolidó su organización y sus orientaciones políticas, y estabilizo su liderazgo (Salazar/Salazar: 1991; 153).

Sin embargo, el presidente Calderón enfrentó severas pruebas de fuego debido a los conflictos en los países vecinos, a las demandas de sus conciudadanos y a la generosidad de sus propias promesas. La economía interna fue uno de sus mayores desafíos. También, le fue difícil resolver los conflictos existentes en su propio programa de gobierno.

En contraste con sus vecinos, la política costarricense ha podido aceptar diferencias en los planteamientos políticos, adaptarse para cambiar, comprometiéndose con los problemas y permitiendo a la oposición ganar elecciones y asumir el poder. Panamá tuvo elecciones en mayo de 1989. Cuando el candidato del General Manuel Antonio Noriega perdió las elecciones, el personal de Noriega intentó, primero, cometer un fraude electoral; segundo, al fracasar esta salida, la elección fue anulada y se agredió físicamente a la oposición, aquellos que tuvieron la audacia de desafiar al General estuvieron a punto de ser asesinados.

La situación en Nicaragua después de las elecciones del 25 de febrero de 1990 no era mucho mejor. Nicaragua nunca ha logrado que la oposición política victoriosa asuma el poder pacíficamente. La oposición política raramente se ha tolerado y es sumamente inusual el compromiso en aspectos políticos así como entre los diferentes grupos políticos.

Cuando los sandinistas perdieron las elecciones estuvieron renuentes hasta a hablar con Violeta Barrios de Chamorro o con los líderes de la Oposición Unida (ONU). No había ningún equipo de transición establecido ni ningún mecanismo expedito para el cambio. Si las misiones de Carter, la OEA y la ONU no hubieran estado en Nicaragua, es dudoso que se hubieran respetado los resultados de la elección. Habría sido más difícil que la presidencia se transfiriera, como estaba previsto, el 25 de abril.

Tanto Nicaragua como Panamá, y los otros países de la región, tienen poca experiencia con la democracia. Ambas han tenido militares involucrados directamente en política, apoyando a individuos concretos o a regímenes específicos. Las dos naciones tienen sistemas muy polarizados, con pocos grupos moderados o "a mitad del camino", para mediar en las diferencias políticas. Recientemente, ambos han tenido regímenes con bajos niveles de legitimidad, pero apoyados por adeptos fieles, dispuestos a luchar hasta la muerte por sus enseñas. Corrupción, represión severa y violencia han sido más la norma que la negociación, el entendimiento y el compromiso.

En contraste, Costa Rica tiene cien años de experiencia con formas y procesos democráticos. Costa Rica no tiene ejército. La mayoría de los costarricenses son moderados en sus orientaciones políticas. La política costarricense no puede caracterizarse como fragmentaria o polarizada, como sí ocurre con la de sus vecinos. Aunque la existencia de algunas prácticas corruptas se volvió un tema de campaña tanto en 1986 como 1990, la corrupción, la represión y la violencia no son "la vía tica" para resolver los conflictos políticos. Los dos partidos mayoritarios asumieron posiciones semejantes sin violencia, sin tratados y sin mediación internacional. Con la experiencia de Costa Rica y su orientación, la democracia continuó, a pesar de los problemas políticos y económicos que el presidente Calderón debió enfrentar.

Por otra parte, las crisis políticas y económicas que enfrentaron presidentes como Violeta Barrios de Chamorro, en Nicaragua, o Guillermo Endara, en Panamá, representaron un reto muy grande para la sobrevivencia de la democracia en sus países. Ambos tenían grandes dificultades para restablecer la legitimidad y para traducir eficazmente las demandas populares en políticas públicas. Ambos tuvieron problemas aún mayores al tomar decisiones políticas que resolvieran eficazmente las mayores dificultades a que debieron enfrentarse. Con bajas probabilidades de éxito, los dos sufrieron intentonas no-democráticas para sacarlos del poder. Los dos tuvieron que contar con fuerzas externas que ayudaran a salvar sus regímenes. Este no es el caso en Costa Rica. Así, Costa Rica continuó siendo una isla de democracia en un mar de confusión y problemas.

David y Goliat: V
Relaciones entre EE. UU.
y Costa Rica en el período
de la Posguerra Fría

Introducción

El mundo evoluciona de forma acelerada. La caída de la Unión Soviética, el final de la Guerra Fría, y el movimiento hacia la democracia, no solo en América Latina sino también en la mayor parte del planeta, han forzado a los países a un replanteamiento de sus relaciones. La reestructuración de la economía global también está teniendo un tremendo impacto en las relaciones internacionales.

Estados Unidos está en un proceso de transformación en sus relaciones con América Latina. Con el final de la Guerra Fría ya no son válidas las políticas estratégicas para contener el comunismo en el hemisferio. Intereses económicos y temas específicos, más que el temor hacia el comunismo, guiarán las nuevas relaciones entre los estados. De igual manera, dominarán la agenda la preocupación por la ley, el orden, la democracia, el capitalismo liberal y los mercados libres.

De acuerdo con los especialistas en Estados Unidos, las relaciones con Latinoamérica (o las relaciones panamericanas):

"Mientras pasamos la última década del Siglo XX, no hay duda que estamos entrando a una nueva era de relaciones entre los Estados

Unidos y Latinoamérica. Ahora la política exterior en los Estados Unidos envuelve a muchos actores y organizaciones gubernamentales y no-gubernamentales. Los gobiernos latinoamericanos también enfrentan procesos internos mucho más complejos, al punto que algunos países han llegado a expresar internacionalmente sus demandas y preocupaciones". (Hartlyn, Schoultz y Vargas, 1992:13)

Al mismo tiempo que las agendas varían, también cambian los actores principales. Antes, muchas de las líneas políticas hacia Latinoamérica las elaboraba el presidente de los Estados Unidos, los consejeros y los burócratas de alto nivel del Departamento de Estado, el Departamento de Defensa y la Agencia Central de Inteligencia (CIA). Conforme las cosas cambian, serán otras las oficinas que influirán, así como burócratas de niveles inferiores y otros grupos específicos con intereses muy particulares, que incidirán efectivamente en la creación de esas políticas.

Abraham Lowenthal, un académico estadounidense experto en relaciones latinoamericanas, alega que los procesos de formulación de la política exterior, especialmente en los Estados Unidos, van a incluir a muchos más actores,

El proceso de construcción y desarrollo de las políticas hacia América Latina ha llegado a ser mucho más complejo en los últimos años. El Departamento de Estado, el Pentágono y la CIA, la Agencia de Información de los Estados Unidos, han tenido menos influencia en la formulación e implementación de las políticas en el Hemisferio Occidental, mientras que el Ministerio de Hacienda, de Comercio, de Agricultura, la Oficina Representante de Intercambio Internacional, el Banco de Exportación e Importación, la Corporación de Inversión Privada Extranjera, la Oficina de Administración y Control de Drogas, la Agencia de Protección Ambiental y el Servicio de Inmigración y Naturalización han jugado roles más importantes. Esta tendencia no sólo ha continuado sino que se acelerará en los años noventa. (Lowenthal, 1992:76)

Del mismo modo en que otros actores se han involucrado en la formulación de las políticas, el foco de atención estará en las políticas generales más que en las particulares y en otros programas. Temas menos trascendentes van a ser tratados por actores menos importantes en los Estados Unidos y este hecho puede crear dificultades en las naciones latinoamericanas. La condición de "negligencia benigna" por parte de los actores estadounidenses más importantes podría resultar en decisiones de políticas negativas, e incluso incompatibles, y ejecutadas por actores menos importantes en los Estados Unidos. Este capítulo, sobre las relaciones de Costa Rica con los Estados Unidos, examina esa situación.

Para los Estados Unidos y su política de reforzamiento de la democracia en los países latinoamericanos, Costa Rica fue la nación más importante de Centroamérica en los años setenta y ochenta. Los Estados Unidos protegió a Costa Rica del caos, la violencia y la guerra civil que explotó en la región a finales de los sesenta. Las relaciones entre ambos países enfrentaron muchos problemas pero, en general, puede decirse que fueron positivas, de apoyo, financieramente benéficas para Costa Rica y, en su mayoría, aprobadas por los costarricenses. La crisis de los ochenta se amortiguó gracias a la asistencia financiera estadounidense. El temor de que los sandinistas invadieran el territorio costarricense se redujo gracias a las promesas de protección por parte de los Estados Unidos, Venezuela y Panamá. Se entrenó y equipó a la guardia civil y rural para fortalecer la seguridad nacional. A partir de 1986, el comercio entre los Estados Unidos y Costa Rica creció rápidamente, al igual que el turismo. En 1989, las relaciones entre ambas naciones alcanzaron su punto máximo. Sin embargo, con el fin de la Guerra Fría y las elecciones en Nicaragua, en 1990, las relaciones comenzaron a deteriorarse. El temor del comunismo disminuyó considerablemente en la región. Por consiguiente, ya no eran importantes para Estados Unidos las políticas y programas de ayuda a Costa Rica. Solo para mencionar un ejemplo, en el clímax de la crisis centroamericana, en 1985, Costa Rica recibió más de US$ 220 millones en ayuda estadounidense. Esta cantidad disminuyó a menos de US$ 28 millones para 1992, y cesó en 1995. Muchos costarricenses creyeron que los planteamientos políticos de Estados Unidos tuvieron efectos positivos sobre su economía, su sistema político y su sociedad.

Siguiendo una línea de pensamiento menos optimista, algunos actores, entre ellos Martha Honey, han dado otras explicaciones.

Honey descubrió el lado oscuro en los programas y políticas estadounidenses hacia Costa Rica. Ella afirma que, al mismo tiempo que Estados Unidos ayudó económicamente a Costa Rica, debilitó su liderazgo y sus instituciones sociales. Honey dice que, "cuanto más excavamos, más evidencia encontramos de que las medidas políticas y económicas de Estados Unidos erosionaron las instituciones democráticas y la estructura social costarricenses" (Honey; 1994: 50).

Además de los obstáculos en el sistema costarricense reportados por Honey, desde fuentes externas también se impusieron otros cambios en Costa Rica, de acuerdo con otros investigadores. USAID y las instituciones financieras internacionales (IFIS) exigieron a los costarricenses realizar algunos ajustes estructurales en su economía y en su sistema político, con el propósito de hacer frente y comenzar a resolver sus enormes deudas interna y externa.

El ajuste estructural de finales de 1980 y 1990 ha tenido un tremendo impacto en el concepto y el rol del estado en Costa Rica. El estado se ha visto forzado a alterar sus propuestas políticas, sus programas y actividades de gobierno. Su rol en la economía se redujo, privatizando las empresas del estado y sus instituciones. El estado debió reducir su tamaño, así como el número de los empleados gubernamentales y sus perpetuos déficits fiscales. No hace mucho, el estado costarricense servía como el principal empleador para la clase media. El estado también debió reducir sus programas sociales y de desarrollo. Los 80 y 90 han sido décadas difíciles para el Partido Liberación Nacional, en particular, como el partido liberal, social, del país (era el partido que apoyaba la consolidación y el fortalecimiento del aparato estatal), para el estado y, en general, para la sociedad costarricense. (Vargas Solis, 1990 y Sojo, 1991)

Durante los años ochenta, los temas políticos entre Costa Rica y Estados Unidos, y entre Costa Rica y sus países vecinos, fueron tan importantes que involucraron a actores principales. Las guerras civiles en Nicaragua, El Salvador y Guatemala crearon las condiciones para una intervención militar por parte de los Estados Unidos. La crisis económica de los años ochenta retardó el desarrollo económico y, en algunos casos, produjo crecimiento negativo. Los Estados Unidos ayudaron a mitigar el impacto de la crisis en Costa Rica, por medio del intercambio comercial y de la ayuda financiera. Durante esta misma época, Costa Rica expandió precisamente su intercambio comercial con Estados Unidos y pasó de la exportación de productos tradicionales como café, banano, carne y azúcar, hacia una expansión en áreas no tradicionales. Después de 1986, el turismo llegó a ser la principal actividad económica, incluso más importante que el café y el banano.

En contraste con la política de "alto nivel" de los ochenta, los noventa se caracterizaron por una lenta ejecución de las cláusulas del Plan Arias para la Paz y de los acuerdos originados en el mismo, por un incremento en el comercio y la economía, y un énfasis en temas menos importantes. Los actores involucrados también cambiaron de presidentes, ministros del exterior y secretarios de defensa y del Estado, a burócratas de niveles inferiores y grupos de presión particulares.

El presidente Calderón, un nuevo gobierno, ¿nuevas relaciones?

A pesar de que existía una relación muy positiva entre Estados Unidos y Costa Rica, hubo muchos desacuerdos entre los presidentes Ronald Reagan y George Bush, y la administración de Oscar Arias (1986-1990). Los principales obstáculos fueron el Plan de Paz de Oscar Arias y la petición del expresidente de cerrar el frente sur de los "contras" nicaragüenses, al norte de Costa Rica.

En 1990, a mediados de la administración Bush, Costa Rica realizó sus elecciones. Constitucionalmente, al presidente Arias, del Partido Liberación Nacional, le estaba prohibido buscar la reelección. Ganó el proceso electoral Rafael Ángel Calderón Fournier, del Partido Unidad Social Cristiana, el partido opositor. Bajo la administración de Calderón, se esperaba que mejoraran aún más las buenas relaciones entre ambos países. Sin embargo, cuando Calderón asumió la presidencia, en mayo de 1990, Centro América no era prioridad en la agenda de la política exterior estadounidense. Ya se había resuelto el problema con el general Noriega, en Panamá. El proceso de paz centroamericano estaba funcionando bastante bien y, en Nicaragua, los sandinistas habían sido derrotados en las elecciones de 1990. Las Naciones Unidas estaban buscando resolver la guerra civil en El Salvador y la violencia en Guatemala había disminuido de manera significativa bajo las administraciones de los dos últimos presidentes electos democráticamente. Por otra parte, Europa del este y la antigua Unión Soviética sufrían cambios expeditos. De igual forma, ahora China, Japón, el Medio Oriente y Saddam Hussein eran más importantes para los políticos estadounidenses.

Si el presidente Calderón hubiera sido electo en 1986, él habría encontrado las puertas abiertas en la Casa Blanca. Para 1990, las condiciones ya habían cambiado y este político –que recibió fondos del Partido Republicano de los Estados Unidos para su campaña presidencial y que había sido un invitado especial para las elecciones estadounidense de 1984 y 1988–, tuvo que viajar a Washington, en 1990, para solicitarle apoyo y ayuda a Bush. En su visita, el presidente Calderón fue cordialmente atendido, pero no recibió ninguna promesa a cambio (Corn, 1989:795). El embajador de Calderón en Estados Unidos resume esta situación: "cuando solicitamos ayuda, el gobierno en Washington resaltó sus problemas de presupuesto... ya no había interés [en Centro América]. Eso nos hizo las cosas más difíciles" (Kamen, 1990: A18). Este frío encuentro tuvo un impacto negativo y duradero en el presidente Calderón, quien inmediatamente enfrentó otro problema. Con la desaparición de la Guerra Fría, el comunismo ya no era una amenaza en América Central. Este vacío le dejó la puerta abierta al gigante Goliat para mostrarse mezquino y altanero con su vieja amiga y aliada, Costa Rica, y con su protegido republicano, el presidente Calderón.

El primero, más severo y más duradero de estos problemas de la nueva época fue el tema de las expropiaciones de tierras en 1962, por parte del gobierno costarricense a ciudadanos estadounidenses. Esperaban a la administración calderonista siete casos pendientes, los cuales agriaron y complicaron las relaciones entre Estados Unidos y Costa Rica hasta el final de su administración, en mayo de 1994. Para julio de ese mismo año, solo tres de los siete casos habían sido resueltos y los restantes cuatro siguieron acosando al nuevo presidente electo, José María Figueres Olsen. A pesar de que el gobierno costarricense declaró, a mediados de 1994, que se habían solucionado tres casos, Estados Unidos seguía refiriéndose a los "siete" casos de expropiaciones sin resolver.

Dichos casos son bien conocidos en Costa Rica, pero solo unos cuantos ciudadanos estadounidenses están enterados. Debieron resolverse desde hace mucho tiempo. El más difícil fue el de la hacienda Santa Elena, la cual sirvió como aeropuerto clandestino para transportar suministros para los "contras" durante 1985 y 1986. La hacienda se usó también para trasegar con armas ilegales y drogas (Kornbluh and Honey; 1993: 230 y Honey; 1994: 401-425). El presidente Arias había ordenado cerrarlo en septiembre de 1986.

Costa Rica ejerció el derecho de confiscar las propiedades sin pagar compensación, ya que la Hacienda Santa Elena se usó para transacciones ilegales y políticas intervencionistas estadounidenses. Además, no está muy claro quiénes eran los verdaderos dueños de la propiedad. Se presume que estaban involucradas, por lo menos, dos o tres personas. La única razón por la que este era un problema crítico entre ambos estados es porque el senador Jesse Helms lo había convertido en un punto crucial de su agenda de política exterior. El senador Helms era el representante republicano más poderoso en el Comité de Asuntos Exteriores del Senado de los Estados Unidos.

Es sorprendente como Bill Clinton y Al Gore, quienes consideraron la protección del medio ambiente como una prioridad, no tomaron la iniciativa de resolver el caso de la Hacienda Santa Elena. Un tema ambiental tan importante como este debió tener prioridad sobre otros temas latinoamericanos. Algunos expertos han indicado que la región donde está ubicada la hacienda es una zona ecológica muy importante:

"En 1975 la hacienda [Santa Elena] fue declarada por el gobierno costarricense como parte de una larga reserva ecológica diseñada para proteger toda la península Santa Elena, localizada cerca del borde de la frontera con Nicaragua.

La región es considerada como una de las zonas ecológicas más importantes de la región centroamericana y actualmente es objeto de un esfuerzo multimillonario de conservación" (Notimex, Feb, 16, 1993).

Tres biólogos internacionalmente respetados dan un argumento ecológico mucho más sólido en lo que respecta a la Hacienda Santa Elena:

"La extinción de las especies debido a la destrucción de los bosques tropicales es una de las mayores crisis de nuestro tiempo. La conservación, el remedio obvio, es por lo general más difícil de materializar. Pero en Costa Rica, en este momento, hay una oportunidad de salvar el bosque.

La tierra, la llamada hacienda Santa Elena, que hasta hace poco era un aeropuerto clandestino manejado por la Central de Inteligencia Americana para apoyar a los insurgentes en Nicaragua, tiene una extensión de 40 mil acres y está localizada en el centro de uno de los principales parques costarricenses, el parque nacional Santa Rosa. Su compra permitiría unir ambas secciones del parque, con una extensión de 110 mil acres.

Nuestro propósito es llamar la atención al proyecto de la hacienda Santa Elena con la esperanza de generar contribuciones individuales. Al precio de US$ 4 el acre, esta aventura podría convertirse en la ganga de conservación del siglo" (Eisner *et. al.*, 1987:A18).

Para ilustrar cómo los Estados Unidos aplican una ley internamente, pero la niegan en el plano internacional, podemos usar otro ejemplo de Jesse Helms. Helms se quejó por la expropiación, en 1992, de un rancho de 2.150 acres en Pavones, propiedad de Danny Fowlie. El Sr. Fowlie era también el propietario de un rancho en California, que fue expropiado por la DEA (Drug Enforcement Agency) en 1987 y el cual no ha sido devuelto ni compensado. Fowlie es un recluso estadounidense que está pagando una sentencia de 30 años por tráfico de drogas (Brennan, 1993: A3). Si Fowlie y Helms ganan este caso, a Costa Rica se le va a prohibir rotundamente confiscar tierras sin compensación, mientras que la DEA sí puede hacerlo en su propio país, tal y como ocurrió con el rancho de Fowlie, en California.

En relación con este dilema y el caso de las expropiaciones, el presidente Calderón comentó: "Si los Estados Unidos quieren que violemos los procesos legislativos y judiciales y nuestra propia soberanía, entonces debo dejar en claro que eso no puedo aceptarlo" (Notimex, Feb. 26, 1993).

Los problemas que surgieron durante la administración de Arias y que complicaron las relaciones entre Calderón, Reagan y Bush, siguieron sin resolverse cuando Figueres y Clinton asumieron el poder. Uno de los aspectos más interesantes e intrigantes en estas relaciones es el hecho de que, aunque Calderón era el líder centroamericano preferido por los republicanos y era amigo personal de la familia Bush, no pudo evitar los conflictos sobre temas específicos con políticos republicanos, en general, y particularmente con el presidente Bush (padre) y el senador Jesse Helms. Este punto ilustra la importancia de un solo actor en las decisiones políticas y la ausencia de interés en este tema por parte del poder ejecutivo y sus principales agencias en los Estados Unidos. El país del norte amenazó a Costa Rica con muy fuertes sanciones económicas si no se resolvían los casos de expropiación. El ámbito del conflicto y su consiguiente impacto en la ayuda económica, junto con los votos negativos en el Banco Mundial y el FMI, fueron devastadores para Costa Rica, aunque estos mismos temas eran insignificantes por lo intrascendentes para los Estados Unidos.

Aparentemente, los problemas de expropiaciones de tierra fueron los que tensaron las relaciones entre Calderón y Bush (padre). Parece irónico que no se llegara a un arreglo entre las partes, dado el hecho de que la familia de Calderón tenía amistad con la familia Bush, y particularmente, con Jeb Bush, el hijo del presidente Bush, y que Bárbara Bush, cuando asistió al traspaso de poderes de Calderón, dijo ante la prensa: "–¡Me he enamorado de la familia Calderón!". (Baum, May 10; 1990:E1).

Calderón protegió la soberanía y el nacionalismo de su país, defendiendo así el papel legal que las cortes costarricenses deberán jugar en disputas sobre la confiscación de tierras. Aparentemente, su nacionalismo ofendió a algunos miembros en el Congreso de los Estados Unidos y en el Departamento de Estado.

Entonces, el "Gigante" amenazó a Calderón con cortar la ayuda económica y con posponer o cancelar los préstamos que el Banco Mundial, el Banco Interamericano de Desarrollo y el FMI habían concedido a Costa Rica. El Gigante estaba usando todos sus recursos para herir al mosquito. A pesar de que había problemas de mayor importancia y mucho más desafiantes en las relaciones entre Estados Unidos y Costa Rica, el tema de las expropiaciones de tierras seguía siendo un punto esencial de la agenda: "Aunque había serios problemas con respecto al tráfico de drogas, el intercambio comercial, el medio ambiente, etc., tanto funcionarios costarricenses como estadounidenses vieron como prioritario el tema de las expropiaciones, debido al particular interés de Helms" (Brennan, 1994:A3).

En la primavera de 1995, Jesse Helms introdujo en el senado el proyectos de ley #5381 sobre la "Libertad Cubana y Solidaridad Democrática" (#S. 381), su primera propuesta legislativa como Jefe del Comité de Relaciones Exteriores en el Senado. Si fuera puesta en vigencia esta ley, se complicarían aún más el tema de las expropiaciones y las relaciones entre Estados Unidos y Costa Rica. De acuerdo con el personal de Helms: "esta ley se centraba en América Latina, Cuba, Nicaragua y Costa Rica" (Carter, 1995: A1). Dicho proyecto, ahora conocido como Ley Helms-Burton, creó problemas adicionales a Costa Rica en los años siguientes.

Además de las sanciones legales y las amenazas económicas, las administraciones de Bush y Clinton actuaron intensamente contra otra iniciativa de Calderón. A inicios de 1991, el presidente Calderón propuso a Bernd Niehaus, para ese entonces Ministro de Relaciones Exteriores, como candidato a la Secretaria General de la Organización de los Estados Americanos (OEA). Tal posición ha sido ocupada por suramericanos y mexicanos, por lo cual Calderón consideró que era tiempo para que un pequeño estado del Caribe o de Centroamérica ocupara ese despacho. En el pasado, la participación de los Estados Unidos en el proceso de selección del Secretario General había sido muy limitada.

Durante varios meses, los Estados Unidos permanecieron al margen del proceso de selección pero, a inicios de 1993, comenzó una campaña para obstaculizar la candidatura de Niehaus. A finales de ese año, la administración de Clinton continuó con esta política y, muy sutilmente, comenzó su gestión para derrotar a Niehaus. Los funcionarios del Departamento de Estado apoyaban al presidente colombiano César Gaviria para ese puesto en la OEA. A pesar de esto, Niehaus contaba con veinte votos a favor de su postulación, provenientes de las naciones caribeñas y de los países centroamericanos, lo que le daba una ventaja de dos votos sobre los otros candidatos.

En Marzo de 1994, el **Washington Times** reportó que Estados Unidos estaba amenazando con cortar la ayuda económica a aquellos que apoyaran la candidatura de Niehaus (Morrison, 1994:A-12). Debido al hecho de que los Estados Unidos suministraban más del 60 por ciento del presupuesto de la OEA, este país virtualmente puede controlar y vetar decisiones. Niehaus declaró que los Estados Unidos "estaba imponiendo su voluntad en tal forma que daña la voluntad de los países pequeños" (Morrison, 1994: A-12). Cuando los políticos estadounidenses dudaron de la victoria de Gaviria, trataron de convencer a otros candidatos potenciales, entre ellos el expresidente Oscar Arias, para que se enfrentara a Niehaus.

Tres días antes de las elecciones, realizadas el 27 de marzo de 1994, Niehaus creía que él ganaría la Secretaría General. Sobre este particular, aseveró: "vamos a ganar, vamos a decirle al mundo entero: 'caballeros, aunque representamos países pequeños somos jurídicamente iguales a los grandes y vamos a ejercer un liderazgo muy importante'" (Morrison, 25 de marzo, 1994: A-16). El día de la elección, después de perder 20 a 14 contra Gaviria, Niehaus afirmó que aquellos que se habían comprometido a votar por él ni siquiera tuvieron la cortesía de decirle que ya no lo apoyaban. Niehaus criticó a los Estados Unidos como un poder colonial e imperialista que usa métodos y tácticas prepotentes para alcanzar sus objetivos (NotiSur, 8 de abril, 1994 y Goshko, 1994:A-22).

Los motivos de la administración de Clinton en este juego no son claros. Tal vez los Estados Unidos temían que Niehaus fuera muy suave en sus actitudes hacia Cuba y la reintegraría a la OEA. Quizás Clinton quería asegurarle a Jesse Helms y a otros más que él continuaría firme en el tema de las expropiaciones, en el cual Niehaus había asumido una posición fuertemente nacionalista contra los reclamos de los Estados Unidos. Puede ser que la administración Clinton estuviera preocupada por el apoyo de AFL-CIO en un conflicto laboral costarricense. O a lo mejor los Estados Unidos, simplemente, no querían que este pequeño país tuviera el liderazgo de la OEA en esta coyuntura histórica específica. La agenda oculta permaneció incierta. El resultado era obvio, los Estados Unidos se habían salido con la suya, mientras que Costa Rica sentía y sufría por su pérdida y su humillación diplomáticas.

Retomando nuevamente los conflictos entre Calderón y Bush, surgieron otras dificultades menores, las cuales desafiaron la capacidad de Costa Rica para negociar con los Estados Unidos, como lo hacían en ese momento otros países de la región. En 1990, Costa Rica perdió parte de su cuota de azúcar en los Estados Unidos, mientras que la presidenta Violeta Barrios de Chamorro, de Nicaragua, se vio favorecida con el reestablecimiento de su antigua cuota de 1979. Cuando los Estados Unidos reajustaron las cuotas, en abril de 1990, se les concedió a varias naciones, entre ellas Nicaragua y Panamá, un incremento de 8,13 por ciento. Mientras que Costa Rica se quedaba con una cuota de 49.758 toneladas métricas, Nicaragua obtuvo una cuota de 54.328 toneladas métricas. Costa Rica interpretó esta actitud como un insulto, como un acto de desprecio y un serio desaire (La República, 26 de abril, 1990:10A).

El otro tema importante está relacionado con el comercio del atún. A inicios de 1992, un juez federal de los Estados Unidos declaró que ese país debería imponer un embargo a las importaciones de atún en varios países, incluyendo a Costa Rica. Aunque Costa Rica no comercia atún con los Estados Unidos, tal embargo afectaría sus ventas en Europa y Asia. El embargo está basado en la protección del delfín. Los costarricenses afirmaron que sus métodos de pesca protegen a los delfines. Ellos percibieron las acciones estadounidenses como injustas y calcularon que el embargo costaría aproximadamente unos US$ 4 millones en pérdidas a la industria atunera nacional (Mora, 5 de febrero, 1992).

El presidente Bill Clinton, nueva administración, ¿nuevas políticas?

En 1992, durante la campaña electoral de los Estados Unidos, muchos costarricenses supusieron que el presidente Bush ganaría las elecciones y se quedaron sorprendidos y optimistas cuando la papeleta de Bill Clinton-Al Gore obtuvo el triunfo. Con los antecedentes ambientalistas de Al Gore y un presidente más "progresista", como era Bill Clinton, Costa Rica tenía la esperanza de mejorar sus relaciones y obtener apoyo en sus políticas de defensa del medio ambiente, en sus necesidades comerciales y en la solución de los problemas de las expropiaciones de tierras.

Cuando Bill Clinton asumió el gobierno, en la Casa Blanca, él puso énfasis en los problemas internos y en la crisis económica, que habían sido centrales de su campaña electoral. Poco después de asumir el poder en Washington, Clinton enfrentó la crisis en Boznia-Herzegovina, un conflicto militar en Somalia, miles de refugiados de Haití y Cuba, el proyecto NAFTA –el cual había sido negociado por la administración Bush, sin consultar a Clinton, por supuesto–, y otros temas económicos y estratégicos fundamentales con la antigua Unión Soviética. Clinton no estaba preparado para estos y otros temas de trascendencia mundial. A problemas menos importantes, como los de Costa Rica, no se les prestó ninguna atención.

Después que Bill Clinton llegó a la presidencia era obvio que América Central y Costa Rica no serían prioridades en la agenda estadounidense. De acuerdo con un observador y periodista costarricense: "con el fin de la guerra fría, nuestro país dejó de existir en el mapa geopolítico de Bill Clinton" (Murillo, 1993: 12ª).

Los casos sin resolver en la administración Bush continuaron en la administración Clinton, pero con menor atención que antes. Incluso temas secundarios, como nombramientos de embajadores, revelaron una ausencia y un desinterés en asuntos de política exterior por parte de la nueva administración. Con la elección de Bill Clinton a la presidencia, el embajador Luis Guinot, hijo, nombrado por Bush, renunció y salió de Costa Rica en los primeros días de marzo de 1993. Lo que comenzó como un cambio administrativo corriente, terminó en una fuerte crisis política. En lugar de reemplazar al embajador y nombrar uno nuevo, la administración de Clinton decidió ignorar las relaciones diplomáticas con Costa Rica durante casi dos años. En Octubre de 1994 se nombró un nuevo embajador, Peter De Vos, quien llegó a Costa Rica a finales de ese mismo año.

Algunas personas discutieron esta situación con el autor, entre ellos un funcionario de la Embajada de los Estados Unidos en Costa Rica, y calificaron este tipo de trato como un insulto y un ultraje en contra del pequeño país. Durante este lapso, cuando los Estados Unidos estuvieron sin representante en Costa Rica, este país continuó teniendo severos diferendos con el gobierno estadounidense, pues el problema de la expropiación de tierras continuó y florecieron nuevos conflictos.

Los costarricenses que siguieron muy de cerca los debates del tratado NAFTA estaban muy complacidos porque Bill Clinton lo apoyó, a pesar de que había sido preparado por Bush. Por consiguiente, los costarricenses anticiparon que, eventualmente, ellos podrían negociar tratados con Estados Unidos similares al NAFTA. Pero, en cambio, encontraron que el apoyo estadounidense al concepto de libre comercio no era seguido por sus actos. Jorge Rossi Chavarría, exvicepresidente y ministro de Finanzas, plasma este sentimiento al afirmar que, ante los centroamericanos, las acciones de Estados Unidos aparecen como parte de una nueva tendencia económica imperialista, la cual perjudica a la región, más que lo que la favorece (Rossi, 28 Jan. 1995: 14A).

Costa Rica solicitó el aval de Estados Unidos en dos temas comerciales: el comercio bananero con la Unión Europea y la estabilización de los precios del café. Los dirigentes costarricenses se decepcionaron al no recibir apoyo en ninguna de las peticiones, e incluso se sintieron como una "presa" en manos de las compañías bananeras estadounidenses, las cuales no creyeron que Costa Rica aceptaría las cuotas de la Unión Europea. Costa Rica enfrentó el dilema entre no negociar con Europa o enfrentar las sanciones económicas de los Estados Unidos.

El presidente Calderón le reprochó a los Estados Unidos y a las naciones desarrolladas sus posiciones y actitudes en relación con el café y el banano. Calderón manifestó que: "por una parte, los países desarrollados abogan por mercados libres pero, por otra, nos cierran las posibilidades de desarrollo e incremento en las ventas de nuestros productos" (FBIS-LAT 93-20:37).

La administración Clinton estaba envuelta en dos conflictos con Costa Rica, aparte del diferendo sobre las expropiaciones y la ausencia de embajador en ese país. En 1993, la AFL-CIO presentó reclamos, ante el Departamento de Comercio de Estados Unidos, pidiendo restricciones en el intercambio comercial con Costa Rica, por sus leyes y prácticas antisindicales. El Código de Trabajo de 1943, en Costa Rica, estableció restricciones en las organizaciones y movimientos labores en el sector privado. Dicha ley regula las huelgas y no protege a los dirigentes de los movimientos sindicales. Sin embargo, estas mismas restricciones no se aplican al sector público. Como consecuencia de la ley y debido a la incapacidad de los movimientos sindicales durante los setenta y ochenta, estaba decayendo la membresía en las organizaciones de los trabajadores.

El movimiento sindical es débil, dividido, pequeño e impopular. Solo un 15 por ciento del total de la fuerza laboral está organizada y la membresía es más alta en el sector público que en el privado. En instituciones como el Sistema Bancario Nacional (en manos del Estado), el Instituto Costarricense de Electricidad (ICE) y la Caja Costarricense del Seguro Social (CCSS), están muy bien organizados. El Magisterio Nacional tiene una de las más sólidas organizaciones del país. La Ley del Servicio Civil protege a las organizaciones gremiales del sector público, mientras que el Código de Trabajo de 1943 protege las organizaciones gremiales en el sector privado. Aproximadamente, un 57 por ciento del sector público está organizado, versus un 8 por ciento del sector privado.

La administración Calderón intentó fortalecer y hacer más competitivos los sectores gremiales, mediante cambios en varios aspectos del código laboral y otorgándoles a los gremios el mismo poder que tienen las organizaciones solidaristas, de crear cuentas bancarias para sus miembros. A mediados de 1993, este proyecto de ley enfrentó varios obstáculos en la Asamblea

Legislativa. Los solidaristas y los comerciantes lucharon con intensidad para evitar que se aprobara. Fue en esta batalla que la AFL-CIO entró en juego. Este es el caso de una organización extranjera no-gubernamental que interfiere en una disputa interna, donde el escenario incluye a actores pluralistas que intentan influir en los procesos políticos locales. La AFL-CIO pidió expulsar a Costa Rica del Sistema General de Preferencias y de la Iniciativa para la Cuenca del Caribe.

Este caso fue tan ofensivo para los costarricenses que, incluso el Arzobispo de Costa Rica, Monseñor Román Arrieta, criticó abiertamente a los Estados Unidos. Arrieta condenó las acciones y amenazas contra Costa Rica y resaltó que tales medidas lastimaban a los trabajadores mismos, a quienes se trataba de ayudar. Agregó que las sanciones que se querían imponer a Costa Rica podrían tener un efecto contraproducente en muchos países de América Latina y la iglesia católica interpretaría tal acto como una acción intervencionista por parte de los Estados Unidos en los asuntos internos de este país (FBIS-LAT-93-164: 26 de agosto, 1993:9).

Las acciones de AFL-CIO, de cortar el libre comercio, pudieron tener un efecto devastador en la economía costarricense. Costa Rica enfrentó una pérdida de más de US$ 400 millones provenientes de la exportación de textiles y plantas ornamentales, la cual había sido concedida bajo la Iniciativa de la Cuenca del Caribe y el Sistema Generalizado de Preferencias. Esta acción probablemente se tomó para justificar la preocupación del AFL-CIO porque el movimiento Solidarista se expandiese a otros países de América Latina. (Washington Times: 25 de enero, 1994).

El presidente Calderón criticó a los Estados Unidos por la amenaza de expulsar a Costa Rica del Sistema General de Preferencias y de la Iniciativa de la Cuenca del Caribe, porque Costa Rica venía progresando en la aplicación de las leyes laborales y en la protección de los derechos humanos. Calderón indicó que la actitud de los Estados Unidos no era realista y que: "no es posible que los Estados Unidos mantengan una actitud bélica contra sus aliados y, sobre todo, en una época en la cual la región ha progresado significativamente en cuanto a democratización y derechos humanos, durante sus 172 años de vida independiente" (FBIS-LAT 93-20, 2 de noviembre, 1993:37).

El último conflicto estudiado en este capítulo es similar al del caso sindical. Se trata de un intento por parte de los Estados Unidos de obligar al gobierno costarricense a reformar un artículo de la Constitución Política. La pregunta que surge es, ¿hasta qué punto una nación democrática debe usar su poder para alterar la Constitución y leyes de otro país democrático? Los fines pueden ser bien intencionados, pero los medios para alcanzarlos fueron muy cuestionables.

En 1987, Millicon, una compañía privada, llevó el servicio de telefonía celular a Costa Rica. La compañía estatal costarricense, ICE, la cual suministra los servicios de telefonía y de electricidad, opera bajo una norma constitucional. El ICE disfruta del monopolio sobre los servicios de telecomunicaciones y electricidad del país. La Corte Constitucional de Costa Rica (la Sala IV) declaró que este monopolio es constitucional y que su poder se extiende a los teléfonos celulares. Para que a Millicon se le permitiera competir con el ICE en el servicio de la telefonía celular, debería reformarse la Constitución Política de Costa Rica.

Parece que el problema con Millicon se resolvió en abril de 1995. Pero el acuerdo a que llegó el Gobierno de la República con la empresa internacional fue rechazado por el 90 por ciento de los empleados del ICE quienes, como protesta, sostuvieron una huelga de cuatro días. Además, como respuesta a las presiones políticas locales, el Controlador General de la República, Samuel Hidalgo, bloqueó el acuerdo diciendo que era inconstitucional. El fallo de la Corte Constitucional para cerrar Millicon provocó una amenaza por parte de la embajada americana (McPhaul, abril de 1995: 1 y 12, y mayo de 1995: 1 y 21).

El gobierno estadounidense era inconsistente en su trato a Costa Rica. Al mismo tiempo que Estados Unidos presionaba a Costa Rica por los casos de las expropiaciones y de Millicon, por los tratados comerciales y por los problemas con el AFL-CIO, simultáneamente, la administración Clinton solicitó ayuda y apoyo para resolver el problema de los refugiados de Cuba y Haití. Los funcionarios estadounidenses ni siquiera sugirieron un *quid pro quo*, o una promesa recíproca para resolver los asuntos mencionados anteriormente. En su lugar, los Estados Unidos le pidieron ayuda a Costa Rica para resolver el problema de los refugiados pero, a su vez, ignoraron las necesidades y problemas de ese país centroamericano. A pesar de la arrogancia de la solicitud y del posible impacto negativo en la sociedad costarricense, Costa Rica se ofreció a aceptar cerca de 2.000 cubanos, siempre y cuando estos probaran que tenían familiares en el país. A cambio de este gesto de buena voluntad, el gobierno costarricense no pidió ni recibió nada.

Para terminar con una nota positiva, vale la pena resaltar que los Estados Unidos y Costa Rica firmaron un acuerdo, "único en su clase", el 24 de setiembre de 1994. El presidente José María Figueres y el vicepresidente estadounidense Al-Gore, firmaron una Carta de Intenciones para un Desarrollo Sostenible Bilateral entre el Gobierno de los Estados Unidos y el Gobierno de la República de Costa Rica, Cooperación e Implementación de Medidas para Reducir Emisiones de Gases y el Efecto Invernadero.

Este acuerdo facilita la ejecución colectiva de actividades y programas que podrían ayudar a la reducción del efecto invernadero y a un desarrollo sostenible. Por ejemplo, el efecto invernadero mundial puede ser reducido por medio de la conservación de los bosques tropicales y los programas de reforestación en Costa Rica. Bajo este programa, las industrias en los Estados Unidos que contaminan la capa de ozono pueden pagarle a Costa Rica para mantener y conservar los bosques del trópico húmedo. El acuerdo también pretende preservar la biodiversidad costarricense y sus ecosistemas. Este programa y acuerdo están diseñados como modelo para otros países de América Latina.

El acuerdo se propuso con el fin de promover el desarrollo en Costa Rica y al mismo tiempo conservar sus recursos naturales y sus bosques, pero también ayuda a la industria estadounidense a mitigar y negociar sus emisiones de dióxido de carbono (CO_2), a cambio de la conservación del trópico húmedo. Este elemento del acuerdo es una verdadera innovación en la política económica internacional.

Conclusiones

Uno de los problemas más importantes de la toma de decisiones en una sociedad democrática es precisamente la naturaleza plural de los procesos políticos. Hay muchas dependencias, instituciones, partidos políticos, intereses e individuos que tratan de influir en la elaboración de las políticas públicas y, aunque en menor grado, esta condición también se aplica en el área de la política exterior.

Con el fin de la Guerra Fría, de manera concomitante, ocurrió otro fenómeno político interesante en Centroamérica. La región dejó de ser el punto central en la política estadounidense y cayó en un estado de olvido e intrascendencia y esto, por supuesto, les creó problemas a estos pequeños países. Cuando el presidente estadounidense y sus consejeros dejaron de darle prioridad a esta parte del mundo, los grupos de presión que operan en las sociedades democráticas empezaron a tener influencia sobre temas y decisiones políticas referidas a esos países. Por ejemplo,

¿Cuántos estadounidenses están conscientes de que miembros del Partido Demócrata, el Partido Republicano, la AFL-CIO y la Cámara de Comercio de los Estados Unidos reciben millones de dólares que provienen de la recolección de impuestos, para desarrollar y ejecutar sus propias políticas hacia el exterior? (Kanjorski, 1993: H4808).

A mediados de 1993, el presidente Calderón argumentó que los Estados Unidos no deberían abandonar a Centroamérica. Calderón dijo: "desdichadamente, muchas veces los Estados Unidos cometen una serie de errores en América Latina porque no escuchan las sugerencias de los latinoamericanos". Agregó también que los Estados Unidos "deben entender claramente que en el mundo de hoy los latinoamericanos son sus aliados por naturaleza". Por consiguiente, Estados Unidos debería considerar a Latinoamérica como una región de prioridad, la cual merece mucha mayor atención (FBIS-LAT 93-167, 31 Agosto 1993:8). Por otra parte, me parece que mi colega y amigo de la CIA, Larry Boothe, tiene razón cuando afirma que los políticos estadounidenses perciben que este país no tiene amigos, solo adversarios (Entrevista, 17 de febrero, 1995). El problema radica en el hecho de que estos adversarios son tratados como enemigos y no como aliados.

La Administración Clinton- Al Gore no estipuló un nuevo liderazgo y nuevos lineamientos políticos con respecto a Costa Rica. El nuevo gobierno estadounidense no resolvió los viejos problemas, algunos de los cuales eran de suma importancia, como el de la Hacienda Santa Elena. Se desvanecieron las esperanzas de que un equipo de gobierno estadounidense más "progresista" y ambientalista fuera más sensible a los problemas costarricenses.

Este trabajo presenta evidencias de que podrían ser ciertos los dos temores de los latinoamericanos hacia los Estados Unidos. En primer lugar, los latinoamericanos temen permanecer al margen de la relación, debido a la "negligencia benigna" conque los estadounidenses los perciben. Para los Estados Unidos, muchos de los problemas que afectan sus relaciones con Costa Rica son marginales.

Por otra parte, los latinoamericanos también temen que tal negligencia no sea tan benigna. Este ensayo indica que, en el deterioro de las relaciones entre Estados Unidos y Costa Rica debido a los problemas mencionados –los cuales parecen no ser tan importantes para los Estados Unidos, pero han tenido un fuerte impacto en la región–, los Estados Unidos no han actuado en forma benigna sino, más bien, han impuesto fuertes sanciones económicas e incluso han amenazado con imponer sanciones más duras en el futuro.

Un académico estadounidense, especialista en relaciones con Latinoamérica, apunta:

> Temprano argumenté que el final de la guerra fría ha hecho menos probables las intervenciones militares. Más bien la probabilidad es que las políticas tomen la dirección opuesta, hacia una negligencia que podría ser, a largo plazo, no tan benigna. De hecho, la década venidera podría ser testigo del empobrecimiento y desintegración de

algunos estados latinoamericanos. Perú es el principal ejemplo de una nación donde las fuerzas del desorden amenazan la capacidad de cualesquiera autoridades gubernamentales, aunque hay otros países que se encuentran en una situación igual o peor que Perú (Ullman, 1994:25).

La naturaleza de los problemas entre Costa Rica y Estados Unidos indica la ausencia de sensibilidad, por parte de los segundos, hacia las instituciones, procesos y constititución costarricenses. Muchos de estos problemas tienen un carácter económico, lo que algunas veces no entienden los Estados Unidos, debido al hecho de que ciertos estados dentro de los Estados Unidos administran presupuestos más grandes y tienen economías más fuertes que muchos países latinoamericanos. Es injusto que los Estados Unidos apliquen en América Latina las mismas tácticas que ejecutan en Europa o Asia. Con el fin de la Guerra Fría, los estadounidenses y sus líderes, que ya no temen más al comunismo en la región, deben encontrar otras razones para relacionarse con América Latina. Ya se ha hecho algo en este sentido con el Plan Colombia y la guerra contra el terrorismo. El desarrollo económico y el intercambio comercial, que deben ser los puntos más importantes en las relaciones futuras. Esto podría crear más cooperación y solidaridad o, por el contrario, provocar más antagonismos, conflictos y sentimientos antiestadounidenses, como se ha ilustrado con este estudio de casos. Los Estados Unidos pueden ayudar a los sistemas democráticos, o como se ha indicado, pueden causar daños permanentes a pequeñas democracias.

Los problemas que han afectado las relaciones entre E.E.U.U. y Costa Rica, desde 1988, han sido insignificantes para los Estados Unidos, pero vitales para Costa Rica. En la mayor parte de los casos, los Estados Unidos han amenazado a Costa Rica con sanciones económicas si el país no satisface sus intereses. ¿Quién dijo que los días de la diplomacia de las "cañoneras" y del "dólar" habían terminado? En América Central, el período posterior a la Guerra Fría no ha sido de reconciliación sino, más bien, de regreso a los días de la explotación económica.

Sin embargo, no se le puede echar la culpa de todos los problemas y conflictos únicamente a los Estados Unidos. Costa Rica también es una sociedad pluralista, en la cual juegan un rol independiente grupos de presión y diferentes instituciones. En cuanto al problema laboral, por ejemplo, los negociantes costarricenses y las organizaciones solidaristas presionaron en la Asamblea Legislativa con el objeto de impedir que fuera aprobada la iniciativa sindical propuesta por el presidente Calderón. Ellos tuvieron éxito. Si la reforma se hubiera aprobado, no hubiera surgido ningún conflicto con la AFL-CIO.

En ocasiones anteriores, la Asamblea obstruyó resoluciones legislativas que hubieran prevenido conflictos con los Estados Unidos o con las instituciones financieras internacionales. Pero, como rama independiente del gobierno, con sus propios legisladores y grupos de presión, a veces la Asamblea actúa en forma tal que recibe la desaprobación del Poder Ejecutivo. Por ejemplo, en 1993 y 1994, Costa Rica perdió US$ 20 millones de los fondos del PL-480, porque la Asamblea Legislativa no actuó a tiempo. Diferentes partidos en el gobierno, así como la separación de poderes, por lo general, desembocan en políticas ilógicas y a menudo frustrantes.

Los casos de expropiación de tierras ilustran muy bien este punto. El sistema judicial costarricense es famoso por su lentitud y por demora de sus procesos, y esto ocurre con mucha frecuencia en los asuntos internos. Los ciudadanos estadounidenses, sin embargo, están acostumbrados a un sistema mucho más expedito. Puede ser que los propietarios estadounidenses tengan razón, pero deberán armarse de paciencia para esperar el fallo judicial.

Este estudio de casos indica también que ahora la ejecución de la política exterior es más complicada y compleja. Hoy participan mucho más actores en esos procesos y los actores de niveles inferiores tienen cada vez mayor influencia. Al mismo tiempo, por la naturaleza misma de los temas, estos parecieran ser insignificantes y triviales para los Estados Unidos.

La carencia de consenso en la política exterior estadounidense y la competencia entre la Casa Blanca y el Congreso agravaron el desarrollo de una política exterior coherente. Los

Estados Unidos adolecen de recursos eficientes para hacer valer sus intereses sobre América Latina, como sí lo hacían en el pasado. Además, la misma política interior de Estados Unidos carece de consenso y es mucho más "confrontativa", más conflictiva y proclive a los vituperios.

Cuando los principales actores de las políticas estadounidenses estaban más preocupados por temas como el intercambio comercial, las drogas, el medio ambiente, la seguridad, la fuerza militar y los problemas regionales de Europa del Este, la antigua Unión Soviética, el Medio Oriente, China y Japón; se ignoraban los problemas latinoamericanos, y los políticos de niveles inferiores aprovechaban este espacio para crear y materializar sus propios programas. A largo plazo, estas condiciones podrían resultar en un regreso a la crisis, la violencia y el conflicto que afectó a los países latinoamericanos durante los ochenta y noventa; o, a lo mejor, podría ser el prólogo del regreso a la "diplomacia del dólar" estadounidense de comienzos del siglo XX.

En los regímenes democráticos de América Latina un mayor número de instituciones y un espectro más amplio de dependencias e individuos participan en los procesos políticos. Los políticos estadounidenses actúan todavía como si pudieran tratar con un único líder autoritario en el proceso político y no respetan ni entienden que los presidentes de esos países no pueden tomar decisiones unilaterales ni en solitario.

Estos gestores de la política exterior estadounidense necesitarán ajustar su lógica y sus expectativas cuando trabajen con las democracias latinoamericanas. Será más difícil influenciar esas políticas y las respuestas latinoamericanas cuando los desafíos sean más complejos y las amenazas sean más destructivas. Al ir transformando cada sistema político, sus propias instituciones internas y sus propios procesos, también tomará más tiempo el adoptar las decisiones. Igualmente, Estados Unidos debe reconocer que Latinoamérica ha cambiado mucho en los últimos años.

La democracia costarricense: desarrollo continuo, a pesar de ambigüedades e impedimentos, (el proceso electoral de 1994)

VI

Introducción

El presidente Rafael Ángel Calderón no solamente tuvo fuertes enfrentamientos con los Estados Unidos, sino que también se encontró con grandes dificultades para concretar su plataforma de trabajo y el programa de política interior en Costa Rica. Construyó más de 70.000 viviendas para los más desfavorecidos, pero el nivel de pobreza aumentó durante su administración.

Calderón continuó con la privatización de las empresas estatales iniciada por el presidente Luis Alberto Monge. Finalmente, después de muchos años de obstáculos y dificultades, se privatizaron las empresas de la Corporación Costarricense para el Desarrollo (CODESA). La fábrica de fertilizantes (FERTICA) y la fábrica de cemento (CEMPASA) pasaron a manos privadas, así como otras entidades más pequeñas. Se eliminaron, asimismo, muchas restricciones y regulaciones que obstaculizaban el desarrollo de la banca privada. Se expandieron también las zonas francas y se aprobó la ley que las regula.

Aunque Calderón había prometido aumentar el presupuesto de la educación y de la salud, ambos se redujeron durante su administración, cuando también se aumentaron en más de un 75 por ciento los costos de los servicios básicos, como el teléfono, la electricidad, el agua, etc.

Calderón negoció asimismo un nuevo ajuste estructural con el Banco Interamericano de Desarrollo (BID), con el Fondo Monetario Internacional (FMI) y con el Banco Mundial (BM), para que el país pudiera obtener más de US$ 500 millones (71.000 millones de colones) en préstamos a bajo interés. Pero, a cambio, Costa Rica tenía que bajar su déficit interno. En 1992, la inflación bajó del 25 al 17 por ciento anual, y el Producto Interno Bruto (PIB) creció un impresionante 5,43 por ciento, en contraste con el 3,6 por ciento en 1990, y 2,25 por ciento en 1991.

En lo económico, Calderón se vio obligado a tomar muy impopulares decisiones. El impuesto de ventas subió del 10 por ciento al 13 por ciento en enero de 1991. A mediados de 1990 se había establecido un impuesto adicional del 10 por ciento a todas las importaciones. Las tasas de interés para préstamos ascendieron a más del 40 por ciento anual. Sin embargo, Calderón necesitaba aumentar la inversión privada, tanto interna como externa, y reducir el rol del estado en la economía. A mediados de 1993, el impuesto de ventas regresó al 10 por ciento y se abolió el sobreimpuesto del 10 por ciento a las importaciones, las tasas de interés bajaron al 20 por ciento y los impuestos a los bienes de importación disminuyeron hasta un promedio del 20 por ciento de su valor. A mediados de 1992 desaparecieron las restricciones para el cambio de dólares, para su importación y exportación, así como el control de las tasas de cambio.

Aunque en las sesiones legislativas entre 1990 y 1994 se aprobaron algunas leyes muy importantes, especialmente en lo relacionado con los impuestos, las pensiones, una nueva ley de tránsito y otras sobre el desarrollo económico, la Asamblea Legislativa perdió apoyo y credibilidad entre los costarricenses, quienes dejaron de confiar en el sistema. A principios de 1993, la Asamblea elevó los salarios de los diputados, lo que también provocó un impacto muy negativo entre la gente. Muy a menudo se tenía dificultades para trabajar en el Congreso pues no había suficiente quórum para las votaciones finales.

A mediados de 1991, cuando Luis Fishman asumió el control de los Ministerios de Gobernación y de Seguridad Pública, la Guardia Civil y la Guardia Rural quedaron bajo la dirección de una sola persona. Creció el número total de guardias, de 8.000 a cerca de 10.000. En marzo de 1993, el ministro Fishman se tornó en una de las figuras públicas más populares y se ubicó de segundo, después de Oscar Arias.

Se acusó a la fuerza pública de emplear violencia excesiva en las detenciones, especialmente en las relacionadas con drogas. También aumentaron las denuncias contra la policía por parte de los turistas, quienes reclamaban por haber sido forzados a pagar sobornos y hasta de haber sido robados por las mismas fuerzas policiales, pues ellos eran especialmente vulnerables frente los asaltos de la policía. En marzo de 1992, el 80 por ciento del público encuestado creía en la corrupción policial. En marzo de 1993, el 53 por ciento de los entrevistados pensaba que vivían con menor seguridad personal que en diciembre de 1992 (CID, marzo de 1993, N° 44).

El presidente Calderón tenía buenas relaciones personales con los presidentes de Panamá y de Nicaragua. Él invitó formalmente a todos los presidentes centroamericanos a participar en una cumbre que se realizaría al menos dos veces por año. En enero de 1991 capitalizó sus vínculos personales con México, para organizar una reunión de los presidentes de Centro América con Carlos Salinas de Gortari, el mandatario mexicano. También negoció extender los acuerdos de comercio con México, Venezuela, Colombia y Perú. En 1992 viajó a Europa, para mejorar el comercio y buscar asistencia financiera internacional con la cual incrementar el desarrollo económico. A pesar de que el Partido Republicano estadounidense lo había apoyado mucho en 1984 y en 1986, en su primera reunión con el presidente George Bush, en marzo de 1990, Calderón obtuvo solamente una promesa muy vaga de apoyo para que Costa Rica continuara con su democracia y mantuviera su estabilidad económica. Luego de esta reunión, Calderón recibió muy poca ayuda y apoyo efectivos de parte de los Estados Unidos. Después del colapso del comunismo en Europa Oriental, Estados Unidos empezó a perder interés en Centro América, como se vio en el capítulo anterior.

Los partidos políticos

En 1994, un total de diecinueve partidos políticos participaron en elecciones. Quince partidos lanzaron candidatos para las 57 curules del Congreso. En esta elección, cinco de los trece partidos minoritarios inscribieron candidatos para los dos poderes. Nuevamente, solo tres de ellos obtuvieron curules. En 1990 habían participado cuatro partidos que no lo hicieron en 1994; y, en estas elecciones se incorporaron cinco nuevos partidos con respecto a los que lo habían hecho en 1990.

En 1994, siete partidos lanzaron candidatos para el sillón presidencial. Los dos partidos principales, el Partido Unidad Social Cristiana (PUSC) y el Partido Liberación Nacional (PLN) fueron los únicos con posibilidades de llegar a la presidencia. Pocos costarricenses apoyaron los otros cinco partidos minoritarios, por lo que la mayoría del electorado permaneció ignorante con respecto a sus candidatos. Esta percepción se verificó con el hecho de que esos cinco partidos solamente lograron el 1,3 por ciento de los votos en 1990. En 1994, Fuerza Democrática lo hizo un poco mejor como partido de oposición. Obtuvo 1,87 por ciento de los votos, más que todos los otros partidos minoritarios juntos.

Los partidos mayoritarios

En 1993 el PLN eligió al hijo de José Figueres Ferrer, José María Figueres Olsen, como su candidato para las elecciones de 1994. José María se graduó de West Point, como ingeniero industrial, en 1979. Regresó a Costa Rica para dirigir los negocios de su padre. Durante la administración de Oscar Arias ocupó varias posiciones en la administración pública, finalizando sus servicios como Ministro de Agricultura. De 1990 a 1991 asistió a la Escuela de Gobierno y Administración John F. Kennedy, en la Universidad de Harvard, donde obtuvo una maestría en Administración Pública.

A pesar de tener suficientes cualidades para luchar por la presidencia, poseía algunos inconvenientes. En 1991 se editó un libro que lo vinculó con la desaparición y el asesinato de un traficante de drogas, José Joaquín Orozco Solís, apodado "Chemise", el 7 de marzo de 1973. Este asunto, conocido como el Caso Chemise, persiguió a José María durante todo el proceso electoral. Aunque nunca fue acusado formalmente del delito, él se declaró inocente desde el comienzo. Sin embargo, ganó la candidatura a la presidencia, con el 57,5 por ciento de los votos en la elección intrapartidaria.

José María también se enfrentó a otros problemas. El PLN estaba muy fragmentado y no parecía posible que lo unificara por su causa. Hubo rumores de que José Miguel Corrales Bolaños y Rolando Araya Monge, quienes habían competido en las elecciones primarias contra el candidato Carlos Manuel Castillo Morales en 1989, y contra José María Figueres en 1993, podrían separarse del PLN y formar uno o dos partidos nuevos. La muerte de Figueres padre, en 1990, y de Daniel Oduber, en 1991, hizo todavía más remota la posibilidad de conservar íntegro el partido. Para hacerlo aún peor, el expresidente Monge, uno de sus vicepresidentes y algunos miembros del gabinete, estaban enjuiciados (junio de 1993) por corrupción y mal uso de los fondos públicos. El proceso judicial podría provocar suficiente daño al PLN y su posible triunfo electoral, en febrero de 1994. Al contrario, el PUSC se encontraba más unido y fuerte que nunca.

Los resultados finales de los comicios de 1990, según datos oficiales del Tribunal Supremo de Elecciones, dieron a Calderón 50,2 por ciento de los votos y 46 por ciento para Castillo. Aunque Calderón ganó con una victoria sólida y sus copartidarios le aseguraron una mayoría en la Asamblea Legislativa, no pudo mantener elevado apoyo popular. Durante el primer año de gobierno la opinión pública cayó de un positivo 5 a un negativo 25, en una escala diseñada por CID. Para fines de 1993, sin embargo, se había invertido la tendencia llegando a un positivo 25 (CID, #55, marzo 1993: 10-11):

TABLA 6.1

Comparaciones del apoyo presidencial

(Porcentajes)

Cómo evalúa usted la labor que está haciendo el Presidente	Carazo (1978-1982) (UNIDAD)	Monge (1982-1986) (PLN)	Arias (1986-1990) (PLN)	Calderón (1990-1994) (UNIDAD)
Total	100	100	100	100
Muy buena	2	12	10	8
Buena	7	29	33	31
Ni buena ni mala	34	43	31	31
Muy mala	18	5	8	10
No sabe/no responde	2	3	4	5
Índice de apoyo CID	- 46	+ 28	+ 21	+ 14

Fuente: CID, Nº 44:12.

Comparado con los otros expresidentes, Calderón era menos popular que Oscar Arias (1986-1990) y Luis Alberto Monge (1982-1986), del PLN, pero más popular que Rodrigo Carazo (1978-1982), de su propia agrupación, la Unidad. Para diciembre de 1993 sobrepasó su marca más elevada, de noviembre de 1992, llegando al mayor porcentaje de apoyo a su administración.

En junio de 1993, Miguel Ángel Rodríguez Echeverría fue electo por el PUSC como su candidato para las elecciones de 1994. El Dr. Rodríguez se graduó de la Universidad de Costa Rica y luego estudió en la Universidad de California, en Berkeley, donde obtuvo una maestría y un doctorado en economía. Ha ejercido muchas funciones en organizaciones privadas y en el gobierno, incluyendo las de Ministro de Planificación (1968-1969) y Ministro de la Presidencia (1970).

A pesar de haber competido con Calderón para la candidatura del PUSC en 1988, Rodríguez permaneció como un sólido líder dentro del partido y restableció una relación muy estrecha con el presidente Calderón. De 1991 a 1992 ocupó la Presidencia de la

Asamblea Legislativa. En 1993 ganó, con un 77 por ciento del apoyo del partido, la candidatura a la presidencia.

Aunque era un buen candidato, el pueblo lo percibía como una persona arrogante, demasiado educado, muy oligárquico y nada representativo del corriente de las personas. Estas percepciones peyorativas le hicieron difícil aventajar a José María Figueres, a pesar de las múltiples opiniones en contra de este. En la últimas seis semanas de la campaña, los dos candidatos estaban tan parejos en el apoyo que las empresas encuestadoras de la opinión pública insistieron en no poder predecir el resultado final del proceso electoral.

Los partidos minoritarios

Las coaliciones filocomunistas perdieron bastante fuerza electoral durante los últimos dieciséis años. En 1990, los partidos de la izquierda redujeron tanto el apoyo popular que solo lograron ganar una curul en la Asamblea Legislativa.

La izquierda continuó su caída ante los ojos del pueblo y, para marzo de 1993, un 73 por ciento dijo que no había grupos de la izquierda organizados con suficiente influencia. Solo un 11 por ciento creía que la izquierda todavía estaba organizada (CID, #44; marzo 1993: 46-47). En 1994, los partidos izquierdistas (paramarxistas) no lanzaron candidato para presidente. Fue la primera ocasión, desde 1970, que no se ofrecía tal opción a los votantes costarricenses (TSE; 1988). Más bien, en 1994, Vanguardia Popular (el partido comunista tradicional) lanzó candidatos solo para la Asamblea Legislativa. Su fuerza electoral era tan débil que obtuvo solamente el 1,3 por ciento de los votos y perdió toda representación en la Asamblea Legislativa. En 1994, Pueblo Unido apoyó a los candidatos del Partido Fuerza Democrática, al carecer de candidatos propios. En estas elecciones, la izquierda radical continuó perdiendo apoyo de los electores.

Según Roberto Salom (2003:5), la izquierda no comprendió que "… es posible realizar grandes transformaciones sociales sin un planteamiento de ruptura del orden constitucional en un país como Costa Rica". Por otra parte, puntualiza, "… en nombre del socialismo se cometieron las peores atrocidades; así como, … casi invariablemente, se construyó un estado autocrático y autoritario que constreñía a la sociedad civil" (6).

En 1990, cinco partidos minoritarios, incluyendo a los de izquierda, presentaron candidatos para la presidencia de la república. En buena medida, eran pequeños partidos independientes, sin ideologías consistentes y con pocos seguidores. Solo la coalición Partido Pueblo Unido (PPU), el Partido Unión Generaleña (PUGEN) y el Unión Agrícola Cartaginés (UAG) lograron un puesto, cada uno, en la Asamblea Legislativa.

También en 1994 fueron cinco los partidos minoritarios que lanzaron candidatos para la presidencia. Para diputados, 13 partidos minoritarios presentaron papeletas. Uno, de izquierda (el Partido Vanguardia Popular), contabilizó 20.026 votos a su favor, pero no obtuvo ninguna curul. De las otras agrupaciones minoritarias, el grupo de protesta, el Partido Fuerza Democrática, ganó el 5,3 por ciento de los votos emitidos y logró dos curules, así como los partidos regionales, Agrario Nacional y Unión Agrícola Cartaginés, con una curul cada uno.

Estos tres partidos minoritarios, al ganar cuatro curules, le impidieron al PLN la mayoría en la Asamblea Legislativa. El PLN tuvo que hacer grandes concesiones locales a los dos representantes regionales para obtener los 29 ó 30 votos necesarios para aprobar los proyectos de ley. Fuerza Democrática empleó también su palanca para obtener concesiones del PLN, y del PUSC en el futuro.

La campaña electoral

La campaña comenzó oficialmente el primero de octubre de 1993. Los anuncios propagandísticos en la televisión y en los periódicos rápidamente llegaron a ser los mecanismos primordiales para hacer política electoral en Costa Rica. Tradicionalmente, las plazas públicas habían sido las actividades más importantes de la campaña. A pesar de que ambos partidos continuaron con la costumbre de realizar plazas públicas, estas ocuparon un segundo lugar, debido al extendido uso de la televisión y los periódicos. De hecho, cuando los partidos políticos mayoritarios informaron sobre sus gastos de campaña, ambos indicaron haber destinado la mayor parte de sus fondos en anuncios de televisión. El PUSC gastó siete veces más en la TV que en los periódicos, mientras que el PLN invirtió cinco veces más.

A pesar de la cantidad de dinero que cada partido invirtió en la campaña, aproximadamente ₡560 millones de colones (US$ 3,73 millones), cada uno anticipó que gastaría, el día de elecciones, 375 millones de colones (US$ 2,5 millones) más en transporte (Méndez, 10 de febrero; 1994: 4A). En realidad, los dos partidos gastaron más de mil millones de colones cada uno: el Partido Liberación Nacional, ₡1,052 millones de colones y el Partido Unidad Social Cristiana, ₡1,360 millones de colones (TSE, 1995).

Esta campaña se recordará como una de las más sucias en la historia de Costa Rica. Según los periódicos y la mayoría de las personas entrevistadas, desde 1948 no se había realizado una campaña más negativa. Una de sus causas fueron los cuestionados antecedentes de ambos candidatos mayoritarios.

A José María Figueres se le acusaba, aparte de haber estado supuestamente involucrado en "el caso Chemise", de que tuvo negocios dudosos con una fraudulenta operación minera de oro y con la venta de los viejos bonos alemanes en Costa Rica.

Miguel Ángel Rodríguez, por su parte, fue acusado de comportamiento fraudulento en la exportación de carne a los Estados Unidos, donde alegó "no lo contendere" y pagó una multa al tesoro estadounidense. También fue acusado de acumular una fortuna, con información interna, antes de la mayor devaluación monetaria costarricense, en los primeros años de 1980, y de retirar su dinero poco antes de la quiebra de un banco del cual era accionista.

La campaña se "calentó" tanto que tuvo un consecuencias perjudiciales para los partidos políticos, las empresas encuestadoras de la opinión pública y los medios de comunicación. Por ejemplo, una figura importante de un periódico, Humberto Arce, director de La República, y una prestigiosa directora del noticiero televisivo más importante del país, Pilar Cisneros, cesaron en sus funciones como resultado de actividades y reportajes asociados con la campaña. En general, se acusó al PLN de crear suficientes presiones para ejercer la censura contra estas personas. También se acusó a las empresas de encuestas de "venderse" a los partidos mayoritarios y de alterar los datos para reflejar sus preferencias partidistas. Estas acusaciones amenazaron la credibilidad de las encuestas públicas y de las entidades encuestadoras, y convirtieron a viejos amigos en mortales enemigos.

El Tribunal Supremo de Elecciones (TSE) también tuvo problemas. En las elecciones primarias se vio obligado a detener algunas actividades electorales. Durante la campaña final, de octubre de 1993 al 4 de febrero de 1994, se declararon inapropiados 185 anuncios de propaganda electoral (**La República**, 3 de febrero; 1994: 6A; y, Quirós; 1994: 4). Además, el TSE se buscó problemas cuando intentó, inconstitucionalmente, prohibir propaganda antes de ser publicada. La censura previa es ilegal en Costa Rica.

También se criticó mucho al Tribunal (TSE) por intervenir en protestas populares y por detener a algunos de sus dirigentes. Un grupo, usando símbolos de los Estados Unidos de los años 1960, protestó en contra de las elecciones y los candidatos y pidió a la población que se abstuviera de votar. La semana anterior a las elecciones, durante una protesta pacífica de este pequeño grupo, la policía apareció y detuvo a algunas de las personas involucradas.

Esto no fue todo. En esta campaña se acusó a los partidos mayoritarios de prometer demasiado al electorado y de comprar votos. Ambos partidos regalaron bonos de vivienda, que serían redimidos por los gobernantes electos, después de las elecciones, por viviendas de bajo costo. Igualmente, se acusó al gobernante PUSC de manipulación, en el Ministerio de Educación, al repartir bonos escolares, para ayudar a los pobres a comprar libros, materiales y uniformes para el siguiente año escolar. El TSE detuvo esta práctica.

Asimismo, hubo denuncias contra ambos partidos por la compra directa de votos. A algunos se les acusó de dar dinero por promesas de votos por el partido –algo peligroso, ya que no hay forma de controlar el cumplimiento de la promesa. El otro sistema usado fue algo más astuto: partidarios fieles entraban en áreas donde predominaba la oposición y ofrecían dinero a las personas a cambio de sus cédulas de identidad, las cuales les serían devueltas después de las elecciones. De este modo se impedía que votaran por el partido contrario.

Este autor habló con muchos conocidos de ambos partidos mayoritarios. Había algunos que, dos a tres días antes de las elecciones, aún no habían decidido si votarían o no, o por quién votarían. Uno de ellos decidió anular su voto y otro ejerció un voto de protesta, al sufragar por el Partido Fuerza Democrática, a sabiendas de que no tenía muchas posibilidades de lograr la victoria.

La campaña dudosa, los antecedentes tan poco inmaculados de los candidatos más importantes, las sobre reacciones del TSE y la compra de votos, sesgan el proceso democrático y disminuyen la credibilidad del TSE, debilitando, finalmente, todo el proceso electoral.

Los resultados electorales

Las elecciones no eran para que Rodríguez las ganara, sino para que Figueres las perdiera. La primera encuesta de opinión pública realizada después de las elecciones primarias, en agosto de 1993, indicó que Figueres llevaba una ventaja de 8 puntos porcentuales sobre Rodríguez. Para mediados de noviembre, los candidatos estaban casi parejos, en un 38 por ciento. Al mismo tiempo, la gente siempre prefería el PLN por sobre el PUSC, por 7 puntos porcentuales: 42 a 35 por ciento. Esta lealtad partidaria permaneció casi idéntica hasta el último día. El 30 de enero de 1994, el PLN tenía 47 por ciento de apoyo, a 37 por ciento para el PUSC. En contraste, la preferencia hacia el candidato estaba mucho más pareja, ya que Figueres tenía 43,8 por ciento, comparado a 42,4 por ciento para Rodríguez, lo cual hizo impredecibles las elecciones (**La República**, 2 de febrero; 1994: 4A; y, **La República**, 24 de enero; 1994: 4A).

TABLA 6.2

Datos de las encuestas comparativas

Grupo encuestador	Figueres	Rodríguez	Liberación	Unidad
CID-Gallup	44,3 %	41,6 %	46,0 %	35,0 %
Borge&Asoc.	45,5 %	44,8 %	48,0 %	42,3 %
Unimer	45,0 %	46,9 %	44,0 %	44,0 %

Fuente: **La República**, 25 enero, 1994: 4A.

Los resultados electorales fueron muy parecidos a los de las encuestas. Figueres ganó el 49,58 por ciento de los votos, contra 47,61 por ciento para Rodríguez. Hubo menos de 30.000 votos que los separaron, de un total de casi 1.5 millones de votos. Aproximadamente votó un 81,3 por ciento de los electores inscritos.

En ese momento, más del 98 por ciento de los votantes lo hicieron por los dos partidos mayoritarios. El único partido que tenía seguidores en el ámbito nacional era una agrupación de izquierda, Fuerza Democrática, con 1,90 por ciento de sufragio. En contraste, los dos partidos mayoritarios recibieron solamente el 85 en la Asamblea Legislativa. Fuerza Democrática creció en su conformación de 28.274 votos a más de 78.400, y elevó su porcentaje de participación a un total de 5,32 por ciento. Otros partidos minoritarios, que no participaron con candidatos a la presidencia, recibieron 75.615 sufragios. Ambos partidos mayoritarios sufrieron con la quiebra del voto ("split vote"), mientras que los partidos pequeños lograron beneficios. No obstante, el PUSC perdió cerca del 50 por ciento más de papeletas que el PLN en estas elecciones, por la quiebra del voto.

La quiebra del voto conformó alrededor del 12,22 por ciento del total, lo que significa un crecimiento del dos por ciento sobre el mismo rango en 1990. La abstención, para 1994, se elevó un poquito con respecto a la de 1990, un 18,9 por ciento. Los votos en blanco y las abstenciones sumaron 35.882 votos en la papeleta para Presidente, muy similar a los datos de 1990. Esta cifra creció alrededor de 15.000 sufragios para la Asamblea Legislativa, con

TABLA 6.3

Totales finales para las elecciones presidenciales, de vicepresidentes y legislativas de 1994

Partido	Votos para la Presidencia	Por ciento de Votos Validos	Votos para la Asamblea	Por ciento de Votos Validos	Quiebra de Voto
PLN	739,339	49.62	658,258	44,61	-81,081
PUSC	711,328	47.74	595,802	40,38	-115,526
Fuerza Democratica	28,274	1.90	78,454	5,32	+50,180
Alianza Nacional Cristiana	4,980	0.33	21,064	1,43	+16,084
Independiente	1,600	0.11	9,213	0,62	+7613
Nacional Independiente	2,426	0.16	12,767	0,87	+10,341
Union Gereralena	2,150	0.14	25,420	1,72	+23,270
Autentico Limonense	-	-	5,468	0,37	5,468
Guanacaste Independiente	-	-	2,843	0,19	2,843
Accion Democratica Alajuelense	-	-	11,630	0,79	11,630
Union Argricola Cartagines	-	-	16,336	1,11	16,336
Vangurdia Popular	-	-	20,026	1,36	20,026
Agrario Nacional	-	-	13,589	0,92	13,587
Accion Laborista Agricola	-	-	3,859	0,26	3,859
Convergencia Nacional	-	-	864	0,06	864
Total	1,490,097	100	1,475,593	100	182,103 / 12.22%

TABLA 6.4

Votos recibidos, votos validos, nulos, blancos

	Electores Inscritos	Votos Recibidos	Votos Validos	No Votaron "Abstención"	Nulos	Blancos
Presidenciales	1.881.348	1.525.979	1.490.097	355.369	30.663	5.219
%	100	81,11	79,20	18,89	1,63	0,28
Legislativas	1.881.348	1.525.624	1.475.593	355.551	33.702	16.329
%	100	81,10	78,43	18,90	1,79	0,87

un total de 50.031 votos. Esta cifra creció con respecto a 1990. Para la Presidencia, hubo un dos por ciento de votos no válidos, y para diputados este rubro alcanzó el tres por ciento.

Esta situación tan pareja hizo que el PLN perdiera la mayoría en la Asamblea Legislativa. El PLN ganó 28 curules, mientras que el PUSC obtuvo 25. Lo más inusual fue que, por primera vez desde 1978, la izquierda radical perdió toda representación en la Asamblea. Sin embargo, los partidos regionales minoritarios obtuvieron dos curules. El partido moderado, progresista y reformista, Fuerza Democrática, también ganó dos asientos, y recibió 77.690 votos, o 5,29 por ciento de los votos para la Asamblea. El PLN logró el 44,69 por ciento y el PUSC obtuvo el 40,68 por ciento. El PLN tuvo que contar con los diputados regionales o los de Fuerza Democrática para obtener una mayoría y aprobar así sus leyes. Esta ausencia de mayoría significó un nivel más elevado de estancamiento político y parálisis, situación que la Asamblea ha experimentado en los últimos doce años. Esto no es positivo para la imagen y la credibilidad del poder legislativo.

Los partidos pequeños no fueron muy afortunados en la búsqueda de representación en la Asamblea Legislativa. Solamente Fuerza Democrática, el Agrario Nacional y la Unión Agrícola Cartaginesa obtuvieron curules. La razón por la cual los partidos políticos regionales Unión Agrícola Cartaginesa y Agrario Nacional lograron diputados, mientras que el Alianza Nacional Cristiana y el Unión Generaleña que no, se debe a que los partidos regionales concentraron toda su votación en una sola de las provincias,

TABLA 6.5

Totales de la Asamblea Legislativa para 1994

Provincia	PUSC	PLN	Fuerza Democrática	Agrario Nacional	Unión Agrícola Cartaginesa	Total
San José	9	10	2			21
Alajuela	5	5				10
Cartago	2	3			1	6
Heredia	2	3				5
Puntarenas	3	3				6
Guanacaste	2	3				5
Limón	2	1		1		4
Total	25	28	2	1	1	57

Cartago y Limón, mientras que la Alianza Nacional Cristiana y el Unión Generaleña consiguieron sus votantes en todo el país. La Alianza obtuvo 21.064 sufragios, y la Unión Generaleña logró 25.420, mientras que Unión Agrícola Cartaginesa recibió 16.336, y el Agrario Nacional 13.589 votos pero, como ellos se concentraron en dos provincias, pudieron ganar una curul en la Asamblea Legislativa cada uno. Fuerza Democrática ganó dos puestos en el Congreso, ambos solo en la provincia de San José.

Razones propuestas por los resultados

La campaña estuvo extremadamente pareja y Figueres casi hizo historia en el PLN. El PLN nunca había perdido una elección contra un partido de oposición en el gobierno. Figueres era muy vulnerable a la campaña negativa montada por Miguel Ángel Rodríguez, debido a sus antecedentes personales.

Para conducir esta campaña negativa, Rodríguez contrató a un experto, Roger Ailes, que había colaborado en las campañas de Reagan y de Bush. Según Carlos Denton, director de CID/Gallup de Centroamérica, Rodríguez vio muy poco cambio en las primeras encuestas realizadas, que lo dejaban más o menos ocho puntos atrás. Una vez que empezó la campaña negativa, la diferencia disminuyó, al punto que Rodríguez casi gana (Denton, 2 de febrero de 1994).

Por lo menos, hay diez razones por las cuales Rodríguez no ganó. Tres de las más importantes, según el politólogo y simpatizante del PLN, Luis Guillermo Solís, son:

1. Los miembros del Partido Liberación votan juntos regularmente, las encuestas mostraron que un 93 por ciento del partido más grande de la nación decía que votaría por Figueres.
2. Los grandes márgenes de derrota en las provincias le costaron a Liberación la pérdida en las últimas elecciones. Pero, esta vez, las encuestas mostraron que Figueres ganaría la provincia de Puntarenas y solo se ubicaría un poco detrás en la provincia caribeña de Limón.
3. La campaña de Rodríguez fue extremadamente sucia y anticostarricense. (**Tico Times**, 4 de febrero; 1994: 11)

Además de lo señalado, hay otras causas que explican por qué el PLN ganó las elecciones. Según las encuestas de opinión pública, el PLN era el partido preferido en Costa Rica. Desde agosto de 1993, el PLN llevaba una ventaja de aproximadamente 10 puntos porcentuales sobre el PUSC. En agosto de ese año era 50 por ciento contra 38 por ciento. Para el 8 de diciembre, la preferencia de partido indicó 48 por ciento contra 38 por ciento y, para enero –una semana antes de las elecciones–, la diferencia era 47 por ciento para el PLN y 37 por ciento para el PUSC (**La República**, 2 de febrero 1994:4A). Las masivas disensiones liberacionistas que necesitaba Rodríguez para obtener la victoria no fueron suficientes y Figueres ganó.

Hay, por lo menos, seis razones adicionales por las cuales fue insuficiente el número de desertores del PLN. Primero, la embestida de ataques negativos fue tan violenta que hizo que el PLN se uniera más que en 1990 y que en la precampaña electoral. Segundo, aunque Figueres tenía la ventaja en las encuestas, la campaña negativa lo hizo aparecer como "el pobrecito", o la víctima. Este "victimismo" tuvo un efecto de contragolpe para Rodríguez y ayudó a reducir la disensión en el PLN y el número de indecisos que votaron en contra de Figueres. Tercero, la campaña sucia se vio como anticostarricense, costándole votos a Rodríguez. Cuarto, el expresidente Oscar Arias, quien había permanecido apartado durante el proceso e inclusive en las elecciones primarias, cuando su esposa era precandidata, rompió su silencio una semana antes de las elecciones. Escribió una carta al liderazgo del PLN, la cual fue publicada en todos los periódicos y leída por televisión. Sin dar apoyo al candidato José María Figueres, afirmó que apoyaría al PLN en las elecciones e instó a los adherentes del PLN a hacer lo mismo. Escribió que, para el bien de Costa Rica, el partido necesitaba su apoyo y el de muchos otros. Posiblemente esta carta movió algunos de los indecisos hacia el PLN el día de las elecciones.

Quinto, Figueres era un candidato atractivo. Su apellido es el más famoso en la historia política moderna de Costa Rica. Además, tiene carisma, es un dinámico candidato caudillista y populista. Inclusive, bailaba en las plazas públicas y, desde la tarima, se lanzaba encima de la muchedumbre. El apellido Figueres hizo popular a José María, a pesar de sus debilidades y de sus antecedentes dudosos. En este sentido, fue igual que durante las elecciones de 1990, cuando Carlos Manuel Castillo se enfrentó al carismático candidato del PUSC, Rafael Ángel Calderón Fournier. En 1994, el caudillo, el candidato dinámico, era Figueres, del PLN. Otros también notaron esta situación. Decían que a Miguel Ángel Rodríguez le

"faltaba carisma, combinada con una porción de arrogancia. No importó cuánto tratara de deshacerse de esta imagen, Rodríguez, de 54 años de edad, profesor universitario de economía y empresario, salió tan 'frío como un pescado'. Como su famoso padre, Figueres tenía una 'pinta de campesino', mientras que Rodríguez no agradaba a muchos campesinos" (Brennan, 11 febrero 1994:10).

Sexto, la historia estaba en contra de una victoria para el PUSC. Desde que el PLN empezó en la vida política costarricense, en 1951, nunca había dejado de ganar en oposición al poder. En su historia de 45 años el PLN nunca había perdido dos elecciones seguidas:

> "El partido más grande de la nación ha mostrado una habilidad para rebotar ante una derrota, como lo hizo después de la derrota de 1990. Rodríguez, en una entrevista con el periódico La Nación, descartó como la razón de la derrota errores internos del partido, afirmando que Liberación jamás había tenido tan dura competencia para ganar al partido en el gobierno. '¿Cuándo ha ganado Liberación sólo por dos puntos?' dijo. '¿Cuándo ha estado la oposición en esta situación? Nunca. Este es un gran triunfo'." (Brennan, 11 febrero 1994:10)

El PUSC también falló en movilizar a su gente. No lo hizo tan bien como en 1990. Pero, asimismo, fue importante la capacidad de movilización del PLN, la cual mejoró desde 1990. El PLN no solo superó su propio récord de 1990 sino que también movilizó más que el PUSC en 1994, en la mayor parte del país. El PUSC perdió igualmente algo de su apoyo tradicional. Este hecho se debió, en parte, a fallas en la administración Calderón, que no cumplió muchas de sus promesas a los pobres de Costa Rica. En 1990, Calderón y el PUSC ganaron el 53,9 por ciento del voto en Puntarenas y 57,8 por ciento del voto en Limón. En 1994, Rodríguez y el PUSC perdieron Puntarenas por 48,9 por ciento, contra 49,1 por ciento para el PLN. El PUSC ganó en Limón, pero solo por el 5,2 por ciento, en contraste con el 22,6 por ciento de 1990. Los segmentos pobres y marginados del país probablemente hicieron la diferencia en las elecciones de 1994, al no apoyar al PUSC como lo hicieron en 1990. En 1990, los 18.000 votos repartidos entre el PUSC y el PLN en Limón, y los casi 17.000 votos en Puntarenas en 1990, podían haber cambiado las elecciones en 1994, ya que Figueres ganó por solo 30.000 votos.

El presidente José María Figueres tuvo que enfrentar muchos obstáculos. En general, debió mejorar su imagen. No debía permitir que la corrupción la manchara aún más, y debió cumplir algunas de las promesas de la campaña. Durante el proceso electoral, él adquirió, por lo menos, 175 compromisos políticos serios. Entre las más importantes están:

COMERCIO
* Procurar transformar el Ministerio de Comercio Exterior, estableciendo oficinas de comercio exterior, empresas de mercadeo, y otros intermediarios especializados, para permitir a los productores participar directamente en las exportaciones. Evitar la concentración excesiva o "desnacionalización" de ingresos, riqueza y oportunidades. Tratar de obtener y disfrutar los mismos beneficios que los Estados Unidos le han dado a México bajo el Tratado de Libre Comercio (TLC).

VIVIENDA
* Dar 200.000 bonos de vivienda de bajo costo y promover la construcción de viviendas fuera de San José y del Valle Central.

IMPUESTOS
* Propiciar una mayor eficiencia en la recolección de impuestos e intentar cambiar tanto la actitud y la ley para hacer que la evasión de impuestos sea un crimen punible.

INFLACIÓN
* Reforzar la estabilidad económica por medio de la disciplina fiscal y monetaria. Proponer alzas de incremento de salarios proporcionales a los incrementos en las tazas de interés.

SALUD
* Crear 800 Equipos Básicos de Asistencia de Salud (EBAIS) para trabajar como centros médicos rurales. Abogar por la creación de un subsidio para la educación, salud y alimentación de 350.000 niños pobres.
* Crear Centros de Emergencia Médica y Observación con suficientes camas y equipos quirúrgicos para trabajar las 24 horas al día.

* Construir gimnasios en todas las comunidades del país y proveerlos con equipos adecuados para ejercicios.

EDUCACIÓN

* Ofrecer educación preescolar para la infancia.
* Equipar 1.480 escuelas rurales con computadoras, televisores, equipos audiovisuales y bibliotecas.
* Establecer cursos de inglés en todas las escuelas primarias del país y clases de computación en 50 por ciento del total.
* Promover programas académicos en la secundaria que incluyan disciplinas diversas, tales como contabilidad, negocios, administración industrial y agrícola, computación e idiomas.

MEDIO AMBIENTE

* Proponer un Plan Maestro Nacional para guiar el crecimiento urbano ordenado, planear el uso de agua, regular el uso de tierra según la capacidad y preparar programas para desastres nacionales potenciales.
* Crear pequeños rellenos sanitarios e implementar programas para reciclar la basura.

PROGRAMA DE CAMINOS

* Dar prioridad a un programa permanente para el mantenimiento y reparación de vías públicas.

DESEMPLEO

* Crear un fondo de US$ 67 millones para estimular el desarrollo y garantizar el crédito para pequeñas empresas.

PROGRAMA SOCIAL

* Suministrar energía eléctrica a toda la población.
* Reestablecer el control de precios para la canasta básica.

PRIVATIZACIÓN

* Planear reformas para enfatizar la modernización de la banca estatal, la eficiencia de los bancos privados, la regulación del sistema financiero y la promoción de ahorros a largo plazo.

TIPO DE CAMBIO

* Proponer una política del tipo de cambio gradual que no castigue ni estimule artificialmente la importación y exportación, sino ajustar el tipo de cambio a través de incrementos graduales y pequeños.

TURISMO

* Promover inversiones adicionales de capital gubernamental en la industria de turismo para evitar la creación de proyectos aislados manejados por intereses extranjeros. Hacer del turismo un medio para promover el desarrollo social y proteger el medio ambiente.

INMIGRACIÓN

* La inmigración de atletas extranjeros y especialistas en diferentes campos para contribuir con la economía del país.

CIENCIA Y TECNOLOGÍA

* Propiciar el intercambio de tecnología, basado en la cooperación entre los sectores empresariales e industriales y las universidades.

El presidente electo tuvo que mejorar su posición ante las instituciones financieras internacionales (Ej. el Banco Mundial, el FMI, etc.) para mantener el apoyo internacional, el crédito y los fondos (Carvajal; 11 febrero 1994: 27). Figueres necesitaba esos recursos para sostener algunos de los programas que prometió. Sin embargo, los fondos internacionales serían insuficientes para cambios tan amplios. Algunos de los asesores financieros de Figueres ya habían sugerido que tendrían que establecerse nuevos impuestos para las nuevas demandas:

"Fuentes cercanas al equipo de Figueres dijeron que se harán alzas fuertes en impuestos a combustible, cigarrillos, bebidas alcohólicas, importación de vehículos e impuestos anuales de inscripción" (**Tico Times**; 11 Feb 1994: 26).

Conclusiones

Una de las pocas bromas, generalmente común en un proceso electoral costarricense, capta algo de la insatisfacción de la campaña y de las elecciones de 1994:

> "Un grupo de votantes le preguntó a una bruja local si podía darles el nombre del ganador de las elecciones. Miró su bola de cristal y dijo: 'Lo siento, solo puedo ver aquí el nombre del perdedor'. 'Está bien', dijeron los votantes. 'Si nos da el nombre del perdedor, sabremos quien será el ganador'. 'El perdedor', dijo la bruja, 'es el pueblo de Costa Rica'" (Dyer; 4 feb 1994: 15).

Muchos de los problemas políticos y económicos de Costa Rica parecieron agrandarse, porque la campaña y las elecciones no estuvieron a la altura de las normas costarricenses. Los principales candidatos tenían serias acusaciones morales y legales en su contra. Ambos candidatos prometieron más de lo que hubieran podido realizar. Hubo rumores de compra de votos y otras prácticas antiéticas. Además, ningún partido obtuvo la mayoría en la Asamblea Legislativa. Todas estas condiciones crearon un nivel de pesimismo en los medios de comunicación y entre los ciudadanos.

La existencia continua de caudillismo fue obvia en las elecciones de 1994. Muchos vieron al presidente saliente, Rafael Ángel Calderón Fournier, como un candidato algo parecido a su padre. De igual forma, José María Figueres exhibió también un fuerte componente de caudillismo, semejante al de su progenitor. El año 1994, entonces, fue un reflejo de 1948, aunque más pacífico, cuando un carismático Calderón fue reemplazado por un Figueres igualmente carismático. Debemos estar de acuerdo con Jorge Mario Salazar (1990: 30) en que el caudillismo está todavía vivo en Costa Rica y en que el electorado presta más atención a las personalidades que a aspectos e ideas políticas.

El hecho de que ningún partido tuviera la mayoría en la Asamblea Legislativa también indica una continuación de la inmovilización del sistema y de la parálisis política. Tampoco hubo cambios propuestos que alteraran la relación entre los poderes ejecutivo y legislativo. El presidente necesitaba mayor influencia en la Asamblea Legislativa, con el propósito de obtener suficiente cooperación para tomar decisiones más rápidas y, así, desarrollar programas y políticas esenciales sobre aspectos críticos, para el bienestar de la nación y la continuidad del proceso democrático costarricense.

Uno de los problemas más importantes fue la incapacidad de la Asamblea para establecer quórum. Pasaron semanas sin la posibilidad de votar la legislación y las políticas necesarias, solo porque no había suficientes diputados presentes para realizar la votación. A pesar de esto, los legisladores se aprobaron salarios más altos, beneficios adicionales y mejoras en su sistema de pensiones. Legislaron para ellos mismos. Entonces, tuvieron su mérito las acusaciones de autobeneficio e ineficiencia.

Entre las 175 promesas y programas extensivos sugeridos por el Presidente Figueres hay pocos que sugirieran una solución al extenso patrocinio burocrático y al sobreextendido servicio civil en Costa Rica. Por ejemplo, el Presidente Calderón prometió reducir el sector público, pero la mayoría de los más de 7.000 puestos eliminados en 1990 a 1992 fueron en bajos niveles. Al mismo tiempo, se crearon muchos puestos de alto nivel, donde se ubicó gente leal al PUSC, por lo cual los fondos ahorrados con el despido de muchos trabajadores se reutilizaron de nuevo en salarios. El gobierno de Figueres continuó con esta práctica, ya que el PLN tiene la reputación de expandir continuamente el sector público, y a pesar de la privatización de Calderón, la administración de Figueres aumentaría el número de empleados públicos.

A pesar de los pronósticos de que las elecciones fragmentarían aún más los partidos políticos y/o significarían una participación reducida y una proporción más alta de abstención el día de las elecciones, este no fue el caso. La bochornosa campaña pareció consolidar más a los partidos. Las fuertes personalidades en el PLN, que amenazaron con dejar la agrupación o no apoyar al candidato, al final le dieron un apoyo decidido. Fuerza Democrática (el partido de protesta) solo logró ganar 1,87 por ciento del voto presidencial. Esto fue menos de lo que los partidos paramarxistas en 1978 y 1982 recibieron de apoyo en votos. No hubo casi nada de protesta. El voto de abstención aumentó de 18,2 por ciento, en las elecciones de 1986 y 1990, a solo 18,9 por ciento en 1994. Esto no representaba una disensión masiva del apoyo partidario o de votantes, como se anticipaba. La participación y el compromiso público en el proceso electoral se mantuvieron altos, amplios y profundos. Las disensiones principales fueron al apoyo a los candidatos mayoritarios y no a los partidos mayoritarios. No hubo grandes actos de violencia y alboroto durante la campaña o en las plazas públicas. Las emociones se calentaron, pero este aspecto de la campaña fue "a la tica." No se materializaron todos los efectos perjudiciales, como se esperaba. Los partidos permanecieron sólidos, unidos y movilizados políticamente.

A pesar de los problemas que enfrenta Costa Rica, hay lugar para el optimismo. Los programas políticos del PLN prometían mayor democracia social, mayor ayuda a los pobres, mejorar las oportunidades de educación y un mayor enfoque en la salud. Si algunos de estos programas se concretaban y resultaran exitosos, entonces podría fortalecerse una de las debilidades más grandes de la democracia costarricense.

Pero Figueres no pudo cumplir con la mayoría de sus promesas. Las percepciones de corrupción y de compadrazgo abusivo continuaron durante su administración. La elección de los asesores de Figueres, el gabinete y líderes del partido, pudieron haberse hecho con más cuidado si la campaña hubiera sido diferente, o que los resultados de las elecciones no hubieron sido tan parejos y hubiera ganado con una mayoría más significativa.

Aunque sin una mayoría, la Asamblea Legislativa comenzó a funcionar en forma consistente y efectiva. La elección de dos diputados del nuevo partido opositor (Fuerza Democrática) podría haber presionado a los dos partidos principales a trabajar mejor, pero no fue así. El advenimiento de partidos regionales (había siete en las elecciones legislativas) en el futuro podría presionar también a los partidos principales a: 1) elegir mejores candidatos para las listas provinciales, 2) dar más servicio como diputados y mejor representación, y, 3) ser mejores custodios del bienestar de la nación.

Parece que Costa Rica sobrevivió a la campaña electoral más sucia después de 1948. No funcionó hacer campaña negativa. Tal vez esto signifique que este estilo de hacer campaña no se usará extensamente en el futuro. La democracia costarricense ha sobrepasado muchos desafíos. La crisis económica de los 1980 fue severa, y aún así no redujo el compromiso del pueblo con la democracia y con el proceso democrático. Asimismo, los costarricenses se vieron muy preocupados por la violencia y las guerras civiles de Centroamérica. Existió el temor de que Nicaragua invadiera a Costa Rica. Esta amenaza y temor no perjudicaron el proceso electoral en 1982, 1986 y 1990.

La democracia costarricense todavía debe sobrevivir a los desafíos que enfrenta. Hay una miríada de problemas sociales y económicos que necesitan resolución. Hay problemas estructurales en el sistema, la legislatura que no representa bien los intereses del pueblo, la burocracia ineficaz y lenta, la corrupción y los partidos políticos, quienes están perdiendo apoyo popular. Aún así, los ticos seguirán estando orgullosos y seguirán siendo leales a su sistema de gobierno.

Costa Rica es un país pequeño, con una historia única. Su evolución política es muy diferente a la mayoría de naciones latinoamericanas. Su cultura política también es distinta. Sin embargo, el uso exitoso de una agencia autónoma, el TSE, para registrar los votos y manejar las elecciones, podría ser emulada en otras partes. Si el sistema político costarricense quiere continuar con su camino exitoso, tendrá que resolver problemas sociales antes de que sean peores. De otra forma, el pueblo sí va a perder su confianza en el sistema democrático. La decisión por parte de las elites de acomodarse, comprometerse y percibir la política como algo más que un juego de sumas, propiciará un ambiente en el cual los líderes puedan tomar decisiones y aceptar opciones que tal vez reduzcan sus beneficios personales, pero que mejoren el bien nacional. Esta realidad no es única para los costarricenses.

Quizás el modelo de la democracia costarricense pueda transferirse a otros países, pero estos tendrán que aceptar limitaciones sobre la autoridad y el poder gubernamentales. Hay elementos específicos en el modelo de democracia costarricense que pueden ser aplicados en otras partes. Tal vez algunas naciones deban considerar la abolición de sus instituciones militares y utilizar estos presupuestos en el sistema educativo, como lo ha hecho Costa Rica. El desarrollo económico y social podría continuar, lo que haría más fácil la supervivencia de la democracia. La amenaza más grande que enfrenta la democracia latinoamericana hoy en día sigue siendo de tipo militar. Costa Rica puede y debe servir como un modelo de democracia, por parte de otras naciones, aunque enfrente otra amenaza en perspectiva: una democracia de papel, que no resuelve los problemas del todo, sin distingo de clase o de educación. Sin una mayoría que la afronte y la transforme continuamente, la democracia efectiva no será sustentable.

Política costarricense en transición: elecciones de 1998

Introducción

Hace algo más de cincuenta años Costa Rica tuvo una guerra civil. El viejo orden semidemocrático fue reemplazado por una nueva constitución, un nuevo régimen y un nuevo partido político. El naciente orden político se convertiría en el sistema más democrático de toda América Latina. En Costa Rica, con las elecciones de 1998, se celebraron los cincuenta años de esta tradición democrática. En 1948 el viejo sistema fue derribado porque el expresidente Rafael Calderón Guardia quiso conservar el poder en manos de su partido. En consecuencia, José "Pepe" Figueres Ferrer enfrentó ese golpe de estado y se opuso a Calderón en la guerra civil. Su victoria militar sobre Calderón cambió completamente el tradicional régimen político costarricense. En 1949 se promulgó una nueva constitución, basada en la liberal de 1871, y dos años después don "Pepe" fundó el Partido Liberación Nacional. Entre esos dos hechos trascendentales, el nuevo caudillo desarrolló muchas iniciativas y propuestas políticas novedosas, incluyendo la nacionalización del sistema bancario costarricense y la abolición del ejército.

En 1998 no hubo una guerra civil, ni violencia, ni golpe de estado alguno, pero el sistema y el régimen establecidos por don

"Pepe" Figueres estuvieron cerca de su fin. Muchas de las actitudes tradicionales parecieron alterarse en las elecciones de ese año. La evolución que se inició en 1948 entró en una nueva fase cincuenta años después. No se tambaleó la democracia, pero el viejo orden estaba desvaneciéndose. Tal vez estas elecciones no cumplieron con todas las características de un modelo de elección crítica, según los estándares estadounidenses, pero fueron una reafirmación de los cambios que se originaron en las elecciones de 1978 y, eventualmente, pueden ser consideradas como unas elecciones de realineamiento o desalineamiento. Se define como una elección crítica o de realineamiento aquella en la cual los patrones tradicionales de voto cambian, el partido dominante pierde su posición primaria y se altera la agenda política (Burns *et al*, 1993: 284-85 y Key, 1955: 3-18). Este capítulo abordará la historia de los partidos políticos y sus roles en las recientes elecciones. Brevemente, va a seguir la huella de la evolución de estas agrupaciones y de sus programas. Se analizarán las elecciones de 1998, así como los candidatos y la campaña electoral. Se hará énfasis en los cambios recientes en el sistema democrático costarricense. Parece haber realineamiento, desalineamiento y una apertura para las mujeres en el sistema político costarricense. Asimismo, se identificarán otros cambios importantes en la evolución política del pequeño país.

En 1998, el final de una era se celebró más con un "gemido que con una bala". La campaña electoral fue aburrida, fría y poco inspiradora para lo acostumbrado en Costa Rica. Poco se parecía al evento primordial en la larga historia democrática y predemocrática costarricense. Las transformaciones ocurridas, aunque moderadas, tendrán impactos significativos y duraderos en el sistema representativo costarricense. Entre los cambios más evidentes surgidos de esas elecciones están el posible debilitamiento del partido político históricamente predominante, la desalineación parcial de los votantes costarricenses, el crecimiento del abstencionismo, el aumento de la volatilidad en los hábitos de voto y una declinación del compromiso hacia los dos partidos políticos hegemónicos, los roles cada vez más críticos de los partidos minoritarios, la significativa expansión de la participación femenina en las posiciones de liderazgo político y la desaparición del grado de democracia social que los costarricenses habían disfrutado desde 1948.

Los partidos políticos

En 1998, un total de treinta y tres partidos presentaron candidatos para puestos desde presidente de la nación hasta miembros de los concejos municipales. En el pasado, entre cinco y siete partidos proponían candidatos para la presidencia; en 1998 hubo trece. Mientras que en 1990 dieciocho partidos presentaron candidatos para la Asamblea Legislativa, en 1994 solo lo hicieron quince. En 1998, en contraste, hubo veintitrés partidos en la papeleta legislativa y, por primera vez desde 1974, siete partidos diferentes ganaron representación parlamentaria sin que ninguno de los partidos tuviera la mayoría. Aún así, más del 87 por ciento de los puestos en la Asamblea eran de los dos partidos mayoritarios: el Partido Liberación Nacional (PLN) y la Unidad Social Cristiana (PUSC).

En 1998, de los trece partidos que presentaron candidatos para la presidencia solo los dos partidos mayoritarios hicieron campaña en forma más seria e invirtieron mucho más recursos. Aunque los partidos minoritarios elaboraron programas completos y propuestas específicas, e incluso participaron activamente en la campaña electoral y hasta organizaron sus plazas públicas, pocos costarricenses los apoyaron y la mayor parte del electorado ni se enteró de la existencia de los candidatos presidenciales que presentaron en sus papeletas (información obtenida en entrevistas y observaciones personales). Esta percepción se verificó de nuevo al notar que los dos partidos mayoritarios obtuvieron cerca del 89 por ciento de los votos para presidente. Esta parece ser una ligera fragmentación partidaria en Costa Rica pero, sin embargo, es un fenómeno en constante crecimiento. En 1990, los partidos minoritarios lograron solo un 1,3 por ciento del total de votos. En 1994 contabilizaron el 2,6 por ciento. En 1998, este grupo llegó a superar el 8,2 por ciento de los votos emitidos. Como ningún partido poseía la mayoría en el Congreso, los partidos pequeños cumplieron un rol aún más decisivo del que habían tenido hasta entonces. La multiplicación del número de partidos minoritarios, su creciente importancia, junto con la duplicación de la abstención al voto, combinada con el aumento en los votos nulos y en blanco, parece indicar un cambio importante en las percepciones, actitudes y comportamiento del electorado costarricense.

Los partidos mayoritarios

El Partido Liberación Nacional. Como se ha indicado, los dos partidos mayoritarios son el Partido Liberación Nacional (PLN) y el Partido Unidad Social Cristiana (PUSC). El primero fue fundado en 1951 por el caudillo José Figueres Ferrer. Desde sus orígenes, se ha intentado conformar una coalición en su contra. El PUSC, fundado a su vez por el hijo del otro caudillo, Rafael Ángel Calderón Fournier, en 1983, es la coalición antiliberacionista más reciente y la que ha tenido mayor duración (Ver Tabla 1.6).

En 1994, el candidato presidencial del PLN, José María Figueres Olsen (a su vez, hijo del primero), obtuvo una difícil victoria sobre el candidato del PUSC, Miguel Ángel Rodríguez Echeverría. Durante su campaña electoral, Figueres hizo más de 170 promesas a la nación costarricense. Muchas de ellas siguieron la línea de protección del estado de bienestar, de apoyo a los programas básicos tradicionales del PLN y de defensa de sus políticas anteriores. Menos de un año después de su victoria, era claro que Figueres no podría mantener la mayor parte de esas promesas. A inicios de 1995 Figueres se reunió con los líderes del PUSC, el expresidente Calderón y el excandidato Rodríguez. Trabajaron un pacto que puso fin a la presa en la Asamblea Legislativa y alteró la agenda política. Con este compromiso, Figueres abandonó buena parte de sus programas con orientación social y económica, fundamentales para la plataforma del partido, con el propósito de obtener una urgente reforma tributaria y una muy requerida reforma en las leyes de pensiones para educadores y empleados públicos. Este pacto tuvo un alto precio para Figueres y el PLN, pues su apoyo público se desplomó. La popularidad del Presidente Figueres cayó en un 44 negativo, según el índice CID-Gallup, solo dos puntos arriba del más impopular de los presidentes costarricenses de los tiempos modernos, Rodrigo Carazo Odio, quien, en sus peores momentos, tuvo un 46 negativo (CID-Gallup, No. 21: 24; No. 44: 12; y No. 62: 9) (Tabla 1.7).

El Partido Unidad Social Cristiana. Como se mencionó, el segundo partido más importante es el Partido Unidad Social Cristiana (PUSC, Unidad).

En 1983, Rafael Ángel Calderón Fournier reorganizó la Unidad y, en 1989 él mismo ganó fácilmente la precandidatura y se convirtió en el candidato presidencial del PUSC. Logró la elección presidencial en 1990 y se ha mantenido como un cuadro político muy importante en la Costa Rica de hoy.

Según los Salazar, "en términos de la oposición, las elecciones de 1990 fueron el cierre de una etapa, porque el triunfo de Calderón frente al candidato liberacionista, Dr. Carlos Manuel Castillo, no solo representó el acceso al poder, sino que varió su imagen de oposición, pues a partir de ese momento la verdadera oposición fue Liberación Nacional. El Partido Unidad Social Cristiana se consolidó como una organización política permanente, con cuadros dirigentes relativamente estables e integrados, capaces de conquistar el poder" (Salazar y Salazar, 1991: 153).

En realidad, el apoyo electoral al PUSC proviene de dos vertientes. Por una parte, incluye muchas de las elites agrícolas y agro-industriales tradicionales, así como buena parte de la nueva clase conservadora de negocios. También apela al segmento más pobre de la población y recibe, generalmente, el más alto apoyo de la provincia más desvalida de Costa Rica, la de Limón, en el Atlántico.

En junio de 1993, Miguel Ángel Rodríguez Echeverría se lanzó, sin mucha oposición, y ganó la precandidatura, con el 68 por ciento de votos de su partido. Ciertas percepciones negativas hicieron de la suya una campaña difícil, y la perdió. Pero en 1998, de nuevo sería candidato presidencial por el PUSC.

Los dos partidos mayoritarios tienen una interesante e importante característica. Tanto las agrupaciones políticas como las campañas electorales han estado dominadas por un pequeño grupo de personalidades muy fuertes. En muchos casos, las personas que participan en las campañas para la presidencia, si pierden, continúan luchando hasta que obtienen la victoria. PLN estuvo controlado por años por José "Pepe" Figueres y unos pocos más, como Francisco José Orlich Bolmarcich y Daniel Oduber Quirós. En el mismo sentido, la oposición ha estado dominada por Mario Echandi Jiménez, los Trejos y, en los últimos veinte años, por Rafael Ángel Calderón Fournier (ver Tabla 1.6).

Los partidos minoritarios

Cerca de la mitad de los 33 partidos que lanzaron candidatos en 1998 fueron primerizos en el proceso electoral. La mayoría trataba de capitalizar la creciente insatisfacción del electorado con los dos partidos hegemónicos. En las encuestas de opinión pública, cartas a directores de periódicos y por otros medios, muchos votantes expresaron insatisfacción y desapego de los dos partidos principales. Muchos de los antiguos partidos tradicionales de oposición también estuvieron en las papeletas electorales. Pero los partidos de izquierda casi habían desaparecido para 1998. En ese año, Pueblo Unido lanzó candidatos tanto para la presidencia como para la legislatura, pero solo ganó 0,21 por ciento y 1,05 por ciento del voto, respectivamente, y por ende ninguna representación en las instancias gubernamentales. En ese momento la izquierda radical parecía estar completamente moribunda.

En 1998 el partido moderado progresista, Fuerza Democrática, parece haber tomado el lugar de las más radicales alas izquierdistas. Este partido se organizó después de las elecciones de 1990. En 1994 lanzó de manera exitosa candidatos a través del país y pudo ganar dos curules en la Asamblea Legislativa. En 1998 expandió su representación a tres puestos. En 1998 diez partidos pequeños, en el ámbito provincial, lucharon por una representación legislativa. Ocho partidos locales adicionales lanzaron candidaturas únicamente para posiciones del gobierno municipal.

Hubo tres nuevos partidos nacionales, en 1998, que fueron capaces de al menos captar la atención suficiente de los votantes para obtener representación a escala nacional. Ellos son el Partido Renovación Costarricense, el Movimiento Libertario y el Partido de Integración Nacional. Por la primera vez en muchos años, los libertarios representaron una fuerza que era más conservadora que la del mismo PUSC. Cada uno de estos tres partidos obtuvo una curul en la Asamblea Legislativa. Estos partidos pequeños han jugado un rol importante en la Asamblea Legislativa porque, en 1998, el PUSC no tenía mayoría significativa de diputados. Consecuentemente, para pasar una legislación se había vuelto necesario crear coaliciones temporales con los partidos pequeños. Además, el PUSC no pudo mantener sus facciones unidas dentro de una línea de partido, y ni siquiera con la ayuda de los partidos pequeños de derecha pudo lograr la aprobación de la mayor parte de su agenda legislativa.

A pesar de la posibilidad de que los partidos minoritarios pudieran jugar un rol importante en la Asamblea Legislativa, no parecían estar ganando mayor popularidad entre el electorado; aún cuando el 28 por ciento de las personas encuestadas sugería que un tercer partido podría ganar las elecciones en el 2002 (CID, 1998, No. 76: 16-17), menos del dos por ciento del electorado mostraba una preferencia partidista por un partido minoritario. Por otra parte, el 27 por ciento no declaraba preferencia partidaria alguna (CID, 1998, No. 76: 5).

Antonio Álvarez Desanti dio una explicación de por qué los partidos minoritarios tienen poca importancia y poco impacto a largo plazo en la política costarricense:

"Y si entramos a analizar a los partidos minoritarios, debemos concluir en que sufren de problemas de estabilidad, más serios aún que los de los partidos mayoritarios, en donde cada cuatro años se cambian las banderas, en donde quienes llegan a la Asamblea Legislativa bajo un único partido minoritario, no llegan a completar la mitad del periodo cuando ya están divididos y se transforman en dos diferentes partidos, y en donde el surgimiento de los partidos minoritarios lo que refleja es una manifestación de intereses individuales y personalistas" (Alvarez Desanti, 1998: 224-225).

Los candidatos

Después de perder la precandidatura presidencial en 1989, Rodríguez lanzó su campaña para diputado. Ganó una curul en la Asamblea Legislativa y fue su presidente en el bienio 1991—1992. En 1994 Rodríguez pudo presentar su candidatura a la presidencia, pues Calderón estaba inhabilitado para buscar la reelección por la cláusula constitucional de no-reelección.

En 1998 Rodríguez efectuó una campaña positiva. Gastó más del doble del dinero dispensado por su oponente, PLN, y ganó la elección presidencial en 1998. Su oponente del PLN, José Miguel Corrales, llevó a cabo una campaña más débil y altamente negativa. José Miguel Corrales Bolaños también ha estado por algún tiempo en el paisaje político costarricense. Se lanzó en las elecciones primarias del PLN, en la campaña presidencial de 1994. Formó parte, durante dos administraciones, de la Asamblea Legislativa, en las décadas de los setenta y ochenta. De nuevo, lanzó su candidatura para la presidencia en 1997 y, finalmente, ganó las primarias del PLN. Su candidatura, sin embargo, se topó con mucha controversia y con serios conflictos en el interior del partido.

Aún cuando Corrales tenía la imagen de un hacendado caballeroso, afortunado y con los pies en la tierra, y Rodríguez la de un político rico y arrogante, y de comerciante exitoso, era Corrales quien daba la impresión de formar parte de la elite económica y Rodríguez parecía estar en una condición financiera menos ventajosa (información obtenida en entrevistas y observaciones personales). Muchos de los negocios de Rodríguez estaban en crisis financiera y no eran muy exitosos en el momento de la elección.

Estos doce años de concentración en sus ambiciones políticas, ¿habían perjudicado las finanzas de Rodríguez? La respuesta es, probablemente sí. Pero lo más importante para Costa Rica es preguntarse: ¿cuántas deudas contrajo y qué promesas políticas hizo Rodríguez para lograr la candidatura y la presidencia, y cómo se pagarían estas deudas y se cumplirían esas promesas? Por lo demás, habría que cuestionarse también sobre el monto de la "corrupción política" que costará a toda la sociedad costarricense.

La campaña electoral

Los comicios de 1993-94 reflejaron un cambio mayor en forma y proceso. En contraste con campañas previas, la mediación por la prensa, la radio y la televisión empezó a reemplazar la campaña tradicionalmente abierta de demostraciones partidarias, desfiles y de "plazas públicas". Los gastos, por ejemplo, eran de seis colones a uno entre televisión y otros medios. Cada partido mayoritario gastó poco menos de cuatro millones de dólares y un adicional de US$ 2,5 millones en transporte y movilización de votantes el día de la elección (Méndez, 10 de febrero 1994, 4A). En total, los dos partidos mayoritarios gastaron más de mil millones de colones cada uno. El PLN desembolsó alrededor US$ 7,01 millones, mientras que el PUSC sobrepasó los US$ 9,07 millones (TSE, 1995). Asimismo, esta campaña pasará a la historia como una de las más sucias. Hubo más propaganda negativa, más difamación y más ataques a las vidas personales de los candidatos de lo que los costarricenses habían visto en los tiempos modernos. Además, el Tribunal Supremo de Elecciones (TSE) tuvo que censurar mucho más propaganda política de lo que normalmente hacía. A pesar de estos cambios, la campaña 1993-1994 mantuvo mucho del espíritu tradicional. Mucha gente participó en las plazas públicas. Más de la mitad de los vehículos se adornaron con banderas y afiches de sus partidos. Las banderas de los partidos ondeaban en edificios públicos y privados por todo el país. En los dos días anteriores a la elección gran cantidad de gente tomó las calles para manifestar su apoyo a sus partidos y candidatos. La "fiesta de la elección", como se le conoce, mantuvo una atmósfera de realmente festiva.

En 1998 cambió mucho de lo tradicional de las campañas electorales. En primer lugar, la campaña no fue emocionante, con un mal principio y un peor final. Resurgieron muchos de los temas negativos concernientes a la integridad de Rodríguez usados en la anterior campaña. Muchos costarricenses se "apagaron" con esta táctica. De acuerdo con diversas personas entrevistadas, nadie ha ganado una elección en Costa Rica basado en una campaña puramente negativa. Pero esta también fue aburrida. Engendró poco entusiasmo y un gran escepticismo. Los candidatos carecían de brillo y la publicidad era vacía o con promesas que se percibían como irrealizables y demagógicas (Hernández, La Nación Digital, 6 de febrero 1998).

Además del hecho de que los candidatos inspiraban poco entusiasmo, el espíritu mismo de la campaña fue diferente del de las precedentes. Los días previos, y el día mismo de la elección, fueron muy diferentes a los típicos en Costa Rica. La gente estaba, en general, aburrida y desinteresada. Muchos parecían apáticos y otros mostraban serias frustraciones con la campaña, los candidatos y los líderes políticos, en general. Algunos cambios en el sistema de votación aprobados por la Asamblea Legislativa, la Corte Constitucional y el Tribunal Supremo de Elecciones (TSE) complicaron la situación. Por ejemplo, las nuevas normas incluyen la prohibición de utilizar fondos públicos para la adquisición de banderas. Como resultado, estuvo casi ausente la usual presencia de banderas ondeando en edificios, casas y vehículos. Se silenciaron también los pitos de los vehículos, sonando al ritmo del nombre de los candidatos. En esta campaña participaron menos de uno de cada diez vehículos. Hasta el número de las plazas públicas fue más reducido y no fueron muy concurridas. En general, estuvieron ausentes los signos externos de entusiasmo, emoción y compromiso, de los que este autor fue testigo desde 1986 y que se habían dado por años antes de esta elección. Otros cambios en las reglas electorales incluyeron la capacidad del Tribunal Supremo de Elecciones de censurar los materiales de la campaña, la prohibición de toda actividad proselitista en los dos días precedentes a la elección y la prohibición de publicar cualquier resultado de encuestas públicas de opinión a partir de los dos días anteriores a la elección, e incluso el mismo día. Además, se les prohibió a los partidos políticos recibir contribuciones para la campaña de parte de extranjeros o de agencias en el exterior. Un cambio inexplicable fue la discontinuidad del uso de la impresión del dedo pulgar para marcar las escogencias en las papeletas. De ahora en adelante se escribirá, con un lapicero especial, una X en las casillas escogidas por cada votante.

En 1998, a diferencia de la de 1994, Rodríguez tomó la opción de una campaña más cristalina. Su propuesta electoral se basó en programas, promesas y temas. Dejó los ataques personales, los comentarios negativos y la difamación a otros candidatos y partidos. Aún cuando no es un orador dinámico o una persona carismática, fue capaz de desarrollar algún entusiasmo entre sus partidarios. Las afirmaciones y posiciones de su programa se materializaron en varios documentos y en más de cincuenta páginas accesibles en Internet. Su candidata a primera vicepresidenta, Astrid Fischel, ayudó a definir, coordinar y diseñar su programa durante los últimos cuatro años. A pesar de su programa político más conservador, el PUSC también enarboló causas populares, como vivienda de bajo costo para interpelar a las clases de menores recursos. A lo largo de la nación Rodríguez clamó por la reducción de la pobreza. De todas las promesas hechas por el candidato Rodríguez durante la campaña de 1998, el público recordó esas dos más que cualesquiera otras: treinta y dos por ciento de los encuestados identificaron la lucha contra la pobreza como su mayor promesa de campaña, mientras que un 19 por ciento identificó la vivienda de bajo costo (CID, 1998, No. 75: 16). En junio del 2000, el público dudó de la capacidad del presidente Rodríguez para cumplirlas. Un total del 54 por ciento dijo que no tenía posibilidad de cumplirlas, mientras que el 40 por ciento deseaba que él concretara alguna de esas promesas (CID, Enero 2000, No. 81: 9).

En contraste, Corrales tenía pocas posiciones concretas y no era claro en sus propuestas y programas. Sus afirmaciones eran generales y sin detalle ni contenido. La mayor parte de sus postulados eran un rechazo a los ajustes económicos neo-liberales que se venían dando desde 1984. Sus planteamientos enfatizaron un deseo de restablecer los principios y líneas tradicionales del PLN. Atacó al gobierno de José María Figueres y, consecuentemente, las políticas de presidentes liberacionistas previos. También se lanzó con una propuesta de integridad y anticorrupción que se vinieron abajo tanto por sus propias afirmaciones, acciones y comportamiento, como por las de sus colaboradores dentro del partido. Por ejemplo, en el tema de honestidad personal y corrupción política, Corrales se contradijo en diversos aspectos. En el Partido mantuvo a todo el mundo en su posición, aún cuando clamaba porque existía una corrupción significativa en el liderazgo del PLN. La elección primaria, dentro del partido, que le dio a Corrales la precandidatura, se colmó de acusaciones de fraude. Pero el TSE no tenía jurisdicción para profundizar la investigación pues solo tiene atribuciones para controlar las elecciones nacionales y no las precampañas. Corrales pudo forzar la organización de nuevas elecciones primarias dentro del partido, pero no insistió en hacerlo, en espera de otro momento para restablecer su credibilidad. En otro intento para ilustrar su honestidad, Corrales presentó una declaración de su estado financiero, lo cual no es requerido por la ley costarricense. Pero esta medida lo hizo verse aún más deshonesto porque a la declaración le hicieron falta varias de sus propiedades y mostraba que las declaradas lo estaban por un monto menor al real, revelando que no estaba pagando los impuestos que debía (Julio Rodríguez, entrevista enero 29, 1998). El periodista Julio Rodríguez -sin relación alguna con Miguel Ángel Rodríguez- llegó a afirmar que Corrales era el peor enemigo de sí mismo. Él pudo haber manejado una campaña más honesta y positiva, pero no lo hizo. Pudo haber conversado más con grupos de presión y con diversas organizaciones, pero a menudo no se reunió con ellos o concertó citas a las que después no asistió. Finalmente, criticó con firmeza los cambios que se dieron desde 1978 en las líneas políticas del PLN, ofendiendo así a dos expresidentes del PLN, Monge y Arias (Julio Rodríguez, entrevista). Corrales dividió al PLN de mala manera. En 1993, después de una difícil elección primaria dentro del PLN, en la cual Corrales perdió ante José María Figueres, aquel declaró que no apoyaría la candidatura o la administración de José María Figueres, y no lo hizo. Durante la campaña de 1998 criticó el gobierno de Figueres. Tuvo una campaña doblemente negativa, en contra de Rodríguez y en contra de Figueres y, finalmente, de su propio partido. Viendo todo lo que hizo mal, es más bien sorprendente el apoyo que recibió.

Corrales también intentó restablecer las viejas propuestas y programas del PLN. En lugar de lograr la solidaridad del partido con esta táctica, lo que hizo fue aumentar el escepticismo y la desconfianza. Hizo promesas que daban la impresión de no poder cumplirse. Hasta calificó los esfuerzos de privatización de algunas empresas estatales como traición y acusó al gobierno y a los seguidores de Rodríguez de ser desleales a Costa Rica y a su cultura.

Según los expertos, Corrales luchó en una campaña que estaba perdida desde el principio. Las encuestas de opinión pública mostraban una gran brecha entre los dos candidatos mayoritarios. Durante meses, la brecha fluctuó entre 8 y 12 puntos, pero Rodríguez estuvo siempre a la cabeza. Los resultados de la elección los sorprendieron a todos, incluyendo a los candidatos. En lugar de perder por 10-12 por ciento, como indicaban las encuestas, ¡Corrales perdió por menos del 2 por ciento! De 1.431.913 votos que hubo en total, Rodríguez logró 652.160, mientras que Corrales, de forma sorprendente, obtuvo la impresionante cantidad de 618.834, una brecha de solo 33.326 votos entre ambos contendores.

¿Cómo pudieron equivocarse tanto las encuestas? Los noticieros difundidos por los medios, los expertos y los encuestadores de opinión pública tenían distintas teorías el respecto. Parte del público y los medios sugerían que el PUSC manipuló de algún modo o, peor aún, compró los resultados de las encuestas. De ser esto cierto, numerosos recopiladores de opinión pública no se mantendrían por mucho tiempo en el mercado. Otros reclamaban por la salida ilegalmente temprana de algunos resultados de la votación (alrededor de las 4:30 de la tarde, y no después de las 6:00, cuando ya las mesas de votación se hubieran cerrado), lo cual posiblemente motivó a votar a muchos de los seguidores del PLN que habían decidido no hacerlo. Otros hasta clamaban porque había habido fraude de por medio, citando el problema de Corrales en las elecciones primarias. Pero el fraude de esas dimensiones hubiese involucrado a centenares de personas dedicadas a trabajar en todo el proceso electoral y una conspiración de esa magnitud es difícil de encubrir. Este autor cree que fue una combinación de factores. Primero, muchos seguidores del PLN se decidieron a votar en el último minuto, por lealtad al partido y razones de deber ciudadano. Estas personas probablemente dijeron en las encuestas que no votarían por Corrales pero, a última hora, su lealtad al partido fue más fuerte que su desagrado por el candidato. La extrema impopularidad del PLN en ese momento: el régimen de Figueres también jugó un papel en todo esto. Mucha de esta misma gente no admitiría al encuestador, el día de las elecciones, que había votado por Corrales y muchos votaron luego de que los medios de comunicación hicieron públicos los resultados de las encuestas a la salida de los recintos de votación, como a las 16:00 horas. Algo similar sucedió en los Estados Unidos, en la campaña electoral entre Jimmy Carter y Ronald Reagan, en 1980. Las encuestas de opinión fueron incorrectas, así como también los datos a la salida de las votaciones. También pudo haber algo de fraude y de contragolpe, debido al reporte prematuro en la televisión de los supuestos resultados de las elecciones.

Rubén Hernández, en La Nación, está de acuerdo con este análisis. Él afirma que, antes de la elección, a los votantes del PLN les daba pena admitir por quién votarían. Tampoco lo admitirían ante los encuestadores, a la salida de los centros de votación. Él comparó esta situación con la del PSOE, el Partido Socialista de España, el cual recibió más votos de los que las encuestas anunciaban (Hernández, La Nación Digital, 6 de Febrero, 1998). Es necesaria una investigación posterior para verificar estas suposiciones.

En un análisis de las elecciones de 1994, este autor también formuló la hipótesis de que tres cosas sucederían en esa elección: primero, parecía que ocurriría una realineación y que se estaba dando una gran desalineación; segundo, se sugería que un tercer partido emergería con considerable fuerza; y, tercero, todo indicaba que habría una tasa de abstención mucho más alta. La gente se alejaría de estas elecciones en mucho mayor cantidad que en anteriores elecciones y se anularían o se dejarían en blanco mucho mayor número de papeletas. Aunque estas proposiciones no eran sustanciales en 1994, parecía que las elecciones de 1998 ofrecerían evidencia de que esas tendencias estaban en curso. En julio de 1995, por primera vez desde que las encuestas de opinión se realizan en Costa Rica, el número de personas que se consideraban políticamente independientes –o sin partido al cual apoyar– excedieron a los que se identificaban con el PLN o el PUSC. En la elección de 1998, mientras 652.834 votaron por Rodríguez,

656.634 no votaron o no fueron contados, con lo cual, por primera vez en la historia moderna de Costa Rica, el porcentaje de quienes se abstuvieron, de aquellos que anularon su voto y de los que dejaron su papeleta en blanco, excedió el porcentaje de los votos obtenidos por el triunfador: 45,86 por ciento, en contra del 45,54 por ciento a favor del PUSC (ver Tabla 7.1).

Segundo, los partidos minoritarios ganaron más puestos en la Asamblea Legislativa de los que habían logrado desde 1974. En 1982, la minoría controló cinco curules y privó a los partidos dominantes de consolidar la mayoría. Además, en 1998 el PLN ganó la menor cantidad de puestos en la Asamblea Legislativa desde que se aumentó su número, en 1961 (ver Tabla 7.2).

Por último, el número y porcentaje de personas que no votó fueron los más altos en la historia reciente de Costa Rica. Según el TSE y otros expertos, tradicionalmente, alrededor de un ocho y un diez por ciento no pueden votar en las elecciones. Costa Rica no tiene un sistema para votación en ausencia o a distancia. La gente que viaja, que está fuera del país, o simplemente que está muy enferma para ir a votar, no puede hacerlo. Desde 1962 ha existido otro grupo que decidió no votar. Este grupo representa entre el seis y el diez por ciento del electorado. Consecuentemente, el porcentaje de abstencionismo es de 18 por ciento cuando se suman las tasas de los grupos recién mencionados, pero solo aproximadamente la mitad de esta gente fue la que en realidad decidió no votar. En otras palabras, generalmente menos del diez por ciento decide abstenerse de votar. Consecuentemente, la tasa de abstención en la elección de 1998 estuvo cerca de duplicarse. El 30 por ciento que no votó representó un cambio significativo en la política costarricense (ver Tablas 7.1 y 8.1).

Este incremento en las tasas de abstencionismo es de gran importancia, pues la mayoría de los costarricenses creen que el voto define su democracia. De acuerdo con una de las encuestas de opinión pública, el 47 por ciento de los entrevistados indicó que "la democracia en Costa Rica es votar cada cuatro años"; el 16 por ciento estaban bastante de acuerdo, el 10 por ciento podría estar de acuerdo, y solamente el 27 por ciento estaban en desacuerdo con esa afirmación (Araya: 2001; 95-96).

TABLA 7.1

Totales finales para las elecciones presidenciales, de vicepresidente y legislativas de 1998

	Totales	PUSC	PLN	Fuerza Democrática	Renov. Costarricense	Libertario	Pueblo Unido	Otros Partidos Minoritarios	Total Partidos Minoritarios	Abstención	Nulos	En Blanco
Presidenciales	1,431,913	652,160	618,834	41,710	19,313	5,874	3,075	47,732	117,704	614,067	36,318	6,897
Porcentaje	69.99%	45.54%	43.22%	2.91%	1.35%	0.41%	0.21%	3.33%	8.22%	30.01%	2.54%	0.48%
Legislativas	1,430,579	569,792	481,933	79,826	27,892	42,640	15,028	157,240	322,626	615,401	32,709	14,343
Porcentaje	69.92%	39.79%	33.66%	5.58%	1.95%	2.98%	1.05%	10.99%	22.55%	30.08%	2.29%	1.00%
Electores Inscritos	2,045,980											
Votos Válidos	1,388,698	46.96%	44.56%									
Legislativas Votos Válidos	1,393,527	42.56%	34.70%									

Fuente: Tribunal Supremo de Elecciones, *Escrutinio de Elecciones para Presidentes y Vicepresidentes y Escrutinio de Elecciones para Diputados*, 1 de Feb 1998, últimos cálculos del: 16 de Feb 1998 y 25 de Feb 1998 respectivamente.

TABLA 7.2

Totales de la Asamblea Legislativa para 1998

Provincia	PUSC	PLN	Fuerza Democrática	Movimiento Libertario	Partido Integración Nacional	Partido Renovación Costarricense	Regional	Total
San José	8	8	2	1	1	1		21
Alajuela	4	4	1				1	10
Cartago	3	3						6
Heredia	3	2						5
Puntarenas	4	2						6
Guanacaste	3	2						5
Limón	2	2						4
Total	27	23	3	1	1	1	1	57

En 1998, aunque la mayor parte de la gente todavía apoyaba a los dos partidos mayoritarios, querían un cambio y que esas agrupaciones fueran más receptivas y respondieran mejor a sus aspiraciones. En muchas discusiones con gente de todos los niveles de la sociedad, este autor se sorprendió por la cantidad de personas que insistían en que ellos tenían "derecho a no votar en las elecciones". Creían que había un compromiso cívico con la votación, pero que no votar también era una importante vía para transmitir un mensaje a los partidos políticos y a sus dirigentes. Mucha de esa gente asumió esa posición y creyeron que su deber cívico les imponía no votar, con el propósito de hacer cambiar el sistema y tornarlo más democrático.

Esta posición coincide con otro estudio, el cual encontró que "no votar es una forma de protesta". En esta encuesta, cuando le preguntaron a los entrevistados si estaban de acuerdo con esta idea, el 37 por ciento estaba totalmente de acuerdo, el 18 por ciento bastante de acuerdo y el 15 podía estar de acuerdo. Así, el 70 por ciento de los entrevistados consideraban esta negativa como una forma válida de protesta (Araya: 2001; 96-97).

Oscar Aguilar escribió que un tercio de la nación no votó, anuló la papeleta o votó en blanco, enviando de ese modo un enérgico mensaje a los partidos mayoritarios. Afirmó que Costa Rica había sido el gran triunfador en estas elecciones. La gente exigió reformas a los partidos, dirigentes responsables y un cambio en la manera de pensar de la elite política (Aguilar: 1998; 19 de febrero).

El TSE temió que el abstencionismo fuera alto; por ello, al principio del proceso, empezó su propia publicidad, en la cual insistía, con vehemencia, que votar era un deber cívico de todos los ciudadanos. Su lema era: "Yo sí voto porque amo a Costa Rica". La Iglesia Católica también empezó a preocuparse por los no votantes. Días antes a la cita electoral, en un movimiento sin precedentes, el Arzobispo apareció en la televisión y declaró enfáticamente que todos tenían la obligación moral de votar. Su declaración en pro del deber cívico salió al aire varias veces antes del cierre de los comicios.

Hallazgos

Al inicio de este capítulo se afirmó que los costarricenses manifiestan un gran apoyo a su sistema democrático. Hoy en día algo de este orgullo y complacencia han sido reemplazados por el escepticismo y el desencanto. Quizás esta desilusión y este escepticismo han tenido un gran impacto en los hábitos electorales, mucho más que solo un realineamiento. El nivel de abstención al voto en 1998 fue el mayor desde los años 50. Parte de este desinterés por el voto puede ser el resultado de su desencanto por la política y los políticos en boga.

La obra **La Percepción de lo Político en Costa Rica** ilustra en varios de sus capítulos este creciente descontento y desaprobación hacia el sistema político. Por ejemplo, Ignacio Dobles Oropeza observa:

> "En algunos casos el desencanto cobra dimensiones de cuestionamiento sistémico, tal vez en países con mayor memoria histórica, pero aquí, en la Costa Rica de paz, libertad y democracia... las elecciones son una fiesta. ¿O no?
>
> Pero vienen los indicios, la encuesta de Unimer, de mayo de 1995, que haciendo uso del análisis de cluster tipifica políticamente a los costarricenses, proponiendo las siguientes categorías: 48.6% escépticos y pesimistas sobre la realidad política del país... Los partidistas 20,9%: afiliados por excelencia a los partidos, leales a ellos, desinteresados-oportunistas (2,6%), desinteresados pero que expresan oportunidades de voto oportunistas; los optimistas (27,4%), sistémicos, es decir, leales y creyentes en las instituciones, pero no amarrados a los partidos, y los cínicos (0,5%), aquellos con opciones más radicales" (Dobles, 1998: 18-19).

Otro autor apoya esta idea con la siguiente información:

> En Costa Rica, el desencanto político tiene, en principio, un componente moral y legal. Cuando un 83% de la población percibe la propaganda política como un engaño y un 88% asume las promesas de campaña como una estafa, hay allí una percepción desencantada con

los artificios de los procesos electorales. Si se cambian los objetos de las sospechas y se pregunta por los partidos políticos, el Tribunal Supremo de Elecciones, los candidatos a diputados, la administración de la justicia, los programas de gobierno y otros, las cifras podrían variar; pero la tendencia afectiva de la población permanecería idéntica (Jiménez, 1989; 9).

Como muchos comentarios académicos, estos pueden ser juzgados como significativamente críticos. Aún así, representan un cambio fundamental en la opinión pública y en las percepciones que la gente tiene acerca de sus líderes y de sus procesos democráticos. Este tipo de desencanto ha tenido un impacto en la disminución del apoyo popular a los partidos políticos y en el aumento del número de personas que dan solo un apoyo débil, o que ya no tienen un partido de preferencia, o que prefieren no identificarse con ninguno de ellos.

Al parecer, Miguel Ángel Rodríguez intentó reducir el escepticismo y buscó un mayor consenso para empezar la "concertación". Aún antes de la inauguración de su gobierno, Rodríguez había empezado a reunirse con los líderes políticos del PLN, con los partidos minoritarios, con los líderes de los grupos de interés y con los sectores populares, con el propósito de obtener suficiente consenso para consolidar sus programas y para animar al pueblo a colaborar en la administración del país. Quería evitar la presa legislativa que enfrentó José María Figueres en su primer año de gobierno. El público compartió las esperanzas de Rodríguez acerca del efecto positivo de las reuniones de concertación en los acuerdos políticos. Del 44 por ciento que sabía algo del proceso, 78 por ciento creía que produciría acuerdos importantes (CID, 1998, No. 76: apéndices, gráficos 8 y 9). Sin embargo, las acciones individuales y las reuniones de concertación para unir al pueblo no obtuvieron mayor resultado.

La mayor corriente política en los últimos veinte años en Costa Rica es el debilitamiento del PLN, la declinación de una política social-demócrata y el modelo de gobierno propuesto por el PLN. La campaña del señor Corrales refuerza esta conclusión. Muchos analistas políticos han sido muy críticos con respecto al PLN, especialmente con esta campaña y con estos dirigentes. Luis A. Pacheco cuestionó al PLN por sus conflictos internos, su falta de unidad y la pérdida de su misión histórica (Pacheco, La Nación Digital, 22 de feb. 1998). Roger Churnside dijo, patéticamente: "mi partido, Liberación Nacional, está gravemente enfermo y no se sabe si la dolencia es curable o no, pero hay razones para estar seriamente preocupados" (Churnside, La Nación Digital, 21 feb. 1998).

El programa de la campaña de Corrales estaba basado en los conceptos y propuestas tradicionales del PLN. Además, Corrales atacó los cambios realizados en estos programas por sus predecesores del PLN (información obtenida en entrevistas y observaciones personales). El electorado no aceptó su intento de regresar a los programas de bienestar social, de empresas económicas estatales, de industrialización para la sustitución de importaciones, del estado como mayor empleador y el concepto de que entre más grande sea el gobierno, mejor. Todas estas tendencias están siendo cuestionadas y transformadas en tanto nos movemos hacia el siglo XXI. En contraposición con las políticas progresistas del PLN, las políticas neo-liberales promueven una economía global, el libre comercio, la privatización de las empresas gubernamentales, la reducción del papel del estado en la economía y la reducción de su tamaño y de su presupuesto. Y están encontrando cada vez mayor aceptación entre el electorado. Sin embargo, como ha explicado Bruce Wilson (Wilson; 1998: 132-44), el PLN comenzó a inclinarse, desde sus tradicionales políticas hacia otras más neo-liberales, bajo los presidentes Monge y Arias. Con estos presidentes de Liberación Nacional comenzó también la expansión de las exportaciones no tradicionales, la reducción del tamaño y extensión del estado y la privatización de entidades públicas como CODESA. A pesar de eso, el PUSC incorporó estas ideas neo-liberales en el corazón de su propuesta política, y el electorado lo percibe como el mejor representante de esas tendencias. Consecuentemente, parece que el PUSC ha llegado a ser un poder político más sólido en Costa Rica o, como escribieron los Salazar, el PUSC es una organización permanente capaz de conquistar el poder político (Salazar y Salazar, 1991; 153).

Las encuestas de opinión pública, desde 1995 hasta 1999, sostienen también esta conclusión. En los últimos años, el PUSC ha ganado en apoyo popular al mismo tiempo que lo ha perdido el PLN. En el pasado, la sabiduría tradicional confirmaba que el PLN podía confiar en aproximadamente el 40 por ciento del electorado como su base consistente. Los partidos opuestos al PLN fluctuaban entre un 30 y un 35 por ciento. El votante independiente representaba un 20 por ciento del electorado. Hoy esas posiciones son más inestables. Desde 1992, el apoyo al PLN ha fluctuado desde el más elevado, 53%, al más bajo, de solo 27%, incluido el promedio, de 34%. Por su parte, el PUSC ha fluctuado desde el más alto 41%, al más bajo 25%, con el promedio cercano al 30% (CID, No. 76, 1998: 6 y # 81, 2000, y # 85, 2001) (ver Gráfico 7.1).

Estos datos y los comentarios previos parecen sostener la conclusión de que en Costa Rica hay una desalineación moderada de los partidos mayoritarios y el comportamiento del votante ha llegado a ser más errático. Hay también evidencia creciente de que están aumentando el desencanto y el escepticismo hacia los partidos políticos, la elite política y las prácticas políticas. Estas actitudes también parecen apoyarse por y estar reflejadas tanto en un número sin precedentes de no-votantes como en el aumento de votos en blanco y anulados en 1998. Por primera vez en

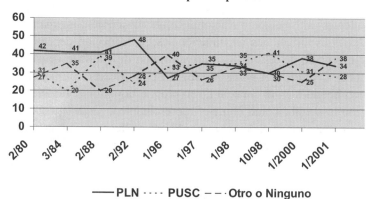

GRÁFICO 7.1
Preferencia de partido político

Fuente de información: CID #s 62, 81, & 85 Costa Rica

la historia moderna de la política costarricense, el número de no votantes, votos en blanco y votos nulos sobrepasó el número de votos obtenidos por el ganador de las elecciones presidenciales. Estos hechos indican un gran cambio en los procesos democráticos y en las percepciones de los costarricenses.

Las encuestas de opinión pública del 2000 parecen indicar que en los últimos cinco años ha habido un cambio impredecible en el apoyo dado a los dos partidos políticos predominantes y que ahora este presenta grandes fluctuaciones. Si el desencanto con los partidos políticos y la política, en general, continúa, puede darse una desalineación mucho más significativa. Cuando el PLN estaba en el poder y, más específicamente cuando José María Figueres era presidente, el público declinaba su apoyo al partido. Ahora, cuando el PUSC gobierna, PLN ha tomado la cabeza en popularidad frente al PUSC, y el PUSC ha caído en los niveles tradicionales de popularidad (CID, No. 81: 1/2000). En consecuencia, los costarricenses pueden reflejar una actitud crítica con respecto al partido gobernante, al mismo tiempo que evidencian esperanzas de que para cuando el partido de oposición regrese al poder, mejore la situación, cumpla sus promesas y establezca programas más favorables a sus intereses (ver Gráfico 7.1 y Tabla 7.3).

Hay evidencia adicional que apoya el análisis arriba esbozado. Datos de diferentes fuentes así como respuestas a distintas preguntas indican que el 46,6 por ciento de la población está satisfecha con las actuaciones del PLN, y el 46,9 por ciento está insatisfecha. Al mismo tiempo, el 52,7 por ciento mostraba insatisfacción con el PUSC y solo el 43,7 por ciento estaba satisfecha. Esta diferencia no es tan grande como lo indican otros datos, pero ilustra la misma desilusión con aquellos en el poder y una actitud más positiva y de apoyo para la oposición (Unimer, 1/2000: 3-5). Señala, también, que casi la mitad del electorado está insatisfecho con los dos partidos mayoritarios.

Las elecciones de 1998 también crearon un momento propicio para los partidos minoritarios. Ganaron siete curules, más de las que han obtenido desde 1974. Estos puestos pertenecen a cinco partidos diferentes que están desplegados por todo el espectro político, desde la Fuerza Democrática, en la izquierda moderada,

TABLA 7.3
Porcentaje de preferencia política partidaria

Fecha	3/93	1/94	10/95	1/96	4/96	7/96	10/96	1/97	7/97	10/97	1/98	4/98
PLN	53	46	28	27	27	30	36	37	38	34	33	35
PUSC	33	41	32	33	39	42	38	35	36	36	36	36
NINGUNO	-	-	39	41	34	28	28	30	25	33	34	29
OTRO	-	-	-	1	2	1	0	1	2	1	1	1

Fecha	7/98	10/98	1/99	4/99	7/99	10/99	1/00	4/00	7/00	11/00	1/01	7/01
PLN	28	29	33	33	36	37	44	32	31	29	34	40
PUSC	41	42	34	34	32	34	31	25	27	29	28	37
NINGUNO	34	30	38	37	32	33	24	42	42	42	38	20
OTRO	1	1	1	1	2	1	2	1	3	2	4	3

Fuente de información: CID #s 62, 81, 85 & 87 Costa Rica

hasta el Movimiento Libertario, en la derecha. Solo uno de ellos representa intereses regionales. Estos partidos estaban destinados a jugar un papel importante en la Asamblea Legislativa, ya que el PUSC no tiene la mayoría (ver Tabla 7.2).

Muchos especialistas han señalado otra "primera vez" en las elecciones de 1998. En todos los procesos electorales previos, quien ganó en las provincias urbanas más importantes (mayoritariamente en el Valle Central), ganó las elecciones. En 1998, por primera vez, las zonas rurales costarricenses ganaron la elección para presidente. Las provincias de la costa oeste, Guanacaste y Puntarenas, se unieron con la provincia más precaria, la menos poblada y también la más desfavorecida políticamente, de la costa atlántica, Limón, para darle la victoria a Miguel Ángel Rodríguez.

Por primera vez, también, se hizo significativo un fenómeno adicional en esta elección y fue la quiebra de los votos, como nunca antes había ocurrido. Muchos de los que votaron por su partido de preferencia en la papeleta presidencial no lo hicieron en las papeletas legislativas y municipales. El número de votos en blanco también se duplicó en el ámbito legislativo. En el presidencial, ¡los dos partidos mayoritarios obtuvieron el 88,76 por ciento del total de votos! Aún así, en el campo legislativo, los partidos mayoritarios lograron solo el 73,45 por ciento (ver Tabla 7.1). El impacto de esta fragmentación en las papeletas fue que ningún partido obtuvo mayoría en la Asamblea Legislativa: mientras el PLN ganó menos curules como jamás en su historia, los partidos minoritarios obtuvieron puestos como nunca lo habían hecho antes (ver Tabla 7.2).

Indudablemente, los votantes estaban intentando enviar una clara advertencia a los políticos. Muchos editoriales y declaraciones de los medios de comunicación masiva apoyan esta interpretación. Por ejemplo, Ronald Matute la llamó un "terremoto político" (15 febrero 1998); Luis Arnoldo Pacheco lo explicó como una "confirmación de un descontento galopante entre los votantes y un desafío mayor para el sistema electoral costarricense" (Pacheco, 22 de febrero de 1998).

En las elecciones primarias de 1994, por primera vez en la historia, una mujer se lanzó por la pre-candidatura a la presidencia desde un partido mayoritario. Margarita Penón, esposa entonces del expresidente Oscar Arias, obtuvo un apoyo significativo pero insuficiente para ganar. Perdió en las elecciones primarias contra José María Figueres. En 1994 uno de los partidos minoritarios, Unión Generaleña, había propuesto a Norma Vargas Duarte para presidente. Como nunca antes, en las elecciones de 1998 se ubicó a las mujeres en muchas más posiciones. Hubo tres partidos minoritarios con mujeres candidatas a la presidencia. Ambos partidos mayoritarios tuvieron mujeres como candidatas a la vicepresidencia. La victoria del PUSC colocó a Astrid Fischel y a Elizabeth Odio en las vicepresidencias. Se eligió también a once mujeres, hecho sin precedentes, en la Asamblea Legislativa, y varias en el nuevo gabinete y en los viceministerios de la administración Rodríguez. Las mujeres estaban aún mejor representadas en el ámbito local. Por primera vez ellas presidirían muchos gobiernos municipales, pues fueron electas como presidentas municipales en 24 de los 81 concejos municipales. Además, 40 mujeres fueron seleccionadas como vicepresidentas municipales.

Consecuentemente, el 30 por ciento de los gobiernos locales son liderados por una mujer y cerca de la mitad (49,3 por ciento) tienen mujeres en la vicepresidencia.

A pesar de la existencia de un moderno servicio civil, hay un sistema extensivo de paternalismo en la mayoría de los sectores de la burocracia. Las actitudes paternalistas también se encuentran en las instituciones autónomas que funcionan bajo el capitalismo de estado o como agencias o empresas controladas gubernamentalmente. La **Auditoria Ciudadana sobre la Calidad de la Democracia** (2001, vol. 2; 213-217), encontró que un 45 por ciento de las personas cree que otras personas siempre o algunas veces pagan propina para facilitar sus trámites. De 50 a 84,2 por ciento señalaban varias situaciones del maltrato de parte de las instituciones públicas, mientras que más o menos el 60 por ciento tenía la percepción de que ciertos grupos, como los pobres, los ancianos, y los nicaragüenses sufren mayor discriminación que otros.

Desde hace muchos años el pueblo está quejándose de la corrupción del poder político. En una de las primeras encuestas de opinión realizadas por CID en Costa Rica, en 1981, se indicaba que había una fuerte percepción de la corrupción gubernamental. Un 86 por ciento de los entrevistados estaba de acuerdo en que existió en los gobiernos de Daniel Oduber y de Rodrigo Carazo (CID, 1981, No. 9: 29).

Por estas y otras muchas razones, muchos costarricenses perciben hoy que la corrupción política es el principal reto que enfrenta el país (CID, 1998, No. 76: 22). Desde 1978, ha crecido significativamente la creencia de que los políticos están en el negocio para beneficiarse ellos mismos, por interés personal, y no para beneficio de la nación. A los presidentes Carazo y Monge se los acusó de obtener beneficios privados, aprovechándose de sus cargos. Los presidentes Figueres y Rodríguez fueron acusados de varias actividades ilegales y poco éticas antes de llegar a la presidencia. Los escándalos del Banco Anglo, los pasaportes falsos, las armas ilegales y el caso, en 1998, de la Dirección General de Aviación Civil, han dañado la confianza pública en el gobierno. En noviembre de 1998, las encuestas de opinión pública indicaban que más el 60 por ciento de la gente creía que la corrupción existía tanto en la administración del momento como en las pasadas (CID, 1998 N 76; 22).

En 1999 la Asamblea Legislativa y el Presidente aumentaron de manera significativa sus salarios. Los diputados obtuvieron incrementos del 90 por ciento, el Presidente, desde que inició labores, se aprobó un aumento del 268 por ciento, y desde 1990, los empleados del gobierno central habían recibido un incremento promedio del 367 por ciento. La inflación para este período fue de alrededor del 280 por ciento (Guevara, 1998: 1; Herrera Ulloa, 1998:1; Noguera, 1999:1). Es este tipo de actitudes las que llevan a Alexander Jiménez (1998: 12) a comentar que:

> …en algunas encuestas, la mayoría de los costarricenses piensa que los lineamientos políticos del gobierno aumentan la pobreza y que los diputados legislan en beneficio propio. La parte objetiva de las afirmaciones puede ser falsa. Quizás las decisiones gubernamentales no tengan relación con el crecimiento de la pobreza o quizás no hay tal crecimiento. Asimismo, tal vez los diputados nunca legislen para su exclusivo provecho. Todo esto podría ser concedido; pero en este caso, el problema de fondo no es la verdad de las afirmaciones, sino la percepción de los costarricenses acerca de cómo se organiza la vida pública, la vida privada y la institucionalidad de este país.

En los últimos años algo importante ha ocurrido allí y merece ser descifrado e interpretado (Jiménez, 1998, 12). Los días del predominio de Liberación Nacional (PLN) sobre la oposición podrían estar declinando y, con tantas fracciones dentro del partido, se va a tener que luchar con más intensidad para ganar elecciones a futuro. La agenda socio-económica y el modelo social-demócrata que apoyaba el PLN ya no están de moda (como sí lo está la línea neoliberal), ni pueden ser financiados con las actuales rentas públicas. El problema de la deuda interna, la deuda externa y los gastos deficitarios han acabado con la capacidad del PLN para continuar con sus programas social-demócratas. Aún así, el PLN podría emerger nuevamente como el partido líder si la economía costarricense mejorara significativamente y si las leyes fiscales permitieran una expansión del estado, producto, en parte, de una redistribución equitativa del sistema tributario: que los ricos paguen realmente como ricos y los pobres como tales. Si los programas de privatización del PUSC no salen bien, o si son tan corruptos e ineficientes como lo han sido en Argentina, México y otros países latinoamericanos, el PUSC podría perder la sustentación. Si los programas del PUSC no benefician a las clases marginadas, podría acabarse el soporte del mayor segmento electoral de ese partido. Las semillas de la fragmentación existen en mayor medida en el PUSC que en PLN. Cuando el PUSC apela a los segmentos más bajos de la población, al mismo tiempo llama a los sectores más altos de la sociedad; esta dualidad representa un problema para un partido de coalición. Preocuparse por las clases más desposeídas que el Partido no representa en sus intereses, eventualmente podría fragmentar al Partido. Si la actual distancia entre los ricos y los pobres continúa creciendo, en un futuro el Partido podrá tener grandes dificultades para mantener esos dos segmentos de la sociedad en su seno. Eso es particularmente verdadero si los dirigentes del PUSC continúan protegiendo los intereses de los ricos y así el electorado ubicará al PUSC como el principal responsable de incrementar la brecha entre los poderosos y los desposeídos. Cualquiera sea el resultado, podría debilitar al PUSC y, al mismo tiempo, fortalecer al PLN. Con base en estas condiciones, un nuevo partido es capaz de ganar mucho apoyo y fuerza si sabe jugar bien a la política.

De todos modos, la Unidad Social Cristiana (PUSC) se ha convertido en la fuerza política más poderosa en Costa Rica y, por primera vez desde 1953, en el 2002 la oposición al PLN tuvo la posibilidad de ganar dos elecciones sucesivas. Si el partido no comete errores importantes, debería poder mantener su posición primigenia por varios años. La agenda política del PUSC, de una mayor reducción del aparato de estado, de privatización de algunas instituciones gubernamentales (pero no del ICE), de impuestos más bajos, de niveles de intercambio internacional más altos y más diversificados, de libre comercio y de globalización de la economía, ha sido aceptada por una parte importante de la sociedad. El sistema ha cambiado y la oposición anti-PLN, por lo menos temporalmente, ha ganado la batalla de encauzar a Costa Rica en el siglo XXI. El liderazgo del presidente Rodríguez y su política hacia el ICE dañaron seriamente al PUSC. Las manifestaciones del año 2000 en su contra y en contra de sus propuestas políticas fueron muy fuertes. Pero los votos que entregó el PLN al apoyar "el combo del ICE" dañaron también tanto al PLN como al PUSC, y esto puede causar que se incremente el desalineamiento y la pérdida de confianza en los partidos mayoritarios. También tuvo como consecuencia el aumento del abstencionismo en las siguientes elecciones, en febrero y abril del 2002.

En resumen, 1) ha declinado el compromiso de voto y la lealtad hacia los dos partidos mayoritarios; 2) la conducta electoral es más volátil y mucho más difícil de predecir; 3) el apoyo hacia los dos partidos mayoritarios fluctúa tanto como un 15 a 20 por ciento en un año determinado; 4) se incrementó el número de votos independientes (que no son estables) y aumentó de manera significativa el número de partidos minoritarios; y ha crecido también el apoyo a esos partidos minoritarios; 5) han cambiado las reglas y el estilo de las campañas políticas; y, 6) se han elevado el escepticismo y el desencanto de los costarricenses con respecto a su sistema político-partidario, como resultado de la percepción del incremento de la corrupción política y el decrecimiento de sus capacidades de los gobernantes para resolver muchos de los más serios problemas con los cuales se están enfrentando los costarricenses.

Durante los primeros meses del 2000 tuvo lugar un movimiento dentro del sistema político costarricense para cambiar la Constitución y permitir la re-elección de presidente e incluso la re-elección de los miembros de la Asamblea Legislativa. Aunque no se veía en ese momento como una propuesta viable, había muchas posibilidades de que ocurriera a largo plazo. La opinión pública apoyaba esta idea. Según una encuesta de opinión, un 54 por ciento está a favor de la re-elección y un 41 por ciento está en contra (CID, N 81, Enero, 2000: 18). Otra encuesta indicaba que el apoyo a un cambio constitucional es aún mayor a favor de la re-elección no consecutiva. Un total de 62,6 por ciento estaba a favor y 36,3 por ciento opuesto al cambio (Unimer, Enero, 2000). Los dos partidos políticos mayoritarios podrían beneficiarse de un cambio para aceptar la re-elección no consecutiva. PLN podría nombrar a su popular expresidente, Oscar Arias Sánchez, mientras que el PUSC haría lo mismo con su popular fundador, Rafael Ángel Calderón Fournier. En vista del hecho de que el futuro de la dirección carismática y sólida en ambos partidos tiene que surgir todavía, ambos podrían mejorar su imagen si pasara la iniciativa de la re-elección no consecutiva. A la larga, sin embargo, otras reformas que harían a los partidos más representativos y más transparentes permitirían restaurar la confianza y la fe en el sistema, y también podrían reducir los niveles crecientes de escepticismo y desencanto en el electorado costarricense. [Finalmente, la reforma sí se dio, pero por caminos no "convencionales", dado que la Sala Constitucional, la encargada de velar por el respeto de la Constitución Política, declaró que la no-reelección permanente violaba los derechos humanos. De ese modo se la abrió la puerta a la reelección no consecutiva del presidente de la república, con lo cual los siete expresidentes en vida tienen derecho a postularse de nuevo como candidatos.]

Con ese cambio en la interpretación constitucional, se pueden alterar entonces algunas de las predicciones de este capítulo. PLN puede fortalecerse bajo la dirección del popular expresidente Oscar Arias y puede ser el catalizador de personalidades más jóvenes y dinámicas para asumir posiciones de liderazgo en la dirección partidaria. Junto con algunas reformas internas del Partido, el PLN podría ponerse de nuevo en una sólida posición en el ámbito político costarricense. Sin embargo, incluso la posible reelección de Oscar Arias Sánchez, sin los otros cambios, y sin un esfuerzo especial para relacionarse con el público y poner mayor sensibilidad frente al pueblo, probablemente continuará ampliándose para el PLN el nivel de desaprobación, y las preferencias políticas partidarias de apoyo disminuirán conforme se ahonda el realineamiento. En la elección del 2002, el número de no votantes permaneció elevado; así, las elites políticas necesitarán considerar seriamente otras reformas, más allá de la re-elección no consecutiva, para atraer al votante de vuelta a una participación más activa, como en el pasado. Por último, el Presidente Rodríguez, en su mensaje sobre el Estado de la Nación, en mayo del 2001, propugnó por cambios significativos en el sistema democrático costarricense. Pidió a los costarricenses considerar transformarse en un sistema semiparlamentario y presidencialista. Abel Pacheco, in 2003, reafirmó la posición del PUSC de cambiar el actual sistema por uno más parlamentario. Sugirió, para realizar esos cambios, que quizás sería necesario llamar a una Asamblea Constituyente para crear una nueva constitución. Todo esto conducirá a muy poco pero, como puede apreciarse, hasta los dirigentes políticos entienden que deben realizarse algunos cambios en el sistema. Costa Rica no es el mismo país o sociedad que era en 1978. Ha evolucionado en muy diferentes aspectos. Han variado tanto los políticos como las actitudes hacia el sistema político. Es importante examinar, entonces, los cambios significativos que han ocurrido en los partidos políticos, las elecciones y las campañas electorales, en los últimos 25 años.

En suma, este capítulo ha enumerado once rasgos de una transición fundamental en la política costarricense:

1. El Partido Liberación Nacional (PLN), el partido político más importante de los últimos cincuenta años, estaba corriendo riesgos como partido mayoritario;
2. El Partido Unidad Social Cristiana (PUSC) se consolidaba cada vez más;
3. Estaba ocurriendo un desalineamiento moderado en esos dos partidos mayoritarios;
4. En 1998 buena parte del electorado creía tener el deber cívico de no votar, anular el voto o votar en blanco, como una forma de protesta contra los dos partidos mayoritarios;
5. El porcentaje del "abstencionismo" se incrementó considerablemente, por encima del 50 por ciento del anterior;
6. No se evidenció la creencia de que los centros urbanos controlaban el resultado electoral;
7. Muchos votantes −el 15 por ciento− quebraron sus votos. Este había sido el mayor porcentaje alcanzado en la moderna historia electoral costarricense;
8. Los pequeños partidos regionales multiplicaron sus votos pero perdieron representación en la Asamblea Legislativa;

9. Aparecieron nuevos partidos conservadores y casi desaparecieron los partidos radicales de izquierda;
10. Gran cantidad de mujeres asumió roles activos, en procura de posiciones políticas, y se ubicaron en la mayor cantidad de cargos posibles, como nunca antes había ocurrido; y,
11. Durante la campaña electoral ni se dieron discusiones positivas en torno a los aspectos de mayor envergadura para el electorado, ni se ofrecieron soluciones viables para los mismos.

La democracia costarricense todavía no está en crisis, ni menos a punto de colapsar. Durante la próxima década, las instituciones gubernamentales y los partidos políticos tienen la oportunidad de continuar evolucionando, reformándose, para ganar de nuevo la lealtad y el compromiso del electorado. Si no hacen un mejor trabajo que durante la década de los 90, entonces pueden ocurrir cambios trascendentales. Pero esos cambios deben ser "a la tica" y la nación podrá mantener las características más esenciales de un sistema democrático.

Los costarricenses son muy exigentes con su sistema político porque ellos esperan de él más que la mayor parte de los latinoamericanos. Los costarricenses han construido uno de los más sólidos sistemas democráticos del mundo durante los últimos 50 años, entonces, cuando este no cumple con sus expectativas, ellos tienden a ser profundamente críticos.

Aunque ninguna de estas corrientes, tomadas separadamente, conlleva alguna variación significativa para la democracia costarricense, acumulativamente pronostican un cambio importante en cómo será estructurado el sistema político-electoral y cómo funcionará el proceso en el futuro. La democracia costarricense está en medio de una transición. El sistema creado por don "Pepe" Figueres, la constitución de 1949 y los programas desarrollistas del PLN, están siendo impugnados desde muchos frentes. Pero Costa Rica se mantendrá como una democracia sólida y viable, debido tanto a los cambios como a costa de ellos.

Diagnóstico de las elecciones del 2002: ¿El comienzo del final?

Introducción

Las elecciones del 2002 han sido las más inusuales en la historia moderna costarricense. No es sino desde los años 1930, o en las elecciones de 1948 que los resultados habían sido más dudosos y más complejos; y tan difícil de predecir su final. Este proceso eleccionario tendrá el más profundo impacto en la política costarricense, como ninguno otro desde la guerra civil de 1948. En el futuro, lo concerniente a la política costarricense se caracterizará como antes y después de las elecciones del 2002.

Los candidatos de los dos partidos mayoritarios, el PLN y el PUSC, comenzaron el año 2001 con un sólido apoyo público y con la esperanza de una fácil victoria frente al contrincante. En enero del 2001 el PLN tenía aproximadamente el 34 por ciento del apoyo popular y el PUSC contaba con el 28 por ciento. Rolando Araya Monge, de Liberación, emergía como el candidato a la cabeza y Abel Pacheco De la Espriella tenía el apoyo decidido de la mayor parte de sus partidarios en la Unidad. Es interesante cómo, en febrero del 2001, un nuevo partido y su candidato comenzaron a capturar el interés de la mayoría de los votantes insatisfechos con las dos agrupaciones mayoritarias. Se trata del Partido Acción Ciudadana (PAC), que había sido creado en diciembre del 2000, y de su líder, Ottón Solís, quien se transformó en el candidato presidencial de todos aquellos que anhelaban ver cambios importantes en las políticas públicas y en la ruta que los dos partidos tradicionales habían determinado para todos los costarricenses en los últimos veinte años.

Cuando comenzó oficialmente la campaña, en septiembre del 2001, ambos candidatos mayoritarios contaban con muchísimo apoyo y grandes esperanzas de ganar las elecciones. En octubre, en la encuesta de opinión pública de UNIMER, Abel Pacheco tenía un 34,6 por ciento de seguidores, mientras Rolando Araya recibía un 30,7 por ciento del respaldo electoral. El candidato del PAC, Ottón Solís, obtenía solamente el 7,3 por ciento de simpatías, mientras otros candidatos de los paratidos minoritarios tenían un apoyo total del 7,1 por ciento, los indecisos alcanzaban también igual cifra (7,1) y quienes no apoyaban a nadie, el 4,6 por ciento. En ese momento daba la impresión de que tanto Araya como Pacheco tenían en sus manos una fácil victoria, con el requerido cuarenta por ciento mínimo del voto popular, el 3 febrero del 2002. A finales de octubre y todo noviembre ambos candidatos mayoritarios comenzaron a vacilar en sus campañas. Ambos cometieron graves errores que debilitaron su apoyo. Sin embargo, Araya cometió el peor, hablando a micrófono abierto en un programa de radio sin percatarse de ello. Sus ácidos y torpes comentarios con respecto a Pacheco tuvieron un costo enorme. El primero de diciembre su popularidad decayó hasta el 22 por ciento. La popularidad de Pacheco también disminuyó, justamente por debajo del 30 por ciento. La gran sorpresa la dio Ottón Solís, cuyo apoyo saltó al 21,6 por ciento del electorado (UNIMER, enero del 2002).

El inesperado aumento de la popularidad de Solís creó la probabilidad de un empate triple, cosa que nunca ha ocurrido en la historia moderna costarricense. En esta situación, era muy posible que ninguno de los candidatos obtuviera el 40 por ciento mínimo requerido para obtener la victoria, particularidad que obligaba a una segunda ronda electoral. Esta circunstancia la percibieron los partidos tradicionales como el problema de mayor envergadura de la campaña y provocó real pánico entre los dirigentes del PLN.

Daba la impresión de que Araya podía ubicarse en el tercer lugar en las elecciones de febrero y perder así la oportunidad de participar en la segunda ronda. Los analistas políticos jugaban con esa hipótesis que, de ser cierta, abría la posibilidad no solo de que el PLN dejara de ser el partido mayoritario sino también de que desapareciera de la escena política costarricense.

El PLN logró participar en la segunda ronda, pero Araya perdió las elecciones, frente a Pacheco y al PUSC, por un 16 por ciento. Es la primera vez, desde su creación en 1951, que el PLN pierde dos elecciones sucesivas. Será difícil para esa agrupación restablecerse como el primer partido político de Costa Rica. Este autor predijo que el PLN podía perder las elecciones del 2002 en sus análisis del proceso electoral de 1998, en el capítulo anterior. Ahí se identificaron también otros importantes cambios en la política costarricense pues se ubicaron otras grandes tendencias tanto de la campaña como de las elecciones propiamente dichas, que se sintetizan de seguido:

1. El Partido Liberación Nacional (PLN), el partido político más importante de los últimos cincuenta años, estaba corriendo riesgos como partido mayoritario;
2. El Partido Unidad Social Cristiana (PUSC) se consolidaba cada vez más;
3. Estaba ocurriendo un desalineamiento moderado en esos dos partidos mayoritarios;
4. En 1998 buena parte del electorado creía tener el deber cívico de no votar, anular el voto o votar en blanco, como una forma de protesta contra los dos partidos mayoritarios;
5. El porcentaje del "abstencionismo" se incrementó considerablemente, por encima del 50 por ciento del anterior;
6. No se evidenció la creencia de que los centros urbanos controlaban el resultado electoral;
7. Muchos votantes –el 15 por ciento– quebraron sus votos. Este había sido el mayor porcentaje alcanzado en la moderna historia electoral costarricense;
8. Los pequeños partidos regionales multiplicaron sus votos pero perdieron representación en la Asamblea Legislativa;

9. Aparecieron nuevos partidos conservadores y casi desaparecieron los partidos radicales de izquierda;
10. Gran cantidad de mujeres asumió roles activos, en procura de posiciones políticas, y se ubicaron en la mayor cantidad de cargos posibles, como nunca antes había ocurrido; y,
11. Durante la campaña electoral ni se dieron discusiones positivas en torno a los aspectos de mayor envergadura para el electorado ni se ofrecieron soluciones viables para los mismos.

Las tendencias continúan

Todas esas tendencias se ampliaron en las elecciones del 2002. Su impacto, así como el de otros aspectos del proceso eleccionario del 2002 perdurarán por muchísimo tiempo en Costa Rica. Uno de los candidatos, en la última noche del proceso, dijo que "estas elecciones del 2002 son el punto crucial para el futuro político de Costa Rica", e indicó que el futuro de la política costarricense estaría muy influenciado por lo que ocurriera en febrero del 2002.

El desalineamiento (1, 2 y 3*):

El PUSC consolidó sus posiciones, muy probablemente como el mayor partido para el futuro próximo. En otras palabras, el PLN perdió casi todas sus expectativas, incluso la de segundo partido en Costa Rica. La lealtad de la preferencia partidaria se hizo más volátil de 1990 a 1998. En un solo año las preferencias partidarias fluctuaron casi un 20 por ciento (ver Tabla 7.3 y gráfico 7.1). La volatilidad del voto se hizo incluso más obvia en los resultados electorales de febrero. Ningún partido obtuvo la mayoría en la Asamblea Legislativa, y los tres partidos, el PUSC, el PLN y el PAC lograron un importante número de curules en el parlamento para los próximos cuatro años. Se hizo evidente que la lealtad

---

*   Los números indican la o las tendencias enlistadas renglones arriba.

partidaria había disminuido de manera significativa a lo largo de los 90 y estos resultados electorales solo reafirmaron esa idea.

Entre 1999 y 2001 no solo el PLN empezó a perder apoyo popular sino que también su liderazgo comenzó a fragmentarse y a tener menos consistencia. Algunos importantes dirigentes del partido lo abandonaron y crearon nuevas agrupaciones políticas. Ottón Solís organizó el PAC, mientras Walter Coto, exsecretario general del PLN, integró algunas agrupaciones de izquierda en una coalición llamada "Cambio 2000" (Humberto Vargas Carbonell, dirigente del Partido Vanguardia Popular, ayudó a convencer a Coto para que la encabezara). Margarita Penón Góngora, exesposa de presidente del Partido, Oscar Arias, se unió a Solís y se lanzó por un puesto en la Asamblea. Lo mismo hizo uno de sus antiguos intelectuales, y quizás el más importante de todos, Alberto Cañas Escalante, exsecretario de la Junta Fundadora de la Segunda República, exdiputado, exministro de cultura y exembajador liberacionista en Washington, quien se trasladó también a las filas de Ottón Solís.

También el PUSC tuvo problemas de fragmentación. El fundador de la agrupación, Rafael Ángel Calderón Fournier, apoyó a Rodolfo Méndez Mata como candidato presidencial. Sin embargo, Abel Pacheco De la Espriella ganó las elecciones primarias y se convirtió en el candidato presidencial del partido, lo cual llevó a Calderón a permanecer inactivo en la política partidaria y en la campaña electoral misma. Si Méndez Mata hubiera sido el candidato presidencial es posible que el PUSC hubiera tenido más problemas que el PLN en enero del 2002. En muchos sentidos, Pacheco salvó probablemente al partido de lograr la tercera plaza o, al menos, de haber perdido frente a Rolando Araya.

El desalineamiento del electorado comenzó en las elecciones de 1990 y llegó a niveles exagerados en el 2002. Los principales partidos, especialmente el PLN, lucharon para mantener su hegemonía dentro del sistema político. En el caso del PLN, este pugnó incluso para continuar con su existencia política. El éxito mostrado por Ottón Solís fue sorprendente. Su nueva agrupación, el Partido de la Acción Ciudadana (PAC), fue capaz de enfrentar a los dos partidos tradicionales y cambiar la manera como los costarricenses percibían el proceso solo un año antes.

Por primera vez en la historia política moderna de Costa Rica, el PAC forzó a una segunda ronda en el proceso eleccionario. Por corto tiempo, las encuestas de opinión pública indicaron que Solís podría obtener el segundo lugar en las elecciones de febrero. Aunque alcanzó el tercer puesto, amenazó seriamente al PLN y casi impide su participación en la segunda ronda. El liderazgo del partido nuevamente se aterrorizó al conocer los resultados de la encuesta de opinión pública de diciembre del 2001, y lanzó una campaña devastadora, en general, contra el PAC y, en particular, contra su candidato. La estrategia de este movimiento singular de último minuto salvó al PLN de convertirse en el tercero en las elecciones de febrero y abrir así su posible desintegración debido al impacto de tal crisis partidaria. La mayor parte de los analistas políticos habían predicho que si el PLN no ganaba un puesto en la segunda ronda electoral caería en un colapso desastroso.

En febrero el PLN llegó de segundo en el proceso electoral. Aunque no mortalmente herido, su posición como segundo partido se vio seriamente afectada, y muchos expertos políticos declararon que el partido estaba "agonizando". Este autor cree que el partido está vivo todavía, pero no la estaba pasando muy bien. Rolando Araya obtuvo el 31 por ciento de los votos, cuando Ottón Solís logró el 26,2 por ciento. Este hecho representó una verdadera victoria para el joven exdiputado del PLN, cuyo partido apenas tenía un año de existencia (ver Tabla 8.3).

También se hicieron evidentes los daños sufridos por el PUSC. Desde 1986 esta coalición se había organizado para transformarse en el mayor partido de oposición en Costa Rica. Pero en 2001-2002 sufrió una fractura. Abel Pacheco no era un partidario antiguo y no recibió el apoyo de Rafael Ángel Calderón Fournier, fundador de la agrupación. Pacheco tampoco pudo alcanzar el necesario 40 por ciento en las elecciones, pero logró un 38,6 por ciento. Este hecho forzó a una segunda ronda, el 7 de abril. Pacheco la ganó con un 58 por ciento, frente a un 42 por ciento de Araya, con lo que logró la presidencia de la República para los siguientes cuatro años. Si tiene éxito como presidente, muy probablemente el PUSC, se transforme en el mayor partido político de Costa Rica en el futuro próximo (ver Tablas 8.3 y 8.4).

Cuando los partidos tradicionales perdieron el apoyo de los electores, el tercer partido (PAC) obtuvo grandes réditos. Ottón Solís pudo agrupar antiguos simpatizantes del PLN, dirigentes de las clases medias, profesionales y educadores universitarios. Dijo verdades que le permitieron interpelar a estos grupos, entre los cuales había muchas personas molestas con los lineamientos ideológicos, las actitudes ambiguas y la falta de coherencia de los partidos tradicionales. La campaña de Solís tocó temas tales como la crisis económica, las necesidades educacionales, el mejoramiento del seguro social y los problemas de la pobreza. Acusó a los partidos mayoritarios de incapacidad para gobernar, de no resolver los aspectos más importantes de la crisis, de corrupción y de incompetencia para comunicarse con la gente común. A finales de diciembre del 2001, las encuestas de opinión indicaban que el PAC había tenido significativos progresos con esos temas y con sus planteamientos políticos. Mucha gente, en especial los simpatizantes del PAC, creían que, finalmente, Costa Rica tenía otra alternativa frente a los dos partidos mayoritarios. Ahora la gente sí podía votar por el cambio, por la reforma, por menos corrupción y más planteamientos precisos para resolver la crisis costarricense. El 3 de febrero, el 26,2 por ciento del electorado escogió esos planteamientos y apoyó a Ottón Solís en la presidencia. Eso, sin embargo, no fue suficiente para colocar a Solís en la segunda ronda. En ese proceso, tanto Pacheco como Araya perdieron apoyo electoral.

Después de la tregua navideña en la campaña electoral, tanto el PLN como el PUSC comenzaron a atacar a Solís. La campaña se colmó de diatribas personales y se tornó sumamente negativa. Rolando Araya encabezó esa batalla, pero Pacheco no iba muy atrás en los ataques a Solís. El día de la elección, muchos costarricenses estaban muy disgustados con esta actitud tan mezquina de los dos candidatos mayoritarios e indicaron que solamente deseaban que la campaña electoral terminara de una vez por todas. Pero no ocurrió así, porque ninguno de los candidatos obtuvo el 40 por ciento de votos indispensable para que uno de ellos fuera presidente. Por ello se fijó la segunda ronda para el 7 de abril del 2002.

Los partidos mayoritarios no solamente sufrieron por la falta de lealtad de sus votantes, sino también porque, en algo más de un año, el porcentaje de votos independientes fluctuó desde más de un 40 por ciento en marzo del 2000, hasta menos del 20 por ciento en julio del 2001. Esta volatilidad de los electores hizo que el resultado de las elecciones del 2002 fuera mucho más difícil de predecir (CID, No. 89:13).

No solo hubo falta de lealtad a los partidos políticos por parte del electorado, sino también un creciente número de partidos minoritarios. Para la presidencia se postularon 13 agrupaciones y para la Asamblea Legislativa hubo 18 partidos en la papeleta, número sin precedentes en la historia política de Costa Rica.

Los partidos minoritarios también experimentaron un decrecimiento en las intenciones de voto. Por ejemplo, Fuerza Democrática, que había obtenido un 2,9 por ciento en las elecciones de 1998 poniendo con ello a tres de sus miembros en la Asamblea Legislativa, logró solamente un 0,27 por ciento en las elecciones del 2002, desapareciendo así del poder legislativo.

En este período también declinó significativamente el interés por la política. De acuerdo con la encuesta del CID, de enero del 2002, el 65 por ciento de los entrevistados tenía poco o ningún interés en la política. Solo el 15 por ciento manifestó mucho interés y el 10 por ciento algún interés (CID No. 89: 14). En noviembre del 2001, la encuesta de UNIMER señalaba que solamente el 7,4 por ciento estaba algo entusiasta con respecto a las elecciones y el 17 por ciento quería participar en ellas. Al mismo tiempo, el 41 por ciento no tenía ningún entusiasmo con el proceso electoral, el 12,7 por ciento estaba totalmente desilusionado y el 17,2 por ciento no tenía ningún interés en participar (UNIMER, diciembre del 2001: 2). De esta manera, en el momento decisivo de la elección, entre el 65 y el 70 por ciento del electorado tenía muy poca motivación para participar en la campaña y no mostraba ningún entusiasmo con respecto al voto. Esta desilusión con el proceso político es especialmente indicadora del nivel de abstencionismo electoral, tanto en febrero como en abril del 2002.

El abstencionismo (4 y 5):

En 1998 muchos electores creían que el deber cívico era no votar. Opinaban que debían votar nulo o en blanco como protesta contra los dos partidos mayoritarios. Con el crecimiento del PAC, muchos expertos políticos dijeron que la tasa de abstencionismo se reduciría de manera significativa, porque todos aquellos descontentos con el sistema político en 1998 votarían por el PAC en el 2002. Se equivocaron. El abstencionismo ganó las elecciones tanto en febrero como en abril. El índice de abstención en las elecciones del 2002 creció aún más que en 1998. En las elecciones de febrero no votaron 710.433 personas, o sea el 31,2 por ciento, en contraste con las 614.067, equivalente al 30 por ciento, que no lo

TABLA 8.1
Abstencionismo

AÑO	No votaron	Porcentaje
1953	96.527	32,8
1958	125.236	35,3
1962	92.574	19,1
1966	103.137	18,6
1970	112.519	16,7
1974	175.701	20,1
1978	198.249	18,7
1982	269.448	21,4
1986	270.174	18,2
1990	307.724	18,2
1994	355.369	18,8
1998	614.067	30,01
2/2002	710.433	31,16
4/2002	906.908	39,78
2/2006	887.365	34.79

habían hecho en 1998. En febrero del 2002, Abel Pacheco recibió la mayor cantidad de votos de estas elecciones (590.277), mientras que, como se dijo, un total de 710.433 no ejercieron el derecho al voto. En consecuencia, aquellos que no votaron excedían en un 8,31 por ciento a los que votaron por el triunfador. En la elección de abril del 2002, las personas que se abstuvieron alcanzaron la cifra de 890.149, un sorprendente 39,04 por ciento del total de electores inscritos (es decir, 2.279.851 electores potenciales). En contraste, Abel Pacheco, el candidato ganador, logró la victoria con solamente el 34,04 por ciento del total de los electores inscritos, mientras que Rolando Araya alcanzó solamente el 24,69 por ciento. El abstencionismo, entonces, también ganó en la segunda ronda, con un 39,78 por ciento de los 2.279.851 costarricenses con derecho al voto en las elecciones de abril del 2002 (Ver tabla 8.1 en la página anterior).

Los centros urbanos (6):

La idea de que los centros urbanos controlaban los resultados de los procesos electorales no se materializó en 1998, pero tampoco lo hizo en el 2002. En la primera ronda, el PUSC ganó la pluralidad en todas las provincias tanto urbanas como rurales. El PAC lo logró en San José y Heredia (dos de las más grandes provincias urbanas), donde obtuvo más votos que el mismo PLN. Logró menores resultados en Cartago y fue muy pobre en las provincias rurales (Alajuela, Puntarenas, Guanacaste y Limón). En la segunda ronda el PUSC amplió su liderazgo a todas las provincias.

La quiebra de voto (7):

De la totalidad de los electores que votaron para presidente, más de 11.000 personas no lo hicieron para la Asamblea Legislativa, aproximadamente el tres por ciento de los electores. Además, más del 30 por ciento de aquellos que votaron por un candidato a la presidencia lo hicieron por otro partido para los diputados. El más alto quiebre del voto se había dado en 1998, con el 15 por ciento, que se duplicó en el 2002. Cerca de un tercio del electorado quebró el voto en ese año. Esta actitud benefició en particular al Movimiento Libertario (ML) y dio al Partido Renovación Costarricense (PRC) su único sitio en la Asamblea Legislativa. Esta circunstancia afectó de forma significativa a los dos partidos mayoritarios y les impidió obtener la mayoría parlamentaria. El PAC perdió algunos votos pero, sin embargo, logró 14 puestos en la Asamblea. Con un Congreso tan fragmentado, va a ser muy difícil para el poder ejecutivo completar una agenda legislativa coherente (ver Tablas 8.5 y 8.6).

Los partidos minoritarios (8 y 9):

Los partidos regionales, que habían representado los intereses locales o regionales de las provincias no capitalinas, perdieron completamente su representación en la Asamblea por primera vez en más de treinta años. Esos representantes provenían sobre todo de Alajuela, Cartago, y Limón y habían jugado importantes roles en el Congreso durante el pasado reciente. Esos diputados representaban los intereses de los agricultores, de los no-urbanos, y defendían importantes aspectos del ámbito local. En las elecciones para diputados del 2002 no se eligió a ningún representante de los partidos que luchaban explícitamente por esos intereses.

Los partidos de izquierda continuaron perdiendo apoyo a lo largo de todo Costa Rica. La coalición de partidos establecida bajo el título Coalición Cambio 2000 –con Walter Coto como candidato presidencial y con Humberto Vargas como candidato a primer diputado por la provincia de San José–, logró solamente 3,970 votos, un 0.26 por ciento de los electores. Como en 1998, la izquierda tradicional no logró puestos en la Asamblea Legislativa. Pareciera que, en el futuro cercano, la izquierda no tendrá ninguna incidencia en el proceso electoral costarricense. El más o menos moderado partido progresista Fuerza Democrática perdió todas las curules que había ganado en 1998. Solamente pudo conseguir el 0.27 por ciento de los votos para presidente en el 2002. Las tendencias progresista y de izquierda tradicional solo sumaron 7,091 votos para presidente y 43,064 votos para diputados. No obstante, no lograron ninguna representación en el Congreso.

La derecha, por otra parte, representada por el Movimiento Libertario (ML), tuvo un éxito extraordinario. Logró el 1,7 por ciento de los votos para presidente, pero su papel fue mucho más importante en la Asamblea Legislativa, donde alcanzó seis curules. Mientras sumó solamente 25.815 votos para presidente, tuvo 142.152 votos para diputados, es decir, el 9,34 por ciento. En consecuencia, este fue el más exitoso de los partidos en la papeleta para diputados al salir tan ventajoso del quiebre del voto por parte del electorado. El otro partido moderado conservador, Renovación Costarricense (PRC), logró solo 16,404 de los votos presidenciales (1,1 por ciento), sin embargo, obtuvo un asiento en la Asamblea Legislativa, con 54.699 votos, o sea, el 3,59 por ciento de los sufragios.

Las mujeres en la política (10)

En 1998 no solo participaron de manera activa mayor cantidad de mujeres en política, tratando de conseguir algún puesto, sino que lo lograron en una proporción que no se había dado hasta ahora. Esta tendencia continuó en el 2002. Las mujeres, como nunca antes en la historia de Costa Rica, habrían de asumir las más altas posiciones en la Asamblea Legislativa y en el Poder Ejecutivo. Hubo 19 mujeres electas en el nuevo Congreso. Uno de los dos vicepresidentes es mujer y cerca del 25 por ciento del gabinete está en manos femeninas. Asimismo, cinco de las 19 presidencias de las instituciones autónomas están a cargo de mujeres. Además, se eligieron muchas mujeres en los concejos municipales y lograron hasta la presidencia en algunos, incluso la de la Municipalidad de San José. Esta tendencia, que había comenzado en 1998, tuvo un mucho mayor desarrollo en el 2002. Empero, en la elección de diciembre de 2002, el hermano de Rolando Araya, Johnny Francisco Araya Monge, ganó la alcaldía del Cantón Central. Aunque las mujeres solo lograron un diez por ciento en la candidatura para alcaldezas en diciembre del 2002, ellas obtuvieron un porcentaje mayor del 45 por ciento como alcaldes suplentes, y tuvieron un significativo crecimiento en la elección femenina para el puesto de regidoras:

A pesar de que son menos las mujeres que hasta ahora tienen una alcaldía asegurada, el número de regidoras ha aumentado desde 1994. Hace ocho años, ellas ocupaban tan solo 13,9 por ciento de todos escaños de los concejos. Pero en 1998 crecieron al 34 por ciento. En estas elecciones del 3 de febrero de este año, alcanzaron el 46,5 por ciento, o sea, 233 de las 501 plazas de regidor (Ramirez S., 2002).

El escepticismo (11)

En la campaña electoral de 1998 muchos costarricenses pensaron que los asuntos de mayor trascendencia no se discutieron de manera satisfactoria en el proceso y que no se propusieron soluciones viables para los mismos. En enero del 2002 la mayoría de los encuestados (54 por ciento) opinó que el presidente Miguel Ángel Rodríguez no había cumplido con sus promesas electorales. Solamente el 35 por ciento creyó que había cumplido algo, pero un grupo muy pequeño, el 5 por ciento, expresó que había cumplido mucho (CID, No. 81: 9).

En las elecciones del 2002 se hizo evidente que los niveles de crítica e insatisfacción aumentaron desde 1998. Eso quedó claro con el aumento sin precedentes del PAC y con el inesperado crecimiento de la tasa de abstención. En las papeletas presidenciales 400.861 votaron por el PAC, 63.857 lo hicieron por otros partidos minoritarios y 39.573 votaron nulo o en blanco. Entonces, un total de 504.111 (32,12 por ciento) del electorado votó por un partido minoritario, el PAC, o votó en blanco o nulo, para la presidencia de la república. Esto fue aún peor con las papeletas para la Asamblea Legislativa, pues el 46,24 por ciento no sufragó por un partido mayoritario. Un total de 334.162 votaron por el PAC; 322.108 lo hicieron por otros partidos minoritarios; y 47.484 votaron nulo o en blanco, para un total de 703.754 electores que no votaron por ninguno de los partidos mayoritarios, quienes solamente recibieron 865.584 votos. También, en la papeleta para diputados, 710.513 personas no votaron, lo que significa que el 30,16 por ciento de todo el electorado potencial se abstuvo de votar por candidatos para la Asamblea Legislativa. Entonces, un total de 1.414.267 (62,03 por ciento) de los 2.279.851 votantes potenciales no apoyaron a ninguno de los partidos mayoritarios para la Asamblea Legislativa (o se abstuvieron, o votaron por otros partidos). De dónde, solamente el 37,97 por ciento de los sufragantes apoyaron al PLN y al PUSC (ver Tablas 8.3 y 8.5).

Los datos de la encuesta de UNIMER de marzo del 2002 fortalecen estas conclusiones. Un total del 63,5 por ciento de los entrevistados afirmaron que lo ocurrido en las elecciones de febrero del 2002 era un castigo para el PLN y el PUSC. Solamente un 32,2 por ciento estuvo en desacuerdo con esta afirmación. Este grupo en desacuerdo estuvo integrado, sobre todo, por mujeres, jóvenes entre los 18 y los 24 años, y quienes votaron por Abel Pacheco.

El disgusto y el desencanto públicos con los partidos mayoritarios se mostró con más claridad en la segunda vuelta, cuando más del 39,78 por ciento del total de los 2.279.851 electores inscritos se abstuvieron de votar. De aquellos que sí votaron, el PUSC obtuvo el 57,95 por ciento y el PLN el 42,05 por ciento (los porcentajes oficiales del TSE se basan en el total de los sufragantes y no en la totalidad de los electores inscritos). Pero si consideramos la totalidad de los 2.279.851, los porcentajes son mucho más pequeños: ¡solamente el 34,05 por ciento votó por Abel Pacheco, y el 24,7 lo hizo por Araya! Un total de 1.339.480 sufragaron por los dos candidatos (58,75 por ciento), mientras 33.465 votaron nulo o en blanco (1,47 por ciento) y se abstuvo un total de 906,908, es decir, el 39.78 por ciento, para un total de 41,25 por ciento de quienes no votaron. Esto significa que la victoria efectiva la lograron todos aquellos que no votaron, votaron en blanco o se abstuvieron. Este dato representa un desafío enorme para los dos partidos mayoritarios y para todo el sistema político costarricense. Desde los años 1960, el sistema democrático costarricense no había recibido tan severo embate por parte de los ciudadanos, como el sufrido en las dos elecciones del 2002, tanto por los partidos políticos mayoritarios como por el proceso electoral propiamente dicho.

Los candidatos

Abel Pacheco era el mayor de los principales candidatos. Nació en 1933. Su salud fue cuestionada seriamente durante la campaña electoral, porque ha sufrido de presión alta, hiperglicemia y padeció un derrame cerebral. Sin embargo, pudo soportar los rigores de la campaña y terminó victorioso en la primera ronda del proceso, en febrero del 2002.

Es psiquiatra de profesión y la ha ejercido. Durante muchos años trató de revitalizar y reformar el tratamiento de las enfermedades mentales en Costa Rica. También administró su propia tienda de pantalones para hombres. Además, participó 25 años en programas de televisión, 22 de los cuales los hizo en un programa titulado "Comentarios del Dr. Abel Pacheco" que se tornó muy popular. Él mismo indicó en algún momento que, a diferencia de los otros dos candidatos, tiene ingresos regulares y puede probar que siempre ha pagado sus impuestos.

El Dr. Pacheco tenía poca experiencia política. Ejerció por algunos años como presidente del PUSC y fue diputado entre 1998-2002. Aunque había sido dirigente partidario durante un corto período, el fundador del partido y actual presidente del mismo, Rafael Ángel Calderón Fournier, había escogido a Rodolfo Méndez Mata como candidato presidencial para el 2002. El Dr. Pacheco disputó con Méndez Mata las elecciones primarias del partido y las ganó con una sólida victoria.

En diciembre del 2001, cuando le preguntaron qué haría si perdía las elecciones, Pacheco respondió: "Lo peor que puede pasar es que el pueblo democráticamente escoja a otra persona para gobernar el país. Yo sería el primero en felicitarlo, decir muchas gracias e irme tranquilo para la casa. Pase lo que pase, mi mensaje seguirá siendo de honestidad, trabajo y amor por este país" (Revista dominical, **La Nación**, 27 de enero del 2002: 14).

Rolando Araya ha sido activista del PLN durante muchos años. Su padre fue diputado en el período 1970-1974, y a la temprana edad de 25 años Rolando intervino en política y obtuvo una curul en la Asamblea Legislativa, entre 1974 y 1978. De 1978 a 1982 fue el presidente municipal de la provincia de San José. Luego, en 1982, el presidente Luis Alberto Monge escogió a su sobrino, Rolando, para servir como Ministro de Transportes. En 1984 dejó el ministerio para ocupar la Secretaría General del partido, donde trabajó hasta 1988.

En 1988 intentó entrar en la campaña como precandidato a la presidencia, contra Carlos Manuel Castillo Morales. Al mismo tiempo, el nombre de Rolando se relacionó con el escándalo del conocido narcotraficante Ricardo Alem León. Este incidente casi destruyó su carrera política y su familia le echó la culpa a otros dirigentes del Partido por esa alegada relación con el caso delictivo (Revista dominical, **La Nación**, 27 de enero del 2002: 6).

Araya se recuperó de esa terrible experiencia y participó otra vez en las elecciones primarias del partido, en 1997, contra José Miguel Corrales Bolaños. Rolando perdió nuevamente sus posibilidades en este enfrentamiento, pero aseguró su candidatura por el PLN para el 2002. En la campaña del 2002 hubo severas acusaciones en contra suya. Primero, no quedó claro de qué había sobrevivido por más de quince años. Se reveló también que no pagaba impuestos desde hacía muchos años. Sin embargo, había adquirido su residencia, en Santa Ana, cinco grandes propiedades y tres automóviles. Tenía una deuda reducida y sus bienes ascendían aproximadamente a US$ 200.000 (Revista dominical, **La Nación**, 27 de enero del 2002: 8).

En uno de los más perjudiciales anuncios de propaganda política en contra suya se preguntaba sobre sus ingresos, sus impuestos y sus bienes. Se cuestionaba también su relación con Ricardo Alem y otras dos personas encarceladas por tráfico de drogas, incluido un exdiputado liberacionista. En ese anuncio se puntualizaron otras preguntas muy serias, con el propósito de destruir la credibilidad de Rolando.

Ottón Solís fue el más joven de los tres candidatos. Representó el cambio, el desafío y es uno de los hombres públicos que ha estremecido más el sistema político costarricense. Participó en la campaña como el abanderado del cambio, la reforma, la anticorrupción.

Uno de sus cortos propagandísticos decía: "¡Ahora sí tenemos por quién votar!!". Participó en el proceso casi como si fuera un santo, pero no lo era y por esa razón perdió algo de su apoyo.

Solís se graduó en la Universidad de Costa Rica, con una licenciatura en Ciencias Económicas. Después estudió en Manchester, Inglaterra, donde obtuvo una maestría en 1980. Trabajó en el Ministerio de Planificación entre 1980 y 1982, cuando regresó de Inglaterra. De 1986 a 1988 estuvo a cargo de ese Ministerio, bajo la presidencia de Oscar Arias. Fue forzado a renunciar al Ministerio, al tener algunas desavenencias con Arias; sin embargo, entre 1994 y 1998 representó al PLN, como diputado, en la Asamblea Legislativa.

Aunque su campaña se basó en la anticorrupción, ha tenido algunos problemas superficiales que muestran "lunares" en su vida personal. Desde 1997 no había pagado impuestos, tuvo una hija como padre soltero, en Inglaterra, y su situación laboral no está clara. Esos "pecados" sirvieron de base para una campaña de desprestigio en contra suya, en enero del 2002, organizada por el PLN, con Fernando Naranjo, el primer candidato a la vicepresidencia, como vocero. Algunas personas lo acusaron de ser

TABLA 8.2

Características evaluadas	Araya	Pacheco	Solís	Guevara	Ninguno	No sabe
Apoyar la economía	22	25	20	7	13	13
Combatir el crimen	18	29	11	6	14	21
Mejorar la educación	34	32	10	4	8	12
Capacidad para gobernar	24	34	16	3	9	14
Mejorar relaciones entre Costa Rica y EE. UU.	24	26	10	3	9	28
Controlar llegada de personas al país	23	25	12	5	14	22
Ayudar a los pobres	16	38	13	5	18	10
Combatir la corrupción gubernamental	15	38	18	8	16	14

Fuente: CID, No. 89, enero del 2002: 20

inflexible, intransigente y soberbio, e incapaz de negociar para un consenso. Otros insistieron en que es honesto hasta los extremos, es sincero en sus actos y es muy sólido en su convicción de que debe erradicarse la corrupción política (Revista dominical, **La Nación**, 27 de enero del 2002: 17-20).

A mediados de enero del 2002, la gente percibía a los candidatos de la manera que se esboza en la tabla 8.2 (ver página anterior).

La campaña electoral

La campaña comenzó en septiembre del 2001 con dos candidatos muy parejos a la cabeza, Abel Pacheco y Rolando Araya. Abel Pacheco tenía el 34,6 por ciento de las previsiones del voto, mientras Rolando alcanzaba el 30,7 por ciento. En ese momento, solo un hecho realmente inusitado en el proceso podría cambiar la probabilidad de que el PUSC tuviera éxito y continuara con el control de la presidencia por otros cuatro años. El PLN nunca había perdido dos elecciones al hilo, pero todo indicaba que esto podría ocurrir en el 2002.

Abel Pacheco tenía el desafío de comenzar a luchar contra las percepciones contrarias y los errores de su predecesor, Miguel Ángel Rodríguez. La popularidad de Rodríguez iba en ascenso desde el fracasado proceso de "concertación", al comienzo de su presidencia, y el desastroso intento de privatizar al ICE, a principios del 2000. A pesar de eso, en diciembre del 2001 Rodríguez había ganado en popularidad, con un positivo nivel del 40,1 por ciento de los entrevistados, para quienes su trabajo había sido bueno o muy bueno, contra solamente un 23,3 por ciento que consideraban su trabajo malo o muy malo (UNIMER, diciembre, 2001).

Rolando Araya también comenzó su campaña con una valoración negativa. En octubre del 2001, cuando el 15 por ciento de los entrevistados percibían a Pacheco negativamente, el 21 por ciento hacían lo mismo con Araya. Pacheco tenía un 73 por ciento de audiencia favorable y Araya 55 por ciento. Ottón Solís tenía un 34 por ciento de audiencia a su favor y el 17 por ciento desfavorable. En ese momento era prácticamente un desconocido. En enero del 2002

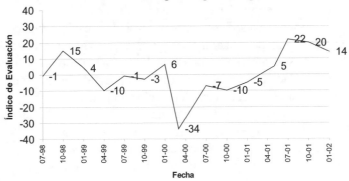

Tendencias en la evaluación de la gestión como Presidente de Miguel Ángel Rodríguez

Fuente: CID # 89: 24.

Araya tenía una audiencia desfavorable en ascenso del 40 por ciento, mientras que Pacheco estaba en el 29 por ciento y Solís solamente en el 22 por ciento. Esas percepciones sobre Araya lo hacían aparecer como si fuera a ocupar el tercer lugar en las elecciones de febrero (CID, Nº 88 y 89; octubre, 2001 y enero, 2002).

A finales de octubre del 2001 **La Nación** entrevistó a los dos candidatos principales. En ese momento Solís no era considerado importante. Cuando les preguntaron sobre sus tres prioridades más fundamentales para la campaña y para la presidencia, Abel Pacheco contestó:

> "–Si se quiere, las podríamos resumir en una. Mi prioridad, siendo psiquiatra, es el ser humano… Yo apuesto a la persona humana; yo apuesto a buscar los mejores hombres para resolver los mayores problemas; yo apuesto a reforzar la educación, en primera instancia, la salud, en segunda instancia, y como consecuencia de esto, el trabajo, y de ahí la economía en una eventual llegada a un gobierno de la República." (http://www.nacion.com/ln_ee/2001/noviembre/04/abel.htm)

Las respuestas de Pacheco a muchas preguntas y su campaña electoral misma se plantearon, en términos generales, sin muchos detalles. Por ejemplo, cuando le preguntaron acerca de la economía, insistió en que él no conocía mucho de economía, pero que podía recurrir a los mejores economistas para incorporarlos a la administración y así ayudarían a resolver las crisis económicas que enfrenta el país. En múltiples ocasiones se vio obligado a explicar que no privatizaría el ICE. Otros temas generales que se tocaron en sus intervenciones son la descentralización del gobierno y el traslado de la educación a las municipalidades, la ayuda a la agricultura y la protección del medio ambiente.

En su presentación frente a más de 60 observadores internacionales del proceso electoral, Pacheco insistió en que él "era un hombre de pueblo y hablaba su lenguaje". Conversó sobre algunos tópicos de su historia personal y mantuvo que su campaña era económica, honesta y que pretendía evitar los errores del pasado. Insistió en que su gobierno sería honesto y transparente; que limpiaría la administración de la corrupción y castigaría a aquellos que se aprovecharan de los puestos políticos para lograr beneficios particulares. Reconoció que el PUSC había cometido un grave error al querer privatizar al ICE. Centró la mayor parte de la conversación en los problemas de la pobreza y su reciente crecimiento en Costa Rica. Concluyó haciendo énfasis en que "es muy necesario volver a tener fe en el ser humano".

Cuando **La Nación** le preguntó a Rolando Araya acerca de sus prioridades, este puntualizó:

"Nosotros creemos que la educación tiene un efecto holístico desencadenante en otra serie de problemas que vive el país y definimos con toda claridad: la educación es lo primero.

La otra prioridad es el tema de nuestra respuesta a la situación económica que vive el país… y dentro de eso le damos prioridad al tema de las finanzas públicas: el acometimiento del problema de la deuda interna, de la cuestión fiscal y todo lo que esté relacionado con las finanzas públicas.

Como tercer aspecto, el que los ajustes que hagamos se lleven a cabo de manera que podamos lograr un equilibrio entre los resultados económicos y los resultados sociales. El tema social, salud e incluyo aquí de nuevo a la educación, combate a la pobreza, y el acometimiento de la patología social del país sería nuestra tercera prioridad." (http://www.nacion.com/ln_ee/2001/noviembre/04/rolando.htm)

Araya, en noviembre, identificó los siete temas en que centraría su campaña:

"La primera está relacionada con juventud y educación y cita como la piedra angular el subsidio para que ningún joven abandone el colegio antes de los 17 años.

Los otros compromisos abarcan pobreza, producción nacional y desarrollo rural, lucha contra la corrupción, seguridad ciudadana, democracia y naturaleza.

Algunas de las iniciativas mencionan la promoción de la pequeña empresa, créditos para vivienda que permitan a las familias acceder a montos mayores y la organización de un plan nacional de producción agropecuaria.

Además, la propuesta hace énfasis en la idea de intervenir la Dirección de Tributación y el sistema aduanero, para fortalecerlos.

Araya enfatizó en que se trata de un nuevo concepto de socialdemocracia, basado más en la espiritualidad que en lo material." (http://www.nacion.com/ln_ee/2001/noviembre/15/pais3.htm)

Después del episodio a micrófono abierto, a mediados de noviembre, Araya se puso a la defensiva y comenzó a actuar de manera más agresiva, atacando en lo personal a los candidatos del PUSC, en especial a Pacheco y a su candidato a la segunda vicepresidencia, Luis Fishman. Después de las encuestas de opinión pública de diciembre, que indicaban un fantástico crecimiento de popularidad para Ottón Solís, tanto el PLN como su candidato Araya cambiaron de manera significativa sus tácticas de campaña. Se alejaron un tanto de Araya mismo y de sus propuestas y comenzaron a utilizar la historia del PLN, sus expresidentes y los mayores logros de las administraciones del PLN en el pasado. Se centraron mucho menos en el candidato y en sus cualidades. También, la campaña se tornó muy negativa con respecto a Solís, a quien atacaron en cuestiones muy personales, relacionadas con su carácter, sus problemas del pasado y la poco clara naturaleza de su situación económica.

Rolando Araya llegó con mucho retraso a su presentación con los observadores internacionales. Comenzó su conversación centrándose en el PLN y en su historia. Revivió la Guerra Civil de 1948 y la fundación del PLN. Conversó sobre las muy buenas cosas que el PLN le había dado a Costa Rica en los últimos cincuenta años. Trajo a discusión el problema de la gobernabilidad del país y el hecho de que no habían podido resolverse los mayores obstáculos que enfrentaba la sociedad costarricense. Una de las acciones específicas que pretendía tomar si lograba la victoria era descentralizar el gobierno y trasladarlo al pueblo y a las municipalidades. Cuando le preguntaron sobre el nivel de la deuda en Costa Rica insistió en que el neoliberalismo no había funcionado y no se debía privatizar empresas u organismos del estado. Llegó a decir que la globalización de la economía necesitaba ser más equilibrada y que los países desarrollados, industrializados, debían restringir menos el comercio y ofrecer mayores ventajas a los países del Tercer Mundo. Cuando se le preguntó acerca de la corrupción, dijo que no era tan grande en el gobierno como lo era en la empresa privada. Acusó a las empresas privadas de no pagar los impuestos y de falsificar sus informes contables, con el propósito de reducir lo que debían pagar de impuestos.

Ottón Solís insistió en la honestidad, la anticorrupción, la reforma y un contacto más cercano con la gente corriente. Explicó que quería escuchar cuidadosamente al pueblo y que no tomaría ninguna decisión política sin consultar a toda la gente. Puso su mayor énfasis en una reforma del proceso político que desplazara a las elites partidarias y colocara ahí a la gente común, para fortalecer la democracia. Su campaña sorprendió a mucha gente que estaba descontenta con el funcionamiento de los dos partidos mayoritarios en los 90. Muchas personas con educación formal elevada y de la clase media se molestaron con José María Figueres cuando materializó un contrato bipartidista con el PUSC. El mismo grupo se disgustó considerablemente cuando el presidente Rodríguez acogió las reuniones de "concertación", al comenzar su gobierno y durante los primeros meses de su administración. También se incomodaron cuando habló con la gente y con los grupos mayoritarios pero se olvidó de todas esas ideas cuando había que ponerlas en práctica. También estaban ahí los extremadamente molestos por el intento de privatizar al ICE. Solís tuvo la capacidad de aglutinar a todos

esos grupos, con el propósito de que lo apoyaran y se moviliza-
ran por su causa durante la campaña.

En su presentación ante los observadores internacionales, Solís planteó que Costa Rica estaba a las puertas de un cambio muy
importante. Insistió en decir que la gente común había perdido
credibilidad en sus dirigentes políticos y en los dos partidos mayoritarios. Puntualizó que esa era una reforma fundamental para
traer al pueblo al proceso político. Dijo que era muy importante
que los candidatos pusieran la atención necesaria a sus interlo-
cutores. Entonces, centró su atención en el hecho de que no había sido resuelto el crecimiento de la pobreza en el país. Atacó
la inacción de los dos partidos mayoritarios al no solucionar la
crisis económica que enfrenta Costa Rica. Afirmó que debería
buscarse una solución económica más honorable que aquella que
las propuestas neoliberales de los dos partidos habían puesto en
práctica en el pasado. Con respecto a la privatización de las empresas estatales, planteó que el hecho de que el estado fuera muy
grande no era el problema, sino el que muchas de sus empresas no
se administraban correcta y eficientemente. Alegó también sobre
la necesidad de reformar y revitalizar el sector agrícola de país,
haciéndolo más productivo, recompensando a los agricultores
por su esfuerzo. Las pequeñas empresas necesitaban también del
apoyo y de la ayuda del estado. Estaba consciente de que las elecciones podrían desembocar en una verdadera fragmentación de la
Asamblea Legislativa, lo cual podía hacer mucho más difícil la
administración política del país. También planteó que había crisis
en la seguridad social, en la educación, en la seguridad ciudadana, con las leyes y el sistema judicial, además de que había una
gran ausencia de consenso entre los ciudadanos.

La encuesta de opinión pública de UNIMER de mediados
de enero del 2002 reflejó el éxito de la campaña de Ottón Solís
y las dificultades de Rolando Araya. En la pregunta a todos los
entrevistados de si la elección fuera hoy, ¿por quién votaría?, el
30 por ciento dijo que lo haría por Pacheco, 20 por ciento esco-
gería a Araya, y el 22,9 por ciento a Solís. Para todos aquellos
que tenían la real intención de votar el día de las elecciones, los
datos permanecieron similares. Pacheco recibió el 34,6 por ciento

de los votos; Araya, el 24 por ciento; Solís, el 27,9 por ciento; y Guevara, el 5,1 por ciento. Así, dos semanas antes del día de las elecciones, parecía que Pacheco ganaría con menos del 40 por ciento de los votos, Solís llegaría en segundo lugar y Araya y el PLN quedarían relegados a un tercer puesto o, como expresó un analista político, "en el basurero de la historia". Sin embargo, en la encuesta de opinión de UNIMER de marzo del 2002, cuando se preguntó si el PLN y el PUSC eran necesarios para el desarrollo del país, "de acuerdo con el 71,5 por ciento de los costarricenses, el PLN y el PUSC son partidos necesarios para el desarrollo del país. Para el 18,2 por ciento sería mejor para Costa Rica que desaparecieran ambos, para el 3,4 por ciento que desapareciera el PLN y para el 1,9 por ciento sería conveniente que desapareciera el PUSC".

Los resultados

Como se indicó, Pacheco tuvo capacidad para obtener 38,58 por ciento de los votos, Araya el 31,05 por ciento y Solís solamente el 26,19 por ciento. Como ninguno alcanzó el 40 por ciento de los votos para obtener automáticamente la victoria, la segunda ronda se estableció para abril. Una de las primeras cosas que ocurrieron después de la elección de febrero fue básicamente que Pacheco expulsó de la cúpula gobernante a su segundo vicepresidente, Luis Fishman. Al mismo tiempo, Araya retiró a su hermano, José Johnny Araya, de la jefatura de la campaña. Solís, por su parte, sugirió a sus seguidores que votaran en blanco o desistieran de votar en la segunda ronda (Ver tabla 8.3).

El financiamiento de la segunda parte de la campaña electoral fue el mayor problema que tuvieron que enfrentar los dos candidatos presidenciales, pues no había fondos del estado para ayudar a los candidatos en el proceso, dado que habían gastado toda la asignación en la primera vuelta; en consecuencia, ellos tuvieron que salir a buscar el dinero en fuentes privadas. Ambos partidos negociaron una tregua de varias semanas antes de comenzar con la segunda ronda electoral. El público también estaba cansado

TABLA 8.3

Totales finales de votación para presidente y vicepresidentes, 2002 Feb

Provincia / Partidos	Total #	%	San José	Alajuela	Cartago	Heredia	Guanacaste	Puntarenas	Limón
Independiente Obrero	801	0,05	240	106	185	39	71	90	70
Movimiento Libertario	25.815	1,69	9.143	4.119	3.429	2.438	892	3.038	2
Rescate Nacional	905	0,06	336	127	117	81	68	73	103
Renovación Costarricense	16.404	1,07	4.607	2.729	1.218	1.591	1.226	1.997	3.036
Coalición Cambio 2000	3.970	0,26	1.268	558	692	380	167	309	596
Alianza Nacional Cristiana	1.271	0,08	396	232	130	78	109	132	194
Integración Nacional	6.235	0,41	3.279	747	916	543	172	261	317
Unidad Social Cristiana	590.277	38,58	212.596	109.415	65.261	54.592	46.457	54.418	47.538
Acción Ciudadana	400.681	26,19	180.492	71.408	52.195	50.224	12.702	19.060	14.600
Patriótico Nacional	1.680	0,11	742	204	217	183	57	111	166
Fuerza Democrática	4.121	0,27	1.410	603	808	376	197	346	381
Unión General	2.655	0,17	900	454	324	213	188	271	305
Liberación Nacional	475.030	31,05	165.637	98.863	58.605	40.600	42.589	40.892	27.844
Total votos válidos	1.529.845	100	581.046	289.565	184.097	151.338	104.895	120.998	97.906

TABLA 8.3 (Continuación)
Totales finales de votación para presidente y vicepresidentes, 2002 Feb

Provincia	Total		San José	Alajuela	Cartago	Heredia	Guanacaste	Puntarenas	Limón
Partidos	#	%							
Votos nulos	32.332	2,06	10.120	5,452	4.192	2.404	2.661	3.989	3.514
Votos en blanco	7.241	0,46	2.031	1.313	858	50	699	886	952
Total votos recibidos	1.569.418	100	593.197	296.330	189.147	154.244	108.255	125.873	102.372
Abstencionismo cifras	710.433		262.626	114.208	72.495	60.852	46.809	80.476	72.967
Abstencionismo %	31,16		30,69	27,82	27,71	28,29	30,19	39	41,61

y mucha gente terminó sin ninguna motivación con respecto al proceso electoral.

Los seguidores del PAC escucharon aparentemente a Ottón Solís y muchos de ellos permanecieron alejados de los centros de votación el 8 de abril. La tasa de abstencionismo saltó del 31,6 por ciento en febrero, al 39,78 por ciento en abril. En ambos momentos, en febrero y en abril, el porcentaje de quienes se abstuvieron fue mayor que el de los votos obtenidos por el candidato ganador. Al comienzo del proceso el TSE y la mayor parte de los analistas políticos creían que la tasa de abstención sería mucho más baja en el 2002 de lo que había sido en 1998 (Ver Tabla 8.4).

Este porcentaje de no votantes tomó por sorpresa a muchas personas; a los partidos políticos, a los candidatos, a los medios de comunicación social, al TSE, e incluso a los dos más importantes encuestadores de la opinión pública. Todos ellos esperaban que el índice de abstención bajara del elevadísimo 30 por ciento, en 1998, al índice tradicional del 16 a 20 por ciento. En cambio, el índice continuó creciendo.

Entre las fechas de votación, la encuesta de opinión que realizó UNIMER en marzo del 2002 indicó lo que el público creía: que el PUSC, en comparación con el PLN, era: 1) el partido en que más confían; 2) el que cuenta con el mejor candidato para la presidencia; 3) el partido que se ha renovado y actualizado mejor. En la misma encuesta, el público percibió al PLN, en comparación con el PUSC, como 1) el que había hecho las mayores contribuciones al país; 2) el que cuenta con el mejor equipo; 3) el que tiene más capacidad para resolver los problemas del país; y, 4) se vive mejor cuando gobierna el PLN. A pesar de esas percepciones, en abril, la mayor parte de la gente votó por el PUSC.

Abel Pacheco ganó la segunda ronda. Por lo tanto, por la primera vez en la moderna historia política de Costa Rica, el PLN perdió dos elecciones en línea. Esta circunstancia creó una difícil situación para ese partido, que ahora tiene que modificar tanto su dirigencia como su agenda política. Debe hacer algo para reestablecer sus contactos con los seguidores tradicionales y también con las jóvenes generaciones de electores. Debe buscar cómo perder esa imagen de corrupción, de distanciamiento de la gente y

TABLA 8.4
Resultados finales del escrutinio para la elección de presidente y vicepresidentes, en cifras absolutas y relativas
SEGUNDA VUELTA

Partidos/Provincia	Total #	%	San José	Alajuela	Cartago	Heredia	Guana-caste	Punta-renas	Limón
Unidad Social Cristiana	776,278	57.95	284,382	143,920	89,516	74,713	54,831	66,755	62,158
Liberación Nacional	563,202	42.05	208,140	112,826	71,462	53,837	41,176	45,100	30,661
Total votos válidos	1,339,480	100	492,522	256,746	160,981	128,550	96,007	111,855	92,819
Votos nulos	27,457	2	12,464	4,340	3,618	3,285	1,089	1,314	1,347
Votos en blanco	6,006	0.44	2,540	1,089	742	682	280	320	353
Total votos recibidos	1,372,943	100	507,526	262,175	165,341	132,517	97,376	113,489	94,519
Papeletas sobrantes	906,898		348,310	148,355	96,300	82,577	57,682	92,856	80,818
Total General	2,279,841		855,836	410,530	261,641	215,094	155,058	206,345	175,337
Abstencionismo cifras	906,908		348,297	148,363	96,301	82,579	57,688	92,860	80,820
Abstencionismo %	39.78		40.7	36.14	36.81	38.39	37.2	45	46.09

Fuente: Departamento de Informática del TSE

de pobre liderazgo. Si fracasa en el logro de esos cambios podría llegar a formar parte de los partidos minoritarios y perder su posición privilegiada en la política costarricense.

La segunda sorpresa más importante en los resultados electorales de las elecciones del 2002 fue el fantástico crecimiento del apoyo público para el PAC y para Ottón Solís, en particular. De acuerdo con muy diversas fuentes y en especial de los encuestadores de la opinión pública, Ottón hubiera podido llegar en segundo lugar en las elecciones de febrero si no se hubiera dado la veloz incursión propagandística contraria ["negative blitz campaign"] en las dos semanas anteriores al día electoral, a cargo, como se dijo, de Fernando Naranjo, el candidato a la primera vicepresidencia por el PLN.

Lo malo no fueron las revelaciones perjudiciales durante el proceso electoral sino el hecho de que Solís se había presentado con muy elevados principios, tanto a su persona como a su

TABLA 8.5
Votación recibida para diputados a la Asamblea Legislativa
Por votos válidos, nulos y blancos, según provincia. Elecciones 2002

Provincias	Electores inscritos	Total general	Total	Independiente Obrero	Unión Agrícola Cartaginés	Movimiento Libertario	Rescate Nacional
			VOTOS RECIBIDOS				
			VOTOS VALIDOS				
Costa Rica	2.279.851	1.569.338	1.521.854	8.044	6.974	142.152	4.937
San José	855.823	593.172	580.557	1.342	0	68.385	1.623
Alajuela	410.538	296.293	287.309	383	0	21.535	956
Cartago	261.642	189.151	182.743	5.389	6.974	13.395	295
Heredia	215.096	154.219	150.477	204	0	16.122	851
Guanacaste	155.064	108.237	103.860	215	0	2.865	300
Puntarenas	206.349	125.880	119.842	362	0	11.995	452
Limón	175.339	102.386	97.066	149	0	7.855	460

TABLA 8.5 (Continuación)
Votación recibida para diputados a la Asamblea Legislativa
Por votos válidos, nulos y blancos, según provincia. Elecciones 2002

	VOTOS RECIBIDOS							
	VOTOS VALIDOS							
Provincias	Convergencia Nacional	Agrario Nacional	Renovación Costarricense	Acción Laborista Agrícola	Cambio 2000	Alianza Nacional Cristiana	Integración Nacional	Unidad Social Cristiana
Costa Rica	1.348	2.595	54.699	10.890	12.992	6.825	26.084	453.201
San José	0	0	20.639	0	3.313	2.864	10.675	157.139
Alajuela	0	0	8.108	10.890	1.784	968	4.117	86.760
Cartago	1.348	0	3.692	0	2.094	578	8.151	46.949
Heredia	0	0	5.290	0	2.026	527	1.491	41.462
Guanacaste	0	0	6.474	0	822	401	388	39.378
Puntarenas	0	0	5.082	0	991	676	527	45.338
Limón	0	2.595	5.414	0	1.962	811	735	36.175

	VOTOS RECIBIDOS							
	VOTOS VALIDOS							
Provincias	Acción Ciudadana	Patriótico Nacional	Fuerza Democrática	Fuerza Agraria de los Cartagineses	Union General	Liberación Nacional	Nulos	Blancos
Costa Rica	334.162	7.123	30.172	1.390	5.883	412.383	28.461	19.023
San José	156.564	3.497	10.075	0	4.223	140.218	7.697	4.918
Alajuela	59.414	698	3.816	0	346	87.534	5.038	3.946
Cartago	38.094	620	6.807	1.390	535	46.432	4.211	2.197
Heredia	41.606	621	3.515	0	239	36.523	2.156	1.586
Guanacaste	10.688	405	1.208	0	141	40.575	2.609	1.768
Puntarenas	15.496	944	2.127	0	193	35.659	3.578	2.460
Limón	12.300	338	2.624	0	206	25.442	3.172	2.148

partido. Algunos dijeron que se había mostrado a sí mismo como un "santo" cuando no lo era. Los votantes lo tenían también en sobreestima por lo que su apoyo público declinó de manera significativa cuando se reveló que tuvo algunos conflictos serios y cierto comportamiento cuestionable en el pasado.

A causa del proceso electoral del 2002, la Asamblea Legislativa será el centro de la mayor acción política, de enfrentamientos y de una difícil organización de la agenda para los próximos cuatro años. Ningún partido logró obtener mayoría de curules en el Congreso. El PUSC conquistó diecinueve puestos, el PLN alcanzó diecisiete, el PAC, catorce, el Movimiento Libertario, seis, y Renovación Costarricense, el último. Con un parlamento tan fragmentado, deberá buscarse la manera de consolidar coaliciones. Pero será difícil organizarlas debido a la naturaleza de los partidos implicados. Es inadmisible para el PAC establecer una coalición con los otros partidos y, por ahora, es el único partido minoritario que podría unirse en coalición tanto con el PUSC como con el PLN para conformar una mayoría legislativa. Es posible que el Movimiento Libertario y el PUSC establezcan una coalición, pero todavía les harán falta algunos asientos para alcanzar la mayoría simple. De hecho ya lo hicieron para la elección del directorio de la primera legislatura, 2002-2004, donde ambos compartieron todos los puestos. Esta circunstancia, la ausencia de mayoría simple y, por supuesto, absoluta, creará los mayores inconvenientes en el futuro pues se atascarán fácilmente las posibilidades de llevar a la práctica nuevas políticas públicas para solucionar los problemas del país (Ver Tablas 8.5 y 8.6).

Como resultado del impacto del censo de población del 2000, la Asamblea Legislativa vivió una experiencia adicional. La provincia de San José perdió una de sus curules en el Parlamento en beneficio de Alajuela, que logró un puesto adicional; Cartago también ganó un lugar; Heredia permaneció con los mismos; Guanacaste perdió un puesto así como Puntarenas; mientras que Limón logró una nueva posición. En consecuencia, no solamente será diferente la participación partidaria en la Asamblea Legislativa del 2000-2006 sino que también variará la representación provincial (Ver Tabla 8.6).

TABLA 8.6

La elección de diputados a la Asamblea Legislativa

Provincia	Total		Movimiento Libertario		Renovación Costarricense		Fuerza Democrática		Unidad Social Cristiana		Integración Nacional		Liberación Nacional		Acción Laborista Agrícola		Acción Cuidadana	
	98	2002	98	2002	98	2002	98	2002	98	2002	98	2002	98	2002	98	2002	98	2002
Costa Rica	57	57	1	6	1	1	3		27	19	1		23	17	1	0	0	14
San José	21	20	1	2	1	1	2		8	6	1		8	5		0	0	14
Alajuela	10	11		1			1		4	4			4	4	1	0	0	2
Cartago	6	7		1					3	2			3	2		0	0	2
Heredia	5	5		1					3	1			2	1		0	0	2
Guanacaste	5	4							3	2			2	2		0	0	-
Puntarenas	6	5		1					4	2			2	1		0	0	1
Limón	4	5							2	2			2	2		0	0	1

A pesar de que el PAC perdió la elección presidencial, se convirtió en un victorioso en las papeletas para la Asamblea Legislativa, donde logró 14 asientos. Por lo tanto, el PAC será la mayor fuerza política, al menos en los siguientes cuatro años. El Movimiento Libertario hizo también lo que ningún partido minoritario había logrado en los últimos cincuenta años. Ganó seis lugares en la Asamblea, con lo que se transformó en una importante fuerza en las sesiones legislativas. Esta ideológicamente más cercano al PUSC, en consecuencia, esos dos partidos trabajarán juntos en muchos de los asuntos que llegarán a la Asamblea. Esta coalición, sin embargo, está por debajo del control mayoritario.

En 1998, el Partido Fuerza Democrática se perfilaba como el partido minoritario clave en Costa Rica. Sin embargo, se desintegró entre el 1998 y el 2002 debido a desavenencias internas, a la pobre representación en la Asamblea y a causa de las diferentes personalidades en el liderazgo. En el 2002 Fuerza Democrática ganó solamente el 0,27 por ciento de los votos presidenciales y el 1,98 por ciento de los legislativos. En consecuencia, no obtuvo ningún puesto en el Parlamento y posiblemente desaparezca como movimiento político en un futuro muy próximo. Los otros ocho partidos minoritarios que participaron en la candidatura presidencial, y los otros trece que lo hicieron por el Congreso, lograron muy bajos porcentajes de la votación, pero en la mayor parte de los casos continuarán existiendo como partido legales, dentro del sistema.

Sin el control de la mayoría por parte de un solo partido y con la representación de cinco partidos en la Asamblea, va a ser difícil para el Congreso llegar a consensos sobre asuntos esenciales para el país. Las grandes preguntas sobre el funcionamiento de la Asamblea Legislativa en el futuro cercano, son: 1) ¿cuál es el rol que jugará cada partido?; 2) ¿cuán bien funcionará una Asamblea tan fragmentada?; y, 3) ¿cuál será la capacidad de la Asamblea para aprobar leyes y programas indispensables para llenar las necesidades del país? Las percepciones de la gente al respecto las registró UNIMER, en marzo del 2002:

"El 33,3 por ciento de los entrevistados opina que el PAC será el Partido que realizará la mejor labor en la próxima Asamblea Legislativa, el 17,7 por ciento opina que el PUSC, el 15,5 por ciento que el PLN y el 15,3 por ciento que el Movimiento Libertario. … Cabe resaltar que entre quienes votaron por Rolando Araya en las elecciones pasadas, el 42,8 por ciento opina que el PLN realizará la mejor labor y el 22,1 por ciento opina que el PAC, y entre quienes votaron por Abel Pacheco, el 41,8 por ciento opina que el PUSC realizará la mejor labor y el 26,7 por ciento que lo hará el PAC. El 65,4 por ciento de quienes votaron por Ottón Solís piensa que la fracción de ese Partido realizará la mejor labor.

Para el 60,5 por ciento de los costarricenses la próxima Asamblea Legislativa funcionará mejor, el 22,6 por ciento opina que será igual y el 7,4 por ciento opina que peor. Quienes opinan que funcionará mejor son principalmente los hombres, las personas de mayor nivel socioeconómico, quienes tienen mayor nivel educativo y las personas que votaron por Abel Pacheco, Ottón Solís u Otto Guevara.

El 68,1 por ciento de los costarricenses opina que la próxima Asamblea Legislativa logrará aprobar las leyes que necesita el país, el 16,1 por ciento opina lo contrario y el 15,9 por ciento NS/NR. Son los más jóvenes y quienes votaron por Abel Pacheco los más optimistas en este sentido."

El público también tuvo importantes apreciaciones con respecto a la imagen de cada partido de los que conformarían la Asamblea Legislativa. El PAC obtuvo la imagen más positiva, mientras el PLN la más baja. Renovación es menos conocido y por esta razón tiene una imagen aún menos positiva:

TABLA 8.7

PORCENTAJE DE PERSONAS QUE LO CONOCEN	PARTIDO POLITICO	IMAGEN positivas menos negativas porcentaje
86,5	Liberación Nacional	22,0
86,4	Unidad Social Cristiana	32,2
75,6	Acción Ciudadana	63,2
72,5	Movimiento Libertario	56,1
41,5	Renovación Costarricense	14,6

El problema del abstencionismo

En las primeras elecciones de la moderna era democrática en Costa Rica, el abstencionismo fue tan fuerte como cuando las mujeres lograron el derecho al voto y muchos otros pueblos no acostumbraban usar el concepto de sufragio universal. En ambas elecciones, la de 1953 y 1958, la tasa de abstención se acercó al 30 por ciento. En 1960 se estableció la obligatoriedad del voto, pero no era posible castigar a quienes no ejercieran ese derecho. Cuando la gente comenzó a acostumbrarse a votar y el día de las elecciones se transformó en algo muy importante, hasta transformarse en la "fiesta nacional", el índice de abstención alcanzó entre el 16 y el 20 por ciento. El abstencionismo se mantuvo en esos niveles hasta las elecciones de 1998. En ese año, la tasa de abstención volvió a saltar hasta un 30 por ciento de los votos registrados. Fue una "ocurrencia" de muchos costarricenses, pero había sido predicho por los analistas políticos que habían visto la declinación del apoyo público al sistema, por la ruta que la democracia iba tomando en Costa Rica y por el camino que los partidos políticos fueron construyendo con el bipartidismo. Muchos votantes llegaron a la conclusión de que los partidos políticos eran incapaces de resolver los problemas más importantes del país. Otros decidieron que no votar era la única vía para llamar la atención de los políticos.

A comienzos de 1974, el TSE comenzó a estudiar el problema del abstencionismo y examinaron sus "explicaciones". Desde 1960 hubo cierta consistencia en la tasa de la abstención y surgió el mito de que aproximadamente del ocho al diez por ciento de quienes se abstenían lo hacían por varias razones. Las que se esgrimían entonces eran: la gente que está fuera del país y no puede ejercer el voto, porque no hay papeletas para voto en ausencia [a distancia]; los ciudadanos o ciudadanas que están ya muy viejos o muy enfermos para votar; y aquellos que estaban privados de ejercer el derecho, porque se encontraban en prisión o sufrían suspensión de los derechos políticos. El otro ocho o diez por ciento que no votan provienen generalmente de las áreas rurales, de las provincias de Puntarenas y Limón, son los jóvenes electores, entre los 18 y 30 años, y los potenciales votantes de escasa alfabetización.

En el pasado se habían manejado dos acepciones principales del abstencionismo. La primera, estructural, que la gente no sufragaba porque no existen papeletas para votar desde el exterior. La segunda, una decisión muy personal, debida al desinterés y a la apatía. Desde 1998 apareció un nuevo grupo de no-votantes, el cual estaba compuesto por gente que se había desencantado, desinteresado, frustrado y desilusionado por el camino por donde transitaba el proceso político costarricense. Muchos analistas políticos pensaron que este grupo sería interpelado por Ottón Solís y que votaría en el 2002, con lo cual la tasa de abstención descendería al nivel tradicional, del 18 o 20 por ciento:

> "El alto índice de abstencionismo en el actual proceso electoral, constituye un dato sorpresivo y hasta cierto punto paradójico. Lo primero, por cuanto todos creímos que con el ascenso de una tercera fuerza y el entusiasmo que despertó entre un importante sector del electorado, este índice más bien iba a bajar. En cuanto a lo segundo, hay que destacar que el índice de abstencionismo tiende a aumentar en un momento y en un contexto en que más se incrementan las demandas de participación de amplios sectores de la sociedad civil (Salom, 2003: 2)."

En las elecciones del 2002 el TSE no tuvo más camino que enfrentar algunos de los desafíos que implicaban los obstáculos estructurales del voto. Se ubicaron recintos electorales en las cárceles y en los hospitales, con el propósito de "invitar" a la gente a participar en la votación. Sin embargo, no se hizo nada para que votaran las personas que se encontraban fuera del país. Este autor piensa que ese grupo de costarricenses ha crecido significativamente desde los años 70. Hoy en día es mucho mayor el número de costarricenses que realiza frecuentes viajes internacionales. Por lo tanto, buena cantidad de personas se abstiene de votar por razones estructurales, pues están físicamente inhabilitados por la ausencia de papeletas especiales para votar desde el exterior. Este autor conoce al menos diez costarricenses que se encontraban fuera del país el 3 de febrero del 2002. Si con el limitado círculo de conocidos costarricenses que están viajando, el autor pudo identificar esa cifra, estoy convencido de que no son cientos, quizás miles los costarricenses que no votan porque no se ofrecen las facilidades para hacerlo desde el exterior.

El aumento del tamaño de este nuevo grupo de no-votantes es muy distorsionador. En la encuesta de opinión de UNIMER de enero del 2002, el treinta y siete por ciento indicó que no tenían ningún entusiasmo con respecto a la elección de febrero. Un nueve por ciento adicional señaló que estaban totalmente desilusionados con las elecciones y el proceso electoral mismo. Solamente el 38 por ciento mostró mucho interés y entusiasmo por las elecciones. El grupo tradicionalmente apático lo formó el 13 por ciento de los entrevistados, quienes indicaron que no tenían absolutamente ningún interés ni en las elecciones ni en la participación en los procesos políticos. Esta cifra se sostiene con el hecho de que, en febrero del 2002, el abstencionismo en las provincias de Limón y Puntarenas ascendió al 41,61 y 39 por ciento, respectivamente. Al mismo tiempo, las provincias de Alajuela y Cartago tuvieron índices de abstención que anduvieron por debajo del 28 por ciento. Los más altos índices de abstención estaban relacionados con las provincias donde se encuentran los más bajos niveles de alfabetización, los más altos niveles de pobreza y las poblaciones más rurales del país. El tamaño del grupo tradicional de no-votantes parece tener un ligero crecimiento con respecto a la pasada década, cuando el tamaño de los insatisfechos y desilusionados se había extendido de manera significativa, a quebrar de las elecciones de 1994.

Elecciones municipales, diciembre 2002

El primero de diciembre del 2002 se realizaron por primera vez en la historia costarricense elecciones municipales separadas del resto, para elegir 81 alcaldes y 665 síndicos y miembros de los consejos de distrito. Diez partidos nacionales, cuatro provinciales y 19 partidos cantonales, y una coalición (izquierdista, en el partido Cambio 2000), presentaron candidatos para los 4.901 puestos de gobierno local. Es todavía muy temprano para dibujar algunas conclusiones de esta elección, pero algunas de las tendencias más importantes discutidas en este capítulo se confirmaron con estos sufragios. Muchos costarricenses no percibieron la importancia de este proceso, en el cual se llegó al mayor índice de abstención en los últimos cien años, más allá del 77 por ciento. Esta cifra representa cerca del doble de la obtenida en la segunda vuelta, en abril del 2002.

La fragmentación y proliferación partidarias continuaron con un total de 34 partidos involucrados en la contienda. PUSC dominó la elección y ganó 49 de las 81 alcaldías, PLN obtuvo 27 y el PAC una. Tres partidos locales lograron una alcaldía cada uno y el Independiente Obrero consiguió una en la provincia de Cartago.

El PUSC se aseguró su mayor victoria en esta elección, el PLN declaró que ellos representaban el partido mayoritario, y ambos partidos insistieron en que el PAC finalmente no era una fuerza para ser considerada. El PAC replicó explicando que con una participación menor al 25 por ciento de los electores inscritos, los resultados significaban muy poco y que el PAC necesitaba organizarse mejor a lo largo del país.

Con estos resultados, el PUSC confirmó su posición de partido mayoritario. PLN apareció en recuperación desde las últimas elecciones, ese año. De acuerdo con el Secretario General del PLN, Luis Guillermo Solís, el PLN tiene "… una plataforma muy sólida para construir el partido. Ya salimos del túnel. Este es un punto de inflexión en la recuperación del PLN" (Herrera U, 2002).

El PAC y otros partidos minoritarios apenas se mantuvieron y la mayor parte estuvo a punto de perder sus posiciones. Sin embargo, muchos de ellos estarán representados en los consejos distritales. Ronald Alfaro, un politólogo, indicó que esos partidos minoritarios continuarán apareciendo y desapareciendo, pues no pueden coexistir ni competir con los partidos tradicionales" (Herrera U, 2002).

Conclusiones

Las elecciones de 1998 trajeron muchos cambios en la política costarricense. El análisis de esas elecciones en un capítulo previo terminaba con la siguiente afirmación:

"La democracia costarricense está en medio de una transición. El sistema creado por don 'Pepe' Figueres, la Constitución de 1949 y los programas desarrollistas del PLN, está siendo impugnado desde muchos frentes. Pero Costa Rica se mantendrá como una sólida y viable democracia, debido tanto a los cambios como a causa de ellos".

Las elecciones del 2002 pusieron fin al sistema establecido después de la Guerra Civil de 1948. **La auditoría ciudadana sobre la calidad de la democracia** en Costa Rica divide la democracia moderna en dos períodos, el primero de 1948 a 1975 y el segundo de 1975 al presente. El argumento de este capítulo es que la era de 1975 terminó en el 2002 y ha comenzado, a partir de ese momento, una tercera fase de la democracia costarricense.

Las once tendencias identificadas en las elecciones de 1998 continuaron en el 2002 y muchas de ellas se agudizaron, a tal punto que parece establecerse una separación entre los hechos previos a la era 2002 y los posteriores a ella. La volatilidad del voto continuó a un ritmo más acelerado. La hegemonía del PLN sobre todo el sistema político parece llegar a su fin. Un partido minoritario no solo ha desafiado al PLN sino que, asimismo, lo hizo con el opositor al PLN, papel que en los años recientes ha desempeñado el PUSC. El PAC, haciendo posible la segunda ronda electoral, también hizo posible que Ottón Solís pudiera derrotar a Abel Pacheco. Si eso hubiera ocurrido, la transición hacia la nueva era habría estado completa. Como no ocurrió, la dirección de la transición hacia la nueva era es todavía nebulosa e incierta. Como afirmó el mismo Ottón Solís, "Costa Rica está a las puertas de un cambio muy importante" (presentación ante los observadores internacionales, el 1º de febrero del 2002). O, como expresó un analista político, "en el futuro hablaremos de la política antes y después del 2002".

El desalineamiento en ambos partidos llegó a ser más severo que antes. Un partido minoritario, el PAC, obligó a realizar la segunda ronda electoral, lo que nunca antes había ocurrido en la moderna vida política costarricense. La Asamblea Legislativa estará más fragmentada y los partidos mayoritarios tendrán una representación más reducida y menor poder, como casi nunca antes en la moderna historia costarricense. Mucho más importante, el abstencionismo a los más altos niveles durante la segunda mitad del siglo XX y el electorado parece estar menos implicado en la política y más escéptico con respecto a los dirigentes políticos que en el pasado. La "Fiesta nacional" es mucho menos "fiesta" que antes y se ha perdido mucho del espíritu nacional, del compromiso y del entusiasmo que la caracterizaban.

Las mujeres votaron por primera vez en las elecciones de 1953. En el 2002 no solamente votaron sino que alcanzaron la mayor cantidad de posiciones importantes en el gobierno con respecto al pasado. Ellas ocupan una tercera parte de las curules de la Asamblea Legislativa y más del 46 por ciento de los regidores en los concejos municipales. Es posible que para el 2006 haya más de seis mujeres como precandidatas de los tres partidos más importantes, aspirando todas a la presidencia de la república.

El abstencionismo es quizás el desafío más fundamental para el sistema político y la democracia costarricense. En la segunda ronda electoral, en abril del 2002, la abstención se aproximó al 40 por ciento y, si se agregan los votos nulos y en blanco, se alcanza el 41,2 por ciento. Los 906.980 no-votantes exceden, por un margen importante, los 776.278 votos para Pacheco y el PUSC. En las elecciones municipales saltó hasta más de un 77 por ciento, el más elevado en cien años.

El liderazgo político, los partidos políticos y los medios de comunicación social tendrán que trabajar muy duro para establecer enlaces con la gente común. Tanto los programas como las políticas necesitarán ser más efectivos y atacar los problemas más apremiantes que enfrenta la sociedad costarricense. Debe demostrarse que es exagerada la creencia de que los niveles de corrupción política son muy altos y el gobierno debe ser más transparente, más cristalino, más limpio en el ejercicio de sus funciones.

Si no se dan cambios la nueva era política puede ser menos estable, menos democrática y menos efectiva. Se podrían seguir los pasos de muchos países sudamericanos y buscar un líder carismático sin pertenencia partidaria para encontrar la solución de los problemas que vive el país: Alberto Fujimori, Fernando Collor de Mello, Hugo Chávez, Carlos Menem, y otros dirigentes semejantes, cautivaron los votos de los desilusionados, de los insatisfechos. Tengamos esperanzas de que Costa Rica no tomará esa ruta en el futuro.

Análisis y conclusiones IX

Este libro trata de políticos, democracia, evolución y cambio. Costa Rica continúa siendo la nación políticamente más democrática y más estable de América Latina. Ha mantenido su sistema representativo-electoral durante más tiempo que cualquier otro país de la región. Sin embargo, está cambiando. El electorado se ha tornado más escéptico y menos satisfecho con el sistema. Ha declinado la confianza en el proceso y los dirigentes tienen menos legitimidad que en el pasado. El compromiso y la lealtad de la gente, así como el orgullo por el sistema, han disminuido a lo largo de los últimos 25 años.

El capítulo sugiere algunas ideas e hipótesis de por qué la gente se ha tornado menos satisfecha y más crítica en torno a su democracia. Algunas evidencias apoyan estas interpretaciones, pero es difícil probarlas sin una investigación más exhaustiva, sin datos de la opinión pública más completos y un más serio cuestionamiento popular en torno tanto a grupos focales como a los individuos específicos.

Sociedad y cultura

Una de las razones por las cuales ha evolucionado el sistema político establecido en 1948-1951 es porque la sociedad costarricense ha cambiado de manera significativa. En 1948, en muchas formas, Costa Rica era una típica sociedad agrícola premoderna, una "república cafetalera" o una "banana republic". En 1950, por ejemplo, el 58 por ciento de la población económicamente activa estaba comprometido con la agricultura, la pesca y las actividades madereras. En 1970, esta proporción se redujo aproximadamente al 43 por ciento (Gallardo y López: 1986; 117). Para el año 2000, solamente el 20,4 por ciento de la población laboraba en ese sector (Estado-Nación No. 7: 2001; 127). En contraste, en 1950 solo el ocho por ciento de la población económicamente activa trabajaba en el comercio y únicamente el 15 por ciento lo hacía en los servicios. Para 1980, el sector comercial había crecido a un 14 por ciento y el de servicios a un 26 por ciento (Gallardo y López: 1986; 178). Para el año 2000, el comercio ocupaba el 20,2 por ciento, los servicios cubrían un 25,6 por ciento y la industria 14,4 por ciento (Estado-Nación: 2001; 127).

Algo similar sucedió con la educación. Las tasas de alfabetización crecieron desde menos del 80 por ciento en 1950, a más del 94 por ciento en el 2000. En esos años iniciales pocos costarricenses tenían acceso a la educación superior. Por ejemplo, en 1984, el 6,8 por ciento tenía alguna formación universitaria. En el 2000, este grupo prácticamente se duplicó, con el 11,7 por ciento. Asimismo, la población se trasladó hacia las ciudades más grandes y sus suburbios. En los 50, el 75 por ciento de los habitantes vivía en las áreas rurales. Para 1970, el 39 por ciento lo hacía en las áreas urbanas y, para el año 2000, únicamente el 31 por ciento radicaba en las zonas rurales (Estado-Nación: 2001; 9, 14). Esos datos evidencian que Costa Rica no es ni una sociedad agraria ni una "República bananera". Es una nación moderna, industrializada, con alta tecnología y una economía diversificada. Los Biesanzs mostraron algunos de los cambios en las conclusiones del libro **Los Ticos**:

> Para un Tico regresando a su país después de haber vivido en el exterior desde 1948, fue difícil reconocer al país de su juventud. No semejaba tan verde y tan pacífico a como lo recordaba. Hay ahora cuatro veces más costarricenses que cuando vivió ahí, y más de

la mitad vive en los pueblos y las ciudades. Se veía que había mucho más estadounidenses y europeos –obviamente, muchos de ellos turistas– que en su juventud. Veía mayor cantidad de nicaragüenses cogiendo café –una actividad que era largamente un símbolo primigenio de la identidad costarricense. Le fue difícil reconocer el pueblo donde había nacido y había pasado su niñez, rodeado de cafetales y pequeñas fincas, para convertirse en parte de la gran área metropolitana josefina. Los hijos y nietos de los finqueros que conoció trabajan en las oficinas de corporaciones gubernamentales y multinacionales, fábricas, hospitales, supermercados, hoteles, y agencias de turismo. O, como doctores, abogados, profesores, ingenieros, conductores de taxis o de buses, o en la construcción... Sus viejos compañeros de estudios a menudo ansían liberar tiempo de la continua ansiedad y estrés que sufren intensamente hasta hoy. Décadas antes, insisten los amigos, la gente trabajaba con entusiasmo y era mucho más feliz, a pesar o a causa de su simplicidad o de sus formas de vida más frugales (1999: 281-282).

Además de los profundos cambios en la sociedad, la población y la cultura, el hecho es que cerca del 80 por ciento de los habitantes nació después de 1948, la mayor parte carecen de un conocimiento personal de cualquier otro sistema político y suelen desconocer las causas principales de la Guerra Civil de 1948. También, este grupo no ejerce el voto con la misma intensidad que lo hace aquel que tiene más de 35 años de edad.

La cultura es mucho más compleja hoy que en los 50. Hay mucho mayor heterogeneidad entre la gente. Hay más nicaragüenses, más salvadoreños, más colombianos y asiáticos. Hay, asimismo, más estadounidenses como residentes y como turistas. Y hay también mucho más turistas europeos que nunca. Hoy, la inmigración –legal e ilegal– añade mayor complejidad a la sociedad. En 1950, algo más del cuatro por ciento de la población había nacido en el exterior; para el 2000, esta población se ha duplicado, con un 7,78 por ciento de ciudadanos nacidos fuera del país. Además, puede haber cerca de 500.000 inmigrantes, nacidos en el extranjero, sin la ciudadanía costarricense. La gran mayoría de esos inmigrantes proceden de Nicaragua, y más recientemente de Colombia y Panamá. La mayor parte de esas personas nacidas en el exterior han tenido poca experiencia con la democracia y con la práctica electoral. La presencia de esos "no-costarricenses" complica el sistema político y se agrega a la gente que no participa en política o no vota en las elecciones, con lo cual incrementan la población que no acostumbra ejercer el derecho al voto.

La televisión ofrece muchísimas imágenes adicionales. Hay más de 58 canales en la televisión por cable. Hay programas y noticiarios procedentes de Asia, Europa, América del Sur y del Norte (México, Estados Unidos y Canadá). La gente tiene mayores niveles de educación y una mayor exposición al mundo, por lo cual no es sorprendente que los votantes costarricenses sean ahora mucho más sofisticados y refinados. Todo esto lleva a los electores a esperar mayor eficiencia por parte del gobierno y un liderazgo más efectivo por parte de los dirigentes políticos, así como a exigir mayor capacidad del sistema político para resolver los más apremiantes problemas que vive la nación.

Los asuntos políticos son hoy mucho más complejos que en el pasado. Los gobernantes tienen que hacer ahora muchísimo más con respecto a la educación y la salud de la gente. En la economía global, hay muchos factores que van más allá de los precios del café y del banano. Hay mucho más decisiones políticas que la nacionalización de la banca. Esas alteraciones han creado una atmósfera en la cual los cambios políticos están forzando las circunstancias hacia un sistema que dudamos si los políticos comprenden. El electorado no acepta ya el estilo de los dirigentes de la vieja guardia. El pueblo espera soluciones a los problemas, no simples promesas y vacía retórica política.

Estas observaciones pueden ilustrarse con dos programas. La educación y el sistema de salud pública han sido considerados como las dos contribuciones más importantes a la sociedad costarricense por parte del sistema político creado por Pepe Figueres, en 1948-1951. Aunque el país ha logrado el mejor sistema de salud pública en América Latina y se ubica en el puesto número 36 entre 191 naciones (Estado-Nación: 2001; v.7; 71, p. 108), y es débil en muchas áreas, la gente percibe el sistema como si se hubiera deteriorado en la pasada década. Para el ciudadano común se hace cada vez menos posible el acceso a un sistema de salud eficiente.

El sistema educativo también sufre en la opinión de la gente, pues se cree que se ha degradado en los últimos años. Cerca del 64 por ciento de la gente entrevistada entre 1997 y 2001 consideraba que "la educación pública se deteriora" (Poltronieri: 2001; 34). Por esta razón, la mayor parte de las familias de las clases media y superior envían a sus hijos a escuelas privadas. En los últimos 25 años, ha crecido exponencialmente tanto el número de escuelas como de universidades privadas. Hay cientos de esas instituciones, que han provocado una orientación clasista en la educación. Quedan, entonces, las escuelas públicas para los pobres, pues la mayor parte de los otros sectores medios y superiores asisten a escuelas privadas, normalmente con mejor calidad, tanto en la formación como en los servicios. Es peor en el ámbito universitario, en el cual las cuatro universidades públicas han sido incapaces de satisfacer las demandas de las mayorías por una educación superior. Hoy operan por todo el país docenas de universidades, muchas de las cuales no han sido reguladas ni evaluadas; la calidad de la formación universitaria en Costa Rica ahora es una mezcla que va de lo excelente a lo paupérrimo, con el agravante de que casi dos terceras partes de los estudiantes universitarios costarricenses asisten a estas universidades, pues las públicas están al límite, no tienen capacidad para asumir mayor cantidad de alumnos (2003).

El sistema económico

Desde 1950 se han dado cambios radicales en el sistema económico. En 1950, la mayor parte del capital extranjero provino de la exportación de productos primarios, como el café, el banano, el cacao, etc. Para 2002, el ingreso de divisas proviene del turismo y de la exportación de los cultivos no tradicionales, así como de la exportación de textiles y otros productos procesados, que exceden de lejos el valor combinado de la exportación de bananos y café. Como se explicó anteriormente, solo el 20,4 por ciento de la fuerza de trabajo económicamente activa labora en el sector primario de la agricultura y la producción forestal.

En los últimos 25 años, algunas de las fincas pequeñas y medianas tuvieron éxito financiero, otras no pudieron. Los productos de agricultura tradicional, como el café, el banano, el cacao, la carne y el azúcar, han debido enfrentar persistentes fluctuaciones de precios y mercados, con éxito variado. Al mismo tiempo, cultivos menos tradicionales han sido rentables de manera más consistente, como la piña, las plantas ornamentales, las frutas tropicales y las comidas procesadas.

Bajo el viejo sistema económico la clase media educada podía esperar colocarse tanto en el sector gubernamental como en el comercial e industrial. Con las reducciones en los gastos del gobierno y en el tamaño de la burocracia, muchos de ellos han viajado fuera del país, en busca de mejores oportunidades. Los Biesanz también coinciden con esta idea:

> "Durante los 50, 60 y 70, era fácil conseguir trabajo en el gobierno, y una pareja podía cubrir sus necesidades y vivir decentemente, ya sea con un salario o con los ingresos de una pequeña propiedad. ... La promesa y la realidad de la movilidad hacia arriba se hundió durante la crisis. ... Los puestos de trabajo urbanos requieren de mayores grados de educación, y aún estos no garantizan claramente un buen trabajo gubernamental. Los costos de vida crecen más rápido que los salarios" (Biesanz: 1999; 282-283).

Además del problema que implican las oportunidades de trabajo, la crisis de los 80 perjudicó más a la clase media. Su poder adquisitivo se ha reducido con el paso de los años y no se ha recuperado su capacidad para mantener su estilo de vida de los 60 y los 70. En consecuencia, son menos optimistas y en muchos casos culpan al gobierno y a los políticos por su situación económica. Desde 1979, las encuestas de CID-Gallup indicaban que el principal problema que enfrenta Costa Rica es el económico. A pesar del crecimiento económico de los 90, no aumentó tanto como la población, y el nivel de pobreza ha continuado creciendo, lentamente, durante las dos últimas décadas.

La crisis económica de los 80 había tenido dos impactos adicionales. Costa Rica llegó a ser la nación más deudora. Las deudas externa e interna crecieron en el orden de los cientos de millones de dólares. Esto ha tenido un impacto negativo en el crecimiento económico del país y en su capacidad para proveer de trabajo y de servicios a la población. Segundo, como nación deudora, y quizás a causa de esas dificultades económicas, las instituciones financieras internacionales (IFIs), tales como el Banco Mundial, el Fondo Monetario Internacional y el Banco Interamericano de Desarrollo, impusieron al país varios "ajustes económicos estructurales". Esos ajustes ayudaron al país a reducir su deuda externa y a sentar las esperanzas truncadas para iniciar un crecimiento económico sustentable. Mucho se ha escrito acerca de los efectos negativos de los ajustes estructurales en las clases media y baja. Por lo tanto, Costa Rica, a pesar de poseer una economía más diversificada y de haber ingresado al mundo de alta tecnología, mantiene todavía serios problemas financieros que han incrementado el escepticismo, el cinismo y la apatía entre sus habitantes con respecto a la participación política. Esto se refleja en la declinación del apoyo hacia el sistema político y el aumento de la abstención electoral.

El sistema político

Por muchos años, la socialización del sistema político costarricense ha sido eficiente. Como se indicó en el primer y segundo capítulos, tradicionalmente, los niños, los jóvenes y los adultos se han implicado muchísimo el día de las elecciones. Además, Daniel Goldrich señaló en el primer capítulo que los escolares sentían mucha confianza y tenían un gran compromiso con su sistema político. Desde 1978, los niños se han envuelto cada vez más en el proceso, particularmente con la participación en las elecciones infantiles, las cuales se realizan en varios lugares del país y están basadas en el mismo procedimiento y estructura que las nacionales. En la Meseta Central, los resultados de las elecciones infantiles son a menudo un espejo de la votación de los adultos. Sin embargo, hoy en día las jóvenes generaciones se sienten menos "implicadas" que nunca en y con la política.

Algunos cambios estructurales en la manera de desarrollar la campaña electoral y los procesos eleccionarios se describieron en los capítulos anteriores, donde se analizaron las elecciones de 1994, 1998 y 2002. Primero, las plazas públicas declinaron en uso e importancia. Los medios de comunicación social, especialmente la televisión y la radio, asumieron el papel de los contactos "cara a cara" de las campañas tradicionales. Segundo, los dos partidos mayoritarios contrataron asesores extranjeros, fundamentalmente de los Estados Unidos, para ayudarlos en sus campañas. Uno de los resultados ha sido la ejecución de campañas cada vez más negativas.

El TSE y la Asamblea Legislativa variaron algunas de las normas electorales. Una de las más obvias fue impedir el empleo de dinero público para la compra de banderas y pancartas de los partidos. Mientras que en el pasado las banderas flameaban en las casas, edificios de negocios, carros y autobuses, en los dos últimos procesos electorales se redujeron significativamente estas prácticas. Otro cambio obvio fue el marcar las papeletas electorales con una X, en lugar de usar la huella del dedo pulgar. Aunque es difícil evaluar las consecuencias de esos cambios, pareciera que han tenido un efecto negativo en la participación electoral. Esto se hizo evidente en el 2002, cuando sus propietarios no retiraron más de 25.000 cédulas antes del día de las elecciones. Esas 25.000 personas quedaron inhabilitadas para votar porque no portaban su cédula de identidad.

Como se indicó en los capítulos precedentes, muchos de los electores tenían una percepción negativa de los presidentes cuando ellos asumían el cargo. La opinión pública ha sido muy volátil en sus evaluaciones, incluso hasta cuando los mandatarios hubieran realizado un buen trabajo. Desde 1990, todos los presidentes han padecido estas percepciones negativas del electorado hacia ellos y su capacidad para cumplir con su labor. Son muchas las explicaciones para este declinante nivel de aprobación, pero una de las determinantes es que el electorado opina que los gobernantes no tienen la capacidad suficiente ni para cumplir con sus promesas de campaña ni para solucionar algunos de los más apremiantes problemas políticos y económicos de Costa Rica. Por más de 25 años, las encuestas de opinión pública han identificado los principales desafíos: la pobreza, el desempleo, el alto costo de la vida, la ausencia de viviendas y el incremento de la criminalidad, el uso de drogas, la violencia, la persistencia de la corrupción gubernamental, como los problemas más cruciales del país. Ninguno de los últimos presidentes ha sido capaz de materializar políticas que hayan tenido impactos importantes sobre esos problemas. El presidente Miguel Ángel Rodríguez se enfrentó con serios obstáculos, el más delicado de los cuales fue un intento de privatizar el Instituto Costarricense de Electricidad (ICE). En efecto, en el 2000, el grado de pesimismo con respecto al camino que sigue el país llegó a su punto más elevado desde 1992, cuando se incluyó la pregunta en el cuestionario. Casi el 80 por ciento de los entrevistados indicó que el país "se encontraba en el camino equivocado" (CID, No. 84, Oct. 2000).

Los últimos tres presidentes, Calderón, Figueres y Rodríguez, hicieron más promesas de las que podían cumplir. El caso extremo fue José María Figueres Olsen, quien prometió concretar más de 175 propuestas fundamentales durante su administración. Esas actitudes han creado más escepticismo e incredulidad entre el electorado. Ahora la gente está más interesada en acciones y medidas que busquen solucionar los problemas concretos y no en la retórica electoral. Son mucho más reacios a reaccionar positivamente frente a promesas vacías.

Desde 1978, todos los presidentes han tomado la mayor parte de sus decisiones políticas deteriorando su legitimidad y creando desconfianza e insatisfacción entre la gente. El presidente Carazo, por ejemplo, mantuvo una actitud pro-sandinista con Nicaragua mucho tiempo después de que el pueblo costarricense había cambiado su actitud y consideraba ese régimen como una de las mayores traiciones a Costa Rica. Asimismo, el presidente Monge otorgó las mayores concesiones a los Estados Unidos, incluso subsidios para la construcción de un aeropuerto clandestino en el norte de Costa Rica, propiciando subrepticiamente el combate entre los sandinistas y los "contras", a pesar de su "Proclama de neutralidad perpetua y no armada".

Aunque continúa siendo el político más popular en su país, se criticó con énfasis al presidente Oscar Arias por poner más atención al mundo exterior, durante su administración, que a los más agudos problemas internos de Costa Rica, algunos de los cuales permanecen todavía sin solución. El presidente Calderón tuvo muy serios conflictos con su antiguo aliado, los Estados Unidos, y le fue imposible recibir la ayuda financiera y el apoyo que necesitaba para materializar algunas de sus propuestas de gobierno. Como se señaló anteriormente, él también hizo muchísimas promesas para solucionar los más agobiantes problemas del país, pero tampoco logró erradicarlos. Igualmente, el presidente Figueres hizo muchísimas promesas vacías. Además, en 1995 firmó un pacto con el expresidente Calderón y el PUSC, que fue criticado enfáticamente por los medios y por el público. Esta forma de bipartidismo se tornó en un asunto muy impopular entre los costarricenses y llevó a muchos analistas políticos y a los medios de comunicación social a criticar a los dos partidos mayoritarios, por mantenerse siempre tan solidarios en sus propuestas y por no ofrecer otras alternativas políticas. También, el acuerdo a que llegaron los dos partidos mayoritarios para modificar el sistema tributario no resolvió la desproporción de las cargas impositivas, dado que muchos ricos todavía no tienen que pagar impuestos. La gente común ve esto como una indignante injusticia del sistema social.

El presidente Rodríguez logró de nuevo otra "concertación", conversando con muchos individuos y grupos antes de asumir la presidencia y en los primeros meses de su administración. No obstante, fue a contracorriente de la opinión pública que logró esos acuerdos de "concertación" y envió al Congreso la propuesta de privatización del ICE. Esta decisión fue un gigantesco error que llevó a enormes demostraciones espontáneas a lo largo de todo el país, en contra de sus políticas. Perdió también su popularidad, su legitimidad y la credibilidad de su administración.

Estos hechos, en su conjunto, incrementaron la insatisfacción entre el electorado y redujeron la legitimidad del sistema político a los ojos de la mayor parte de la gente. Este autor cree que esas acciones son parcialmente responsables del aumento del escepticismo, la apatía y la creciente convicción de no votar. Estos hechos han fortalecido el refrán: "¡Yo participo, usted participa, nosotros participamos... Ellos deciden!".

Una de las razones del descreimiento en las instituciones gubernamentales, de la pérdida de legitimidad y del crecimiento del escepticismo y el cinismo entre la gente es la percepción de que existe corrupción política. De acuerdo con la Auditoría, hay un creciente aumento de la preocupación entre los ciudadanos porque significativas prácticas de corrupción han penetrado a todas las instituciones gubernamentales. En una encuesta de opinión pública, en 1994, el setenta por ciento indicó que así estaba la situación y un 17 por ciento adicional aceptó la probabilidad de que esa corrupción existiera en todos los ámbitos de la administración pública: "En 1995, una de cada cuatro personas entrevistadas en un estudio nacional (24 por ciento) manifestó creer que la mayoría de los funcionarios públicos es corrupta. En el 2000, el 18,6 por ciento de las personas identificó la corrupción como el problema del país que más urgentemente debe resolverse..." (Auditoría: 2001; v. II; 92). En otros estudios, llevados a cabo en 1999, 2000 y 2001, se encontró que del 61 al 65 por ciento de los entrevistados señalaron que los políticos y la corrupción son la misma cosa (Poltronieri: 2001; 35).

Desde 1978, todos los presidentes, con la excepción de Oscar Arias, han sido acusados de que tanto miembros de su administración como ellos mismos han desarrollado variadas prácticas de corrupción. En los capítulos precedentes se han discutido algunas. La campaña electoral de 1994 fue una pelea entre dos candidatos que habían sido acusados de actos criminales y/o de prácticas corruptas, incluso antes de llegar a ser presidentes. Una de las promesas de Abel Pacheco al electorado, en la campaña del 2002, fue que su administración sería "limpia" y sin corrupción y que de ese modo eliminaría uno de los mayores problemas del gobierno. En el 2003, uno de los aspectos políticos más importantes, además del estatus del ICE, ha sido apropiación fraudulenta y el desvío de los fondos de la campaña electoral del PUSC y de la administración Pacheco. Por tanto, pareciera que la percepción de que la corrupción entre los sectores oficiales se ha extendido por todas partes y es raramente castigada, y esto ha tenido un impacto muy fuerte en la confianza de los costarricenses en sus instituciones gubernamentales.

De acuerdo con el cuadro 1.7, del primer capítulo, sobre el "Grado de confianza en las instituciones", solamente la Defensoría de los Habitantes, el TSE, la Contraloría General de la República, los tribunales, la sala constitucional y el poder judicial, gozaban de algún grado de confianza por parte de los costarricenses. El Poder Ejecutivo, la Asamblea Legislativa, la policía y los partidos políticos generaban un alto grado de desconfianza (Estado-Nación: 2001; v. 7; 247).

Además de la desconfianza en las más importantes instituciones políticas de la sociedad, muchos costarricenses creen que la administración pública y los servidores del Estado los han tratado muy mal. De todos los entrevistados, el 84,2 por ciento insistía en que habían tenido que esperar mucho rato antes de ser atendidos, 39,8 por ciento decía que fueron mal tratados por las personas que los atendieron; 63,1 por ciento dijo que las personas que los atendieron les dieron información incompleta o incorrecta; al 21,1 por ciento les pidieron una "mordida"; el 28 por ciento, que los habían discriminado y un total del 65 por ciento indicó que habían sido maltratados innecesariamente (Auditoría: 2001; V.II; 209). Por consiguiente, es sencillo entender por qué los costarricenses sienten insatisfacción y están descontentos con la ruta que ha tomado su sistema político. Entonces, rehusarse a votar en las elecciones es una de las formas de protesta contra ese estado de cosas. La información ofrecida en el capítulo siete indica que el 70 por ciento de los entrevistados creen que no votar es una excelente forma de protesta. Esta circunstancia explica parcialmente por qué los índices de abstención han subido extraordinariamente entre 1990 y 2002.

Hay otra inquietud en la mayoría de los costarricenses. Desde 1990 ha venido creciendo la inseguridad entre la gente. Hay preocupación por el respeto tanto a las personas como a la propiedad ajena. A comienzos de 1990, una tercera parte de la población, aproximadamente, pensaba que en ese momento había menos seguridad de la que había cuatro meses antes. Para el 2001 este porcentaje creció hasta el 60 por ciento (CID, 1990-2001). En octubre del 2001, el 23 por ciento indicó que la inseguridad era el principal problema que enfrentaba el país, colocando lo económico en la segunda posición (CID; No. 88, oct. 2001). En un estudio diferente, el porcentaje es mucho mayor y oscila entre el 68 y el 82 por ciento entre 1988 al 2001, y los costarricenses temían por su seguridad personal (Poltronieri: 2001; 37-38).

El mismo estudio encontró que la confianza en el sistema judicial costarricense era también muy deficiente. De acuerdo con los datos desde 1989 a 2001, del 50 al 62 por ciento de la gente indicó que no tenían ninguna confianza en el sistema judicial, mientras que entre el 18 y el 30 por ciento sí la tenían (Poltronieri: 2001; 33). Los elevados índices de criminalidad, el gran sentimiento de inseguridad y la percepción de que el sistema judicial no estaba trabajando de manera apropiada, crean condiciones muy difíciles para que la democracia continúe su desarrollo e intensidad. Poltronieri concluye: "Un sentimiento que flota en el ambiente nacional es el sentimiento de abandono por parte del estado de sus funciones primordiales: salud, seguridad ciudadana, gobernabilidad, educación, etc." (2001; 35).

El ámbito de la gobernabilidad es uno de los más críticos. Una democracia sustentable debe ser capaz de representar los variados intereses de la sociedad; resolver conflictos, solucionar problemas y ejecutar políticas que puedan materializarse y tengan un impacto positivo en mejorar las condiciones de vida de sus ciudadanos. Existe la percepción de que el sistema político protege a las elites políticas y económicas. Por otra parte, la gente cree que el resto de la sociedad no se ha beneficiado como debiera. Se han perdido tanto la confianza como el compromiso con el sistema porque la gente cree que se ha hecho muy poco, desde la crisis de los 80, para defender sus intereses, solucionar sus problemas, reducir el conflicto social y mejorar y proteger la calidad de sus vidas.

Sin embargo, hay evidencia significativa de que el sistema camina bastante bien a pesar de lo negativo. En el estudio y la evaluación de la democracia costarricense elaborado por la **Auditoría,** se revisaron las 24 características más importantes para definir un sistema democrático. Los investigadores encontraron que Costa Rica cumplía totalmente con 19 de esos rasgos y lo hacía, de manera parcial, con los otros cinco. No hay ningún aspecto determinante de la democracia que no posea el sistema costarricense. Por lo tanto, de acuerdo con ese estudio sobre la democracia costarricense, esta es saludable, fuerte y todavía sigue avanzando.

Conclusiones

En Costa Rica han cambiado las actitudes y percepciones en torno a la política durante los últimos 25 años. Los costarricenses tienen menos confianza, se sienten menos orgullosos de él y son menos solidarios con su sistema democrático. Le conceden menos legitimidad tanto a los dirigentes políticos como a sus actos. Gobernar es más difícil y el sistema político no es tan eficiente y efectivo en la articulación de los intereses del electorado y no responden de manera pronta y adecuada a los problemas que la gente considera como más importantes.

Algunas de las razones de estos cambios incluyen el hecho de que la población es menos homogénea, es mucho más extensa y mucho más sofisticada. Hay grandes segmentos de la población que tienen poco o ningún interés en la política; además, ellos perciben que sus necesidades influyen poco en el sistema político. La idea de "nosotros participamos, ellos deciden" ha crecido mucho durante este período.

Muchos de los ejemplos expuestos dan indicios de que, desde Rodrigo Carazo hasta el último presidente, tomaron solos importantes decisiones, mientras el electorado pensaba que se debería enrumbar al país en otra dirección. También, durante sus campañas electorales, los políticos prometieron mucho más de lo que podían cumplir. Los problemas principales como la pobreza, el aumento del costo de la vida, la inflación, el crimen, la creciente sensación de inseguridad y el incremento de tráfico y consumo de dogas continuaban sin solución. Sin embargo, se hicieron progresos en vivienda y educación, pero ninguno alcanzó el índice de crecimiento de la población. La creciente inmigración, tanto legal como ilegal, también se hizo lugar presionando en todo el sistema, con lo cual se ha hecho para los políticos más difícil resolver los más serias cuestiones a que se enfrentan.

La pérdida de confianza en las instituciones gubernamentales y el crecimiento del escepticismo entre la gente han provocado la percepción de que la corrupción política ha crecido y se ha transformado en un mal endémico del sistema. Desde 1978, todos los presidentes, con excepción de Oscar Arias y algunos de los miembros de su administración, se han visto involucrados en importantes prácticas de corrupción. El público se ha quejado también de maltrato por parte de la burocracia y del personal al servicio del gobierno. Con base en estas percepciones y creencias, es fácil observar a los costarricenses como insatisfechos, defraudados, desconfiados tanto de sus instituciones como de sus dirigentes políticos.

La democracia costarricense ha sobrevivido a muchísimos desafíos. Creció y se fortaleció después de la Guerra Civil de 1948. Funcionó muy bien en los tiempos de la prosperidad, en las décadas de los 60 y 70. Por diferentes causas, incluso se fortaleció durante los años críticos de la crisis financiera, de la década "perdida" (1980) y de las violentas guerras civiles de su vecindario. En la actualidad está experimentando una de las más significativas alteraciones del actual sistema, establecido por don Pepe Figueres.

Ese sistema ha llegado al final. El Partido Liberación Nacional está luchando hoy por su real existencia. La gente común ya no confía totalmente en los partidos políticos ni en sus dirigentes. Ellos han perdido parte de su confianza en los poderes políticos del estado costarricense, el presidente y los diputados. La deuda interna y la exterior, y los continuos déficits gubernamentales, han restringido el desarrollo económico y social. El estado ha sido inhabilitado para continuar con las políticas de bienestar "de antes". Pero el neo-liberalismo tampoco es la solución. Deben inventarse nuevas alternativas de cooperación y coordinación entre los sectores público y privado. El gobierno debe jugar un papel determinante pero sin reestablecer los roles que jugaba en "el sistema Figueres".

Los dirigentes políticos costarricenses deben reelaborar los contactos con sus bases. Deben buscarse los caminos para cerrar la creciente brecha entre las necesidades de los ricos y las de los pobres. Los ciudadanos deben convencerse de que las promesas de los políticos son realistas y pueden cumplirse. La cúpula política debe buscar soluciones originales para los viejos y los nuevos problemas que se han mencionado en este libro.

Los partidos políticos están obligados a recuperar la confianza y las expectativas de sus seguidores. Pero también deben hablar de sus propias metas con honestidad, pensando siempre en la justicia social, y deben luchar, con todas sus posibilidades, por erradicar cualquier percepción que tenga la gente sobre sus "supuestas" prácticas de corrupción.

Los próximos ocho años son críticos para el país. Si los partidos políticos no se fortalecen y reconstruyen su credibilidad y logran recuperar la confianza de sus electores, entonces Costa Rica podría seguir los pasos que condujeron a un Carlos Menem, en Argentina, a un Alberto Fujimori, en Perú, a un Ignacio Lula Da Silva, en Brasil, e incluso, de Hugo Chaves, en Venezuela. Y sería un verdadero desastre para la democracia costarricense si esto condujera a la desintegración de los partidos políticos y "caudillos" populistas tomaran el relevo para llevar adelante el país.

En este libro se han detallado las fortalezas y debilidades de la democracia costarricense. El autor aún se sorprende de cómo el electorado tico ha perdido mucha de la confianza y aprecio por el sistema, así como parte del orgullo que sentían tradicionalmente por su régimen representativo-electoral. De acuerdo con Mitchell Seligson no solo han perdido el orgullo por su régimen político sino que también abandonaron su disposición de apoyar las instituciones y el sistema. La gente ha percibido también cómo el poder judicial se ha debilitado, con lo cual no se protegen bien sus derechos individuales, como sí ocurría en el pasado (Auditoría: 2001; V.I; 158-159). Los costarricenses estaban tan acostumbrados a su sistema democrático que esperaban mucho más de él que el resto de los pueblos latinoamericanos. Por ello son hipercríticos con respecto a su propio régimen, a pesar de sus fortalezas y posibilidades. No obstante, es uno de los mejores sistemas económicos y políticos de América Latina, especialmente si se le compara con el resto de la América Central y con naciones como Argentina, Venezuela, Colombia, Perú, etc. Es difícil entender por qué los costarricenses no conservan el orgullo y la lealtad hacia su democracia, que sí sentían en el pasado.

El autor cree, sin embargo, que los costarricenses han aprendido que buena parte del mundo y, en especial los latinoamericanos, tienen mucho que aprender de su democracia, pues con todos sus defectos y virtudes es el mejor sistema político y, en realidad, es el único "juego" posible en este espacio político del mundo. Todos los demás sistemas usualmente padecen de mayor corrupción y normalmente son menos efectivos y eficientes que la democracia. Los tiranos, los dictadores, los regímenes militares difícilmente cambian sin violencia y baños de sangre. La democracia, como ningún otro sistema político, permite transferir pacíficamente el poder de una administración a otra. El cambio es inevitable. Los cambios, en un sistema democrático, pueden ser por evolución, despacio y suavemente, o pueden ser abruptos y trascendentes, pero, normalmente, sin violencia y sin destrucción de la propiedad. La democracia costarricense ha evolucionado de manera significativa desde el sistema estatuido en 1948-1951, pero esos cambios se han dado a la tica, y ellos sin duda se harán de la misma manera para construir el futuro.

Epílogo

Las elecciones del 2006

La campaña electoral de 2006 comenzó con Oscar Arias, el candidato del Partido Liberación Nacional, encabezando las encuestas de opinión pública, en julio de 2005, por el 48 por ciento, contra el 18 por ciento de Ottón Solís, abanderado del Partido Acción Ciudadana. Otto Guevara, del Partido Movimiento Libertario, lograba el 10 por ciento y Ricardo Toledo, del Partido Unión Social Cristiana, recibía menos del ocho por ciento de apoyo. A lo largo de toda la campaña electoral, Arias sobrepasó a Solís por más del 20 por ciento.

De acuerdo con las encuestas del grupo CID-Gallup del 20-24, 28-29 de enero de 2006, exactamente una semana antes de las elecciones, Arias todavía sobrepasaba a Solís por 46 contra 21 por ciento, y 47 contra 28 por ciento, respectivamente. A pesar de que Solís ganaba terreno sobre Arias, parecía que en la elección habría una victoria fácil para Arias y que no habría necesidad de una segunda ronda. La encuesta de UNIMER, de enero de 2006, mostraba también que Arias seguía al comando con cerca del 24 por ciento de los electores.

El proceso electoral de 2006 ofreció muchas sorpresas, amplia cantidad de cambios y de irregularidades, y muchas primicias. Una de las mayores sorpresas fue que tanto las encuestas de opinión pública preelectorales como las de salida de urnas comprobaron ser excesivamente incorrectas. Esas encuestas mostraron que Oscar Arias obtendría una victoria en la elección, con más de un 40 por ciento de los votos y un margen mayor del 20 por ciento frente a Ottón Solís. En realidad, la elección fue tan cerrada que el resultado final no pudo determinarse sino hasta un mes después de haber terminado el proceso electoral.

El 6 de febrero, el día posterior a las elecciones, con el 75 por ciento de los votos escrutados, solamente el 0,7 por ciento, 8.146 votos, separaban a Ottón Solís de Oscar Arias. Ambos candidatos cantaron victoria al mismo tiempo. El conteo final, anunciado el 8 de marzo de 2006, indicó que Arias había ganado con el 40,92 por ciento de los votos, comparado con el 39,80 por ciento obtenido por Solís, o sea 18.169 votos de diferencia. Se había evitado la segunda vuelta, pues Arias había obtenido más del requerido 40 por ciento de los votos. El 8 de mayo de 2006, Oscar Arias fue juramentado como el primer presidente releecto, desde que José "Pepe" Figueres había arribado a la presidencia por tercera vez, en 1970 (en su segunda elección).

La segunda mayor sorpresa fue la velocidad y la profundidad del hundimiento del Partido Unidad Social Cristiana. Después del proceso electoral de 2002, parecía que el PUSC se consolidaba como el más importante partido político del país, y que el PLN se había reducido significativamente. Con Oscar Arias como candidato presidencial, el PLN frue capaz de conservar su solidez electoral. Por otra parte, el PUSC fue el partido que estuvo a un triz de colapsar. Esto se debió, en gran parte, a las acusaciones de

corrupción de los últimos presidentes, Rafael Ángel Calderón Fournier y Miguel Ángel Rodríguez Echeverría. La tercera sorpresa fue que esas acusaciones de corrupción tuvieron tremendo impacto negativo en el Partido. Esta circunstancia se sumó al hecho de que la popularidad del presidente Abel Pacheco de la Espriella declinó radicalmente en el último año de su administración. La impopularidad de este y los escándalos de corrupción se

convirtieron en un enérgico rechazo al PUSC y a sus candidatos para la presidencia y para la Asamblea Legislativa.

La última sorpresa, para este autor, fue el hecho de que el TSE no tuviera suficientes delegados electorales identificados y los seleccionara una semana antes de la elección. Se necesitaron cientos de delegados y, la víspera de las elecciones, el TSE se vio obligado a solicitar públicamente personas para contratarlas. Esta circunstancia ilustra el grado de escepticismo, desinterés y desconfianza en todo el proceso electoral costarricense durante los últimos doce años.

La elección de 2006 también produjo muchas más quejas y denuncias sobre irregularidades de las que el autor había observado antes. Primero, hubo más de quinientos cuestionamientos en todo el proceso electoral y en el conteo final de los votos, más allá de las muchas boletas de los conteos totales de las mesas electorales que no existían o estaban perdidas y de que algunos paquetes de votos se perdieran por varios días. Además, el candidato para la Presidencia, Álvaro Montero Mejía, del Partido Rescate Nacional, iba en los formularios para la presidencia, pero se lo excluyó de los formularios para diputados de la Asamblea Legislativa, no

275

pudiendo alcanzar una curul por esa razón, como sí lo hizo el candidato presidencial del PUN.

Igualmente, los partidos minoritarios y el PAC acusaron al TSE de ser tendencioso y de no considerar seriamente esos cuestionamientos. Se alegó también que el TSE había cometido muchos otros errores. Esta es la primera vez, desde 1949, que el TSE se encontró con tan fuertes críticas.

En las elecciones de 2006 se produjeron también muchas primicias. Primera, el abstencionismo se elevó en la primera ronda alrededor del 35 por ciento. Segunda, el candidato presidencial podría ubicar su propio nombre a la cabeza de la lista de los candidatos a diputados de su partido. Esta circunstancia permitió al candidato presidencial del Partido Unión Nacional (PUN), José Manuel Echandi Meza, obtener una curul en la Asamblea Legislativa. Tercera, esta fue la primera elección desde que la Sala Constitucional concedió el derecho a participar en las elecciones a los presidentes anteriores. Cuarta, fue una elección extremadamente cerrada (de "fotografía", dijeron muchos comentaristas), y la disputa por la victoria duró varias semanas. Quinta, hubo catorce partidos con candidatos para la presidencia de la república, el mayor número en la historia. Sexta, la antigua coalición, Republicana, Calderonista, Unidad, Social Cristiana, que había existido desde la Guerra Civil de 1948, colapsó completamente en esta elección. Séptima, todas las encuestas de opinión se equivocaron entre un 8 y más del 20 por ciento, a una semana, precisamente, de los sufragios. Las encuestas a salida de urnas durante el día "E" también se equivocaron de manera significativa. Octava, se presentaron 27 partidos en las listas para la Asamblea Legislativa, un aumento del 50 por ciento con respecto a los 18 partidos que presentaron candidatos a diputados en 2002. Última, habrá ocho partidos políticos representados en la Asamblea Legislativa. Es el número más alto desde 1974, cuando también hubo ocho.

La corrupción se tornó en el mayor tema por primera vez, ligado al cercano colapso del PUSC. Es tan importante, que el plan de gobierno de Oscar Arias coloca "Luchar contra la corrupción" como la primera prioridad entre las "Ocho prioridades para el país". Él insistió en muchos de sus discursos de campaña que no toleraría la corrupción en ningún momento de su administración.

En el análisis del 2002 hubo varias tendencias importantes identificadas en la política costarricense. Todas esas tendencias se ampliaron en las elecciones de 2006. Su impacto y la influencia de otras características de las elecciones del 2006 tendrán consecuencias por mucho tiempo en Costa Rica. Lo que sigue es un sumario de algunas de esas principales tendencias en los resultados de las elecciones y de la campaña. Este epílogo enfoca solamente algunas de ellas (los números de cada una son los mismos que se encuentran en el capítulo 8).

1. El partido político más importante de los últimos 50 años (PLN) tuvo un desafío en su posición hegemónica.

   A pesar de la victoria de Oscar Arias de 2006, el PLN es un partido cuarteado y probablemente no logrará mantener su predominio en el sistema político en el futuro cercano. Con solamente 25 diputados en la Asamblea Legislativa, el PLN ha sido forzado a entrar en coalición con un probable socio, el Partido Movimiento Libertario. Para otros partidos, como el PAC, será mucho más fácil enfrentarlo.

2. El Partido Unidad Social Cristiana (PUSC) se transformará en un partido más sólido.

   Esta tendencia fue de corta duración y no sobrevivió a las elecciones de 2006. No es probable que en el futuro cercano el PUSC pueda reconstituirse y de volver a asumir un mayor rol como partido político.

3. Hay en proceso un moderado desalineamiento entre esos dos partidos principales.

   Un desalineamiento y un realineamiento de esos dos partidos mayoritarios, que era obvio en 1998, continúa siendo previsible para el futuro. El sistema político partidario costarricense probablemente permanecerá fragmentado con muchos partidos y ninguno de las dos agrupaciones mayoritarias obtendrá el predominio que tuvieron el PLN o el PUSC en los últimos 50 años.

5. El porcentaje de "abstencionismo" continuará elevado en Costa Rica.

   Es muy probable que el porcentaje de abstencionismo por "no-votar" permanezca entre el 30 y 40 por ciento en el futuro cercano.

7. Más del 32 por ciento de los votantes quebraron su voto en 2006. Este es el porcentaje más elevado en la historia moderna costarricense.

   Más del 30 por ciento de los votantes quebraron su voto en 2002.

8. Cada vez más mujeres tuvieron participación activa y lucharon por posiciones políticas, y mucho mayor cantidad de mujeres ganaron sus puestos que en otras ocasiones.

   En el período 2006-2010, la Asamblea Legislativa contará con 22 mujeres y 35 varones.

Análisis

La corrupción

No han sido nuevos en el país los cargos por corrupción, pero la gente tiene una cierta tolerancia con esto. La **Auditoría ciudadana** indicó que la corrupción era un importante problema en Costa Rica. La percepción de la corrupción por parte de la opinión pública indicaba que, en 1990, el 76 por ciento pensaba que esta había penetrado todas las instituciones políticas nacionales. Esta creencia aumentó al 87 por ciento en 1994. Esta percepción de que la corrupción existe en todos los niveles de la política no es nueva en Costa Rica, pero en el pasado no había amenazado el sistema democrático o creado una atmósfera de inestabilidad política.

Hasta en los 70 aparecen cargos menores de corrupción en los más altos niveles del gobierno. Se acusó al presidente Rodrigo Carazo Odio (1978-1982), a algunos miembros de su administración y a su familia inmediata, de obtener beneficios en el trasiego de armas hacia los sandinistas en 1978 y 1979, y hacia los "contras" en 1981 y 1982. Algunos miembros de la administración de

Luis Alberto Monge Alvarez fueron acusados de canalizar Fondos de Emergencia para uso personal y para proyectos no autorizados. Sin embargo, el presidente Monge quedó limpio de esas acusaciones, mientras algunos de los miembros de su administración fueron declarados culpables.

La crisis de la corrupción de 2004-2005 fue el resultado de las imputaciones de que el expresidente Rafael Angel Calderón Fournier había recibido más de US\$ 500.000 dólares del préstamo que Finlandia concedió a la Caja Costarricense del Seguro Social, con un monto de US\$ 39,5 millones, y también de que el expresidente de la república y exsecretario general de la OEA, Miguel Ángel Rodríguez Echeverría, había recibido más de medio millón de dólares de la compañía francesa de celulares Alcatel. Otro expresidente, José María Figueres Olsen, fue acusado asimismo de recibir alrededor de US\$ 900.000 dólares de la misma compañía francesa de celulares, por su "esfuerzos de consultoría". Esos préstamos y pagos de muy cuestionable naturaleza crearon mucho escepticismo y desconfianza en el sistema político costarricense, que se hizo obvio durante la campaña electoral de 2005-2006.

Desalineamiento

En 1994, cerca del 98 por ciento de los votantes lo hicieron por los candidatos para presidente del PLN y del PUSC. En 1998, este porcentaje se redujo justamente por debajo del 89 por ciento. En 2002, los dos partidos más importantes no alcanzaron el 70 por ciento del total de los votos emitidos. El desalineamiento, que comenzó en 1998, se confirmó en las elecciones de 2006, cuando los dos partidos mayoritarios lograron obtener solamente un total de 44,5 por ciento del total de sufragios. El porcentaje de diferencia habría sido aún menor si no hubiera sido por la gran popularidad de Oscar Arias. Cualquier otro candidato del PLN habría recibido menos votos que el Presidente Arias. Esa idea se confirmó con los encuestas de opinión pública. En febrero de 2005, más del 61 por ciento de las respuestas en las encuestas de opinión pública indicaban que los electores deseaban que Oscar

Arias ayudara a salvar al PLN de su desaparición en la próxima década (CID, # 102).

Los dos partidos mayoritarios en las elecciones de 2006, el PLN y el PAC, obtuvieron cerca del 81 por ciento de los votos. Es todavía temprano para determinar si el PAC puede conservar la lealtad partidaria con el tiempo, y también es temprano para saber si el PLN podrá recuperarse bajo el liderazgo de Arias. Es dudoso, y desde el punto de vista de este autor, ninguno de los dos partidos dominará la escena política costarricense en los próximos años. En la actualidad, el bipartidismo costarricense parece haber muerto. El crecimiento de varios partidos minoritarios continuará y los antiguos grandes partidos seguirán fragmentándose y creando mayor cantidad de pequeñas agrupaciones políticas.

De hecho, hubo 14 partidos políticos participando con candidatos para la presidencia y 27 (28, si el Partido Rescate Nacional es considerado, aunque fuera excluido de las boletas electorales) partidos con candidatos a diputados para la Asamblea Legislativa. Esto es cincuenta por ciento más que nunca antes en las elecciones costarricenses. Es obvio que la mayor parte de los partidos se ha fragmentado y ahora se han hecho presentes mucho mayor cantidad de partidos minoritarios. Habrá ocho partidos con representación en la Asamblea Legislativa 2006-2010. Esta cifra está cerca de ser la más elevada. La era de partidos mayoritarios y pequeños minoritarios que ha estado presente a lo largo de este libro parece haber terminado. Costa Rica conformará ahora un sistema multipartidario con muchos partidos minoritarios y una falta de continuidad de partidos mayoritarios en un futuro próximo.

Esta condición puede conducir al menos a dos resultados negativos. Primero, sin una mayoría en el Congreso, el estancamiento político puede incrementarse y repetirse "el no hacer nada" legislativo del período 2002-2006, que puede transformarse en la regla y no en la excepción en el futuro. Segundo, sin un Congreso sólido, puede darse en la rama ejecutiva del gobierno la creciente tendencia latinoamericana del surgimiento de dirigentes caudillistas, fuertes, populistas, personalistas. Este fenómeno puede también afectar a Costa Rica en los próximos años.

Desinterés, desconfianza y escepticismo

Las encuestas de opinión pública en los últimos años muestran la declinación del interés en los partidos políticos en Costa Rica. Por ejemplo, de 1994 a 2005 (con excepción en 2002), del 60 al 80 por ciento de los costarricenses pensaban que el país iba en la dirección equivocada (CID, # 102). Además, ha bajado significativamente el interés por la política. La campaña, y particularmente el día electoral, en 2006, generaron el más bajo entusiasmo e interés en los procesos de elección que el autor haya observado desde 1986.

La encuesta de opinión pública realizada después del proceso electoral por el Instituto de Investigaciones Sociales de la Universidad de Costa Rica, en marzo y abril de 2006, encontró que alrededor del 97 por ciento pensaba que el proceso electoral había sido muy importante, sin embargo, solo el 29 por ciento indicaba que había tenido algún interés por la política, y el 62 por ciento señaló que había tenido o muy poco o ningún interés en nada de lo relacionado con política. Las encuestas de opinión pública de CID-Gallup encontraron similar desinterés desde el año 2000. Entre el 60-70 por ciento de esas encuestas indicaban que había "poco" o "ningún" interés en los "asuntos políticos" (CID, # 93).

En 2002, UNIMER encontró que aproximadamente el 75 por ciento de la gente entrevistada pensaba que el gobierno sería un poco o muy ineficiente (UNIMER, feb, 2004). Esas actitudes pesimistas han contribuido en una creciente corriente de desinterés en torno a la política, como se ilustró en las elecciones de 2006. Además, los problemas esbozados anteriormente sobre corrupción, incumplimiento de promesas hechas, y la incapacidad para resolver los asuntos políticos más importantes, han creado altos niveles de desconfianza y escepticismo entre los electores.

Abstencionismo

Como se ha visto a lo largo de este libro, el abstencionismo electoral es una preocupación creciente en Costa Rica. Fue de

34,79 por ciento en 2006, y creció desde el 31,16 por ciento en febrero de 2002. Algunas de las encuestas preelectorales de 2006 indicaban que podría sobrepasar el 40 por ciento. Dado el desinterés, la apatía, la preocupación sobre la corrupción, y la ausencia de propuestas de los partidos políticos, fue una sorpresa que el abstencionismo solamente creciera menos del cuatro por ciento de 2002 a 2006.

La mayor parte de la gente entrevistada por este autor, desde los transeúntes hasta los pequeños y desmotivados grupos en las plazas públicas, todo indicaba que el abstencionismo se ubicaría en los más altos niveles de la historia moderna costarricense. Sin embargo, no excedió el de 1958, aunque se esperaba que lo hiciera.

El realineamiento se ilustró también por el nivel del abstencionismo. Los votos para los candidatos presidenciales del PLN y del PUSC alcanzaron 722.206, mientras que 887.365 votantes registrados no ejercieron el sufragio. Los no-votantes se transformaron en el más amplio segmento del electorado, y el bipartidismo parece estar en coma. El PAC obtuvo 646.382 votos. Junto con el PLN, pudieron amasar un total de 1.310.933 votos, sea el 80,72 por ciento de los votos emitidos. Pareciera que el PAC y el PLN podrían transformarse en los partidos mayoritarios en el futuro, pero eso está en duda. El PAC es más un partido personalista que uno con políticas e ideología a largo plazo. Y el PLN podrá no hacerlo muy bien cuando Oscar Arias se retire de la política. En este momento es impredecible saber cuáles agrupaciones partidarias podrían transformarse en mayoritarias en el futuro.

Encuestas de opinión pública y los resultados finales

Se suponía que Oscar Arias ganaría con un amplio margen el proceso electoral de 2006. Una o dos semanas antes a la elección, las encuestas de opinión indicaban una diferencia del 20 al 25 por ciento entre el presidente Arias y Ottón Solís. Sin embargo, al final de la votación solo 18.169 sufragios separaron a ambos candidatos. Esta diferencia fue de solo 1,1 por ciento del total de votos emitidos.

A raíz de las significativas diferencias entre las encuestas de opinión pública y el conteo final de los votos, se emitieron muchas acusaciones y teorías para explicar esta anomalía. Se acusó a los medios de comunicación de estar sesgados y de publicar reportajes positivamente sobredimensionados a favor de Arias y hacer lo contrario con otros candidatos.

Hubo también denuncias de que las empresas encuestadores manipularon sus búsquedas con el fin de favorecer a Oscar Arias y desanimar a los votantes de los candidatos contrarios. Este autor rechaza esas acusaciones, porque los encuestadotes necesitaban ser idóneos para conservar el prestigio de sus empresas. Estos resultados electorales representaron un severo revés en su credibilidad, algo que no desearían que pasara muy a menudo.

Entonces, ¿mintieron los ticos a los encuestadores, o los cuestionarios fueron elaborados de manera incorrecta, o cuál sería la mejor explicación científica? El autor recuerda que en las elecciones de 1998 ocurrió algo semejante. Las encuestas preelectorales así como los sondeos fuera de las urnas dieron resultados equivocados. La principal explicación para ese comportamiento fue que muchos indecisos, en el último minuto, así como votantes leales al PLN que habían decidido no sufragar y, no obstante, llegaron a hacerlo, decidieron emitir su voto a favor de José Miguel Corrales y contra Miguel Ángel Rodríguez (capítulo 7, pp. 225-226).

Parece que algo similar ocurrió en 2006. Los indecisos y los anti-PLN y anti-Arias decidieron votar, en el momento decisivo, por Solís y en contra de Arias. Muchos seguidores de otros partidos pequeños también decidieron quebrar su voto y enfocar su lealtad partidaria en los representantes en la Asamblea Legislativa y no en los candidatos para la presidencia de los partidos minoritarios.

El estudio hecho por la Universidad de Costa Rica indicaba que la mayor parte de las diferencias entre las encuestas de opinión pública y los resultados finales podrían encontrarse en los votantes indecisos, quienes o bien no iban a votar o no habían escogido todavía a su candidato. Luego de que se realizaron las encuestas, ellos cambiaron su punto de vista, en el momento de ejercer el voto, y escogieron o bien contra Arias, o bien a favor de Solís.

Este autor piensa que hay otro factor que debería considerarse en la evaluación de las diferencias entre las encuestas de opinión y los resultados finales. Es necesario recordar que más del 32 por ciento de los electores quebraron su voto. Con la excepción del PLN, el PAC y la Unión Para el Cambio, los otros partidos obtuvieron más votos para diputados que para sus candidatos presidenciales. A lo largo de las encuestas, algunos candidatos presidenciales recibieron apoyo significativo, pero no recibieron muchos votos. Por ejemplo, Otto Guevara, del Movimiento Libertario, aparecía con el quince por ciento de los votos, Ricardo Toledo, del PUSC, podía lograr el seis por ciento, y Antonio Álvarez, de Cambio, el cuatro por ciento. Sin embargo, cuando se realizó el conteo de los votos, Guevara recibió el 8,48 por ciento, Toledo el 3,55 por ciento y Álvarez el 2,44 por ciento de los sufragios.

Pareciera que los electores costarricenses más sofisticados decidieron no desperdiciar sus votos en uno de los candidatos de los partidos minoritarios, y emitir sus votos, ya sea por Solís, o contra Arias. Con esa cantidad de votantes cambiando su escogencia a última hora, los resultados finales fueron mucho más cerrados de lo que habían anticipado las encuestas de opinión e incluso los sondeos del día electoral.

Temas y desafíos

Los temas tradicionales de desarrollo económico, reducción de la pobreza, mejor educación, calidad de los servicios de salud, vivienda económica y la reducción del crimen, enfrentan al nuevo presidente y a la Asamblea Legislativa ahora que empiezan su tarea, en 2006. Antes de asumir el mandato popular, el presidente Arias había enlistado esos asuntos en su Programa de Gobierno. Existen también tres temas adicionales, heredados de la antigua legislatura, que deben ser resueltos a corto plazo. Son asuntos conflictivos y capaces de causar al presidente Arias y a los diputados un largo período de huelgas, y pueden llegar hasta a perder el apoyo público. Son el Tratado de Libre Comercio Centro América y República Dominicana, la revisión de la estructura impositiva del país, y las políticas de control presente y futuro de la corrupción en la administración pública.

El Tratado de Libre Comercio será un asunto muy difícil para el presidente Arias, porque la mayor parte de la población tiene sentimientos encontrados con respecto al mismo y una expresiva amplia minoría tiene posiciones muy enérgicas en su contra. La revisión de la estructura impositiva hará muy difícil para Arias conservar el apoyo de los donantes ricos y de las exitosas corporaciones y empresas leales a su persona. Hay un movimiento mayoritario que busca incrementar los impuestos a los ricos y a las compañías más florecientes. Cualquier política para reducir la endémica corrupción encontraría un camino colmado de dificultades y el PLN podría enfrentar algunos de esos problemas sin que los acompañen los miembros de su propio partido.

Aunque esos temas no son tan difíciles como los que encontró el presidente Arias en su primera administración, son muchísimo más decisivos que los acuerdos de paz que él logró obtener a finales de los 80. En política interior, Arias tuvo grandes problemas para resolver cosas con el sector agrícola y con el sector de negocios en el país. Será interesante ver si puede resolver estas cosas mejor que lo que lo hizo durante su primera administración (1986-1990).

ASAMBLEA LEGISLATIVA 2006-2010

Provincias	Total	PLN	PAC	(ML) Libertario	PUSC	PASE	RN	FA	PUN
Costa Rica	57	25	17	6	5	1	1	1	1
San José	20	7	5	2	2	1	1	1	1
Alajuela	11	5	4	1	1				
Cartago	7	3	3	1					
Heredia	5	3	2						
Guanacaste	4	3	1						
Puntarenas	5	2	1	1	1				
Limón	5	2	1	1	1				

Bibliografía

Acuña, Víctor Hugo. "Memoria, olvido, impunidad y secularización política," en Alexánder Jiménez M., Jesús Oyamburu y Miguel Ángel González (Eds.) *La Percepción de lo político en Costa Rica* (pp. 211-220). Heredia, Costa Rica: Editorial Fundación UNA, 1998.

Aguilar Bulgarelli, Oscar. "El gran ganador en estas elecciones fue el país" *La Nacion Digital,* 19 febrero 1998, http://www.Nación.co.cr/In_ee/1998/Febrerorero/19/Opinión4 .html.

Aguilar Bulgarelli. *Costa Rica y sus hechos políticos de 1948.* Editorial Universitaria Centroamericana (EDUCA), 1974.

Aguilar Bulgarelli, Oscar. *Democracia y Partidos Políticos en Costa Rica.* San José, Costa Rica: Editorial. Universidad Estatal a Distancia, 1981, p.12.

Aguilar Bulgarelli, Oscar. *Evolución Político Constitucional de Costa Rica.* San José, Costa Rica: Litografía e Imprenta LIL, S.A, 1976.

Álvarez Desanti, Antonio. "Impunidad, Memoria y Olvido," en Alexander Jiménez M., Jesús Oyamburu, y Miguel Ángel González (Eds.). *La percepción de lo político en Costa Rica* (pp. 221-234). Heredia, Costa Rica: Editorial Fundación UNA, 1998.

Ameringer, Charles D. *Democracy in Costa Rica.* New York: Praeger, 1982.

Anderson, Tommie Cromwell. "The International Coffee Organization and Crisis Decision-Making." Paper given at the International Studies Association Meeting, April 1-5, 1992.

Angulo Zeledón, Rolando et al. *Elecciones 2002: Lo Que Piensan Los Candidatos Presidenciales.* Heredia, Costa Rica: Universidad Nacional, 2001.

Araya, Manuel et al. *Estado de la Opinión Publica en Costa Rica.* San José, Costa Rica: Editorial. CIMPA, 2001.

Araya, Manuel. Profesor de historia y Ciencias Políticas, Universidad de Costa Rica y presentador de un programa de T.V. educacional sobre política, asuntos externos e historia. Entrevistado en San José, Marzo 27, 1998.

Arias Sánchez, Oscar. "La verdad sobre la finca Santa Elena". *La Nación*, 25 dic. de 1992, 6A.

Arias Sánchez, Oscar. *El Camino de la Paz*. San José: Editorial Costa Rica, 1989.

Arias, Oscar. "Excerpts from Arias Talk to Congress", *New York Times*, 23 September 1987: 8.

Asamblea Legislativa. *Constitución Política de la República de Costa Rica del 7 de Noviembre de 1949*. San José, Costa Rica: Imprenta Nacional, 1974.

Auditoría Ciudadana sobre la Calidad de la Democracia. Vol.1 y 2, San José, Costa Rica: Proyecto Estado Nación, 2001.

Barahona, Francisco (Coord.) et al. *Costa Rica Hacia el 2000: Desafíos y Opciones*, San José: Editorial. Nueva Sociedad, Unitas/Profal, 1989.

Barry, Tom. *Costa Rica: A Country Guide*, Alburquerque: The Inter-Hipanic Educational Resource Center, 1989.

Barry, Tom. *Costa Rica: A Country Guide* (3 ed.) Albuquerque: The Inter-Hemisphere, Education Resource Center, 1991.

Baum, Geraldine. "First Solo Flight: Barbara Bush's Personal Style Proves Popular in Her Diplomatic Debut Abroad." *Los Angeles Times*, 1 May 1990: E-1.

Bell, John Patrick. *Crisis in Costa Rica: The 1948 Revolution*. Institute of Latin American Studies: The University of Texas at Austin, 1971.

Bertstein, Howard I., (Ed.). *Area Handbook for Costa Rica*. Washington D.C.: GPO 1970.

Biesanz, Mavis Hiltunen, Richard Biesanz, Karen Zubris Biesanz. *The Ticos: Culture and Social Change in Costa Rica*. Boulder, CO: Lynne Rienner Publishers, 1999.

Biesanz, Richard, Karen Zubris Biesanz, and Mavis Hiltunen Biesanz. *Costa Ricans*. Englewood, New Jersey: Prentice Hall, 1982, updated 1987.

Booth, John A. "Costa Rica: The Roots of Democratic Stability." in Larry Diamond et al. *Democracy in Developing Countries: Latin America*, Vol. 4, Boulder, Colorado: Lynne Riennen Publishers, 1989.

Booth, John A. *Costa Rica: Quest for Democracy*. Boulder, Colorado: Westview Press, 1998.

Boothe, Larry. Entrevista personal, Feb. 17, 1995.

Brennan, Peter. "Helms Battles Costa Rica Over Ranches Expropriation, Drug Trafficker Owns One, Illegal Airship was on Another." *The San Francisco Examiner*, 15 Dec. 1994, A-3.

Brennan, Peter. "What Went Wrong? Loss Analyzed." *Tico Times*, 11 Feb. 1994, p.10

Brewer, Thomas L. *American Foreign Policy: A Contemporary Introduction* (3 ed.) Englewood, New Jersey: Prentice Hall, 1992.

Burns, James MacGregor, J. W. Poltason, Thomas E. Cronin, y David Magleby. *Government by the People* (15th Ed.). Englewood Cliffs, New Jersey: Prentice Hall, 1993.

Busey, James L. *Notes on Costa Rican Democracy*, University of Colorado, Studies Series in Political Science, No. 2 Boulder: University of Colorado Press, 1967.

"*Calderon Criticizes Developed World's Threats, Pressures*" FIBS-LAT-93-20 2 Nov. 1993, p. 37.

Calderón, Catalina. "How Ticos Elect a President: C.R. System Unique." *Tico Times* 28 Jan. 1994, p.11.

Calvo, Yadira, et al. *Mitos y realidades de la democracia en Costa Rica*. Costa Rica: CEPAS/DEI,1990.

Carballo, Manuel. Entrevista personal. Viceministro de la Presidencia. San José, Costa Rica. 11 Julio 1984.

Carter, Tom. "Helms Bill to Tighten Vise on Cuba Could Allow Palestinians to Sue Israel." *Washington Times* 4 May, 1995: A-1.

Carvajal, Maria Elena. "Figueres needs funds for promised reforms." Tico Times 11 Feb. 1994: 27.

Centro de Estudios para la Acción Social, CEPAS, *Costa Rica: balance de situación* Nº 33 y Nº 34, octubre-diciembre 1989; enero-marzo 1990. San José, Costa Rica.

Consultoría Interdisciplinaria para el Desarrollo (CID). Gallup-affiliated Survey Research Center in San José. Encuesta de opinión pública Nº 32.

CID-Gallup, Opinión Pública # 15, "Costa Rica." San José, Costa Rica, Noviembre 1983.

CID-Gallup, Opinión Pública # 16, "Costa Rica." San José, Costa Rica, Febrero 1984.

CID-Gallup, Opinión Pública # 21, "Costa Rica." San José, Costa Rica, Noviembre 1985.

CID-Gallup, Opinión Pública # 23, "Costa Rica." San José, Costa Rica, Julio, 1986.

CID-Gallup, Opinión Pública # 25, "Costa Rica." San José, Costa Rica, Julio, 1987.

CID-Gallup, Opinión Pública: Costa Rica, #40, Marzo 1992.

CID-Gallup, Opinión Pública: Costa Rica, #44, Marzo 1993: 12.

CID-Gallup, Opinión Pública: Costa Rica, #62, Enero 1996: 9.

CID-Gallup, Opinión Pública: Costa Rica, #73, Enero 1998.

CID-Gallup, Opinión Pública: Costa Rica #73 (Especial), Enero 1998.

CID-Gallup, Opinión Pública: Costa Rica, # 75, Julio 1998.

CID-Gallup, Opinión Pública: Costa Rica, # 76, Nov. 1998.

CID-Gallup, Opinión Pública: Costa Rica, #84, Oct. 2000.

CID-Gallup, Opinión Pública: Costa Rica #85, Enero 2001.

CID-Gallup, Opinión Pública: Costa Rica #93, Enero 2003.

"Conozca Todas sus opciones de Voto," *Sinergia, Revista de Comunicación*, edición especial, Elecciones 1998, vol 4 # 8, 1998.

Constitution of the Republic of Costa Rica, 1949 (as amended) (1965). Pan American Union, General Secretariat, Washington, D.C.

Contreras, Gerardo. *Costa Rica en la encrucijada neoliberal (1980-1997)*. Costa Rica: Alma Mater, 1999.

Cordero, Juan Fernando. "Solucionadas tres expropiaciones". *La Nación* 9 Nov. 1993: 6-A.

Corn, David. "Foreign Aid for the Right." *The Nation* 18 Dec. 1989, pp.744-746.

Coughlin, Jennifer. "Costa Rica: Tax Package Approved." *Mesoamerica* vol. 14 #9, Sept. 1995, pp. 9-10.

Coughlin, Jennifer. "Costa Rica: Tax Package Approved," *Mesoamerica* vol. 14 #9, Sept. 1995, pp. 9-10.

Cristian, Shirley. *Nicaragua: Revolution in the Family*. New York: Vintage, 1986.

Churnside, Roger. "¿Votar o no votar?" *La Nación Digital*, 21 de Febrero de 1998, http://www.Nación .co.cr/In_ee/1998/Febrero/21/Opinión4.html.

Dahl, Robert A. *Democracy and its Critics*. New Haven, CT: Yale University Press, 1989.

Dahl, Robert A. *Polyarchy: Participation and Opposition.* New Haven, CT: Yale University Press, 1972.

Democracy in Developing Countries: Latin American, Vol. 4, Boulder, Colorado: Lynne Rienner Publishers, 1989.

Denton, Carlos. *Propietario y Gerente General,* CID--Gallup, experto de encuestas de opinión pública, en San José, Febrero 2, 1998.

Denton, Charles F. Entrevista personal. San José, Costa Rica, el 14 de diciembre de 1989, 2 de Febrero de 1994; 22 de Febrero 1993, y 4 de Junio de 1992.

Denton, Charles F. *Patterns of Costa Rican Politics.* Boston: Allyn and Bacon, 1970.

Denton, Charles F. y Olda M. Acuña. *La Elección de un Presidente: Costa Rica 1982.* San José: Imprenta Nacional, 1984.

Dinges, John. *Our Man in Panama.* New York: Random House, 1990.

Dobles, Ignacio. "Desencanto y Política: Nos siguen pegando bajo," en Alexander Jiménez M., Jesús Oyamburu, y Miguel Ángel González (Eds.). *La percepción de lo político en Costa Rica* (pp. 17-26). Heredia, Costa Rica: Editorial Fundación UNA, 1998.

Dyer, Dery. "No Jokes! Chile" Pickings Slim This Season", *Tico Times* 4 Feb. 1994:15.

Edelman, M. and J. Hutchcroft. "Costa Rica: Modernizing the Non Army." *NACLA Report on the Americas* XVIII, 2 (March/April) 1984 :9-11.

Eisner, Thomas, Edward Wilson and Peter Raven. "Letter to the Editor." *New York Times* 12 Oct. 1987.

Eisner, Thomas, Edward Wilson and Peter Raven. "Letter to the Editor." *New York Times* 25 Jan. 1994.

"EE. UU. Congeló cuota azucarera a CR." *La República* 26 de Abril de 1990, 10-A.

Espinoza, Juan Rafael. *La Democracia Costarricense.* Heredia, Costa Rica: Editorial de la Universidad Nacional, 1986.

Estado de La Nación en Desarrollo Humano Sostenible, Vol. 4, San José, Costa Rica: Proyecto Estado Nación, 1998.

Estado de La Nación en Desarrollo Humano Sostenible, Vol.7, San José, Costa Rica: Proyecto Estado Nación, 2001.

Fischel, Astrid. *et al. Historia de Costa Rica en el Siglo XX.* San Pedro, Costa Rica: Editorial Porvenir, 1991.

Foreign Broadcast Information Services, FBIS, Latin America.

Furlong, William L., "Costa Rica: Caught Between Two Worlds." *Journal of Interamerican Studies and World Affairs*, Vol. 29, N° 2, Summer 1987: 119-154.

Furlong, William L. "Elections and the Election Process in Costa Rica in 1986", *UFSI Reports* Latin America 1986/N° 13.

Furlong, William L. "The Promise of Democracy in Central America", *UFSI Reports* Latin America, 1990-1991/N° 6.

Furlong, William L. "La democracia costarricense: desarrollo continuo a pesar de las ambigüedades e impedimentos." *Anuario de Estudios Centroamericanos*, Universidad de Costa Rica: 20(2), 121-146, 1994 (Publicado en 1996).

Gallardo, María Eugenia y José Roberto López. *Centroamérica, la crisis en cifras*. San José, Costa Rica: FLACSO, 1986.

García Laguardia, Jorge Mario, et. al. *Legislación Electoral Costarricense*. San José, Costa Rica: CAPEL, 1986.

Goldrich, Daniel. *Sons of the Establishment: Elite Youth in Panama and Costa Rica*. Chicago: Rand McNally, 1966.

Goshko, John M. "*Colombian President Elected to Lead OAS after Clash of Big and Small Powers*". *Washington Post*, March 28, 1994: 22-A.

Gobierno de Costa Rica, *Costa Rica: algunas estadísticas económicas*, San José, Costa Rica: Depto. Investigaciones Económicas, Feb. 1986, pp. 5-8.

Guevara M., José David. "Fuerte aumento para Presidente." *La Nación Digital* 29 de Diciembre, 1998, http://www.Nación.co.cr/ln_ee/1998/diciembre/29/país2.html.

Hamilton, Joseph. "*Debe reafirmarse el régimen de derecho*", *La Nación* 28 de diciembre de 1992: 18-A.

Hartlyn, Jonathan, Lars Schoultz and Augusto Varas, Introduction. *The United States and Latin America in the 1990s: Beyond the Cold War*. Chapel Hill: University of North Carolina Press, 1992.

Hernández, Rubén. Presentación oral. Center of Electoral Counsulting and Advancement. San José, Costa Rica, Febrero, 1986.

Hernández Valle, Rubén. "Unas elecciones atípicas." *La Nación Digital* 6 de Febrero, 1998. http://www.Nacion.co.cr/ln_ee/1998/diciembre/29/pais2.html

Herrera Ulloa, Mauricio. "*EE. UU. presiona por Millicon*". *La Nación*, 12 de enero de 1995: 8-A.

Herrera Ulloa, Mauricio. "Deuda política: PUSC y PLN sobrepasaron gastos." *La Nación Digital.* 25 de Abril, 1998. http://www.Nación.co.cr./ln_ee/1998/abril/25/país2.html

Herrera Ulloa, Mauricio. "PLN ataca aumento presidencial". *La Nación Digital,* 30 de Diciembre, 1998. http://www.Nación.co.cr/ln_ee/1998/diciembre/29/país2.html

Herrera Ulloa, Mauricio. "Alcaldías alivian al PUSC y PLN". *La Nación Digital,* 3 de Diciembre, 2002. www.nacion.com/ln_ee/2002/diciembre/03/pais7

Herrera, Vilma (Editora). *Centroamerica en cifras: 1980-1992.* San Jose: FLACSO, 1995.

Hey, Jeañe A. and Lynn M. Kuzma. "Anti-U.S., Foreign Policy of Dependent States: Mexican and Costa Rican Participation in Central America Peace Plans." *Comparative Political Studies* Vol. 26, N°1, April 1993: 30-62.

Honey, Martha and Tony Avirgan. *La Penca: Reporte de una Investigación.* Lima, Perú: Ediciones El Gallo Rojo, 1985.

Honey, Martha. *Hostile Acts: U.S. Policy in Costa Rica in the 1980's.* Gainesville: Florida Universities Press, 1994.

Huntington, Samuel P. *The Third Wave: Democratization in the Late Twentieth Century.* Norman, OK: University of Oklahoma Press.

Jiménez M., Alexánder, Jesús Oyamburu, y Miguel Ángel González (Eds.). *La percepción de lo político en Costa Rica. Heredia.* Costa Rica: Editorial Fundación UNA, 1998.

Jiménez M., Alexánder. "Poderes a la deriva" en Alexánder Jiménez M., Jesús Oyamburu, y Miguel Ángel González (Eds.). *La percepción de lo político en Costa Rica.* Heredia, Costa Rica: Editorial Fundación UNA, pp. 7-15, 1998.

Kamen, Al. "Reagan-Era Zeal for Central America Fades: Region Once Called 'Most Important Place' in World for U.S. is no Longer Foreign Policy Priority". *The Washington Post,* Oct. 16, 1990: 18-A.

Kanjorski, Congressman. "When Special Interest Groups Conducts American Foreign Policy." U.S. Congress, *Congressional Record.* July 20, 1993, 103rd Congress, 139: H4808.

Kantor, Harry. *Patterns of Politics and Political Systems in Latin America.* Chicago: Rand McNally, 1969.

Key, V.O. "A Theory of Critical Elections." *Journal of Politics* 17 Febrero (1955): pp. 3-18.

Kinzer, S. "Costa Rican Peace Plan Draws Doubt." *New York Times* 26 April 1987: 84.

Kornbluh, Peter and Martha Honey. *"The Case of Ollie's Airstrip: Iran/Contra in Costa Rica."* *The Nation* 22 Feb.1993, pp. 229-232.

La Nación. 17 Agosto 1984a: 1.

_____ 1 Agosto 1984b: 16A.

_____ 24 Junio 1984c: 6A.

_____ 18 Junio 1984d: 4A.

La Nación Digital. Enero 28-Febrero 5, 1998 y Marzo 19-Marzo 28, 1998.

La Nación Digital. Enero 1997-Abril 1998, http://www.nación.com

La Nación Digital. 1º de febrero de 1990, p. 5A.

La Nación Digital. 2 de febrero de 1990, p. 4A.

La Nación Digital. 5 de febrero de 1990.

La Nación Digital. Enero 28-Febrero 5, 1998 y Marzo 19-Marzo 28, 1998.

La República 24 de Enero de 1994, p. 4-A; 2 de Feb. de 1994. p. 4-A and 3 de Feb. de 1994, p.6-A.

Lincoln, J. "Neutrality Costa Rican Style" *Current History* 84, 500, March (1985): 118-121, 136.

Lirset, Seymour Martin. *Political Man: the Social Basis of Politics.* Garden City, New York: Doubleday & Co., 1963.

Lizano, Eduardo. *1999: Ajuste y Crecimiento de la Economía en Costa Rica 1982-1994.* Costa Rica: Academia de Centroamérica, Lil, S. A.

Lowenthal, Abraham F. "Changing U.S. Interests and Policies in a New World", in Jonathan Hartlyn, Las Schoultz and Augusto Varas, *The United States and Latin America in the 1990s: Beyond the Cold War*, Chapel Hill: The University of North Carolina Press, 1992 pp. 64-85.

Lowenthal, Abraham F., *"Latin America and the United States in a New World: Prospects for Partnership"*, in Abraham F. Lowenthal and Gregory F. Treverton (eds.). *Latin America in a New World.* Boulder: Westview Press, 1994.

Madrigal Porras, A. Entrevista con el autor. San José, Costa Rica. 12 Agosto, 1984.

Marín, Milton. Conversación personal. Profesor de Economía en la Universidad Panamericana y empresario independiente, en San José, Febrero 1, 1998.

Matute, Ronald. "Figueres descarta sanción de EE. UU." *La Nación* 28 de agosto de 1994, 5-A.

Matute, Ronald. "Epitafio de una era," *La Nación Digital*, 15 de Febrero, 1998, http://www.Nación .co.cr/ln_ee/1998/Febrero/15/país7.html

McManes, Doyle. "*U.S. Fund Gives $433,000 to Opponents of Costa Rican Leaders.*" *Los Angeles Times* 14 Oct.1989: 16-A.

McPhaul, John. "*Cellular Telephones Silenced.*" *The Tico Times* 12 May 1995: 1 and 21.

McPhaul, John. "Deal Eases U.S.-C.R. Dispute." *The Tico Times* 21 April 1995: 1 and 12.

Méndez, William. "PLN y PUSC con 1940 millones." *La Nación* 10 Febrero, 1994: 4-A.

Mendoza, J. Entrevista personal. El nombre es un pseudónimo para proteger su identidad. Tilarán, Costa Rica. 6 Julio 1984.

Menjívar Larín, Rafael y Jorge Rodríguez Román, *Centroamérica en cifras 1980-1996*. San Jose; FLACSO, 1998.

Millard, W. "Public Opinion in Four Countries of Central America" Research Report. Washington, DC: US Agency for International Development 1983.

Molina, Iván y Fabrice Lehoucq. *Urnas de lo Inesperado: Fraude Electoral y Lucha Politica en Costa Rica (1901-1948)*, Costa Rica: Editorial de la Universidad de Costa Rica, 1999.

Molina, Iván y Steven Palmer. *1997: Historia de Costa Rica. Breve, actualizada y con ilustraciones*. Costa Rica: Editorial de la Universidad de Costa Rica.

Moon, Bruce E., "*The Foreign Policy of the Department State.*" International Studies Quarterly. Vol 27, Nº 3, Sept. 19.

Mora, José Luis. "*Pérdidas por $4 Millones Provoca Embargo Atunero.*" *La Nación* 5 de Feb. de 1992.

"*More Calderon on U.S. Policy*". FBIS-LAT-93-167, 31 August, 1993: 8.

Moreno, Dario. *The Stryggle for Peace in Central America*. Gainesville: University Press of Florida, 1994.

Moreno, Dario. U.S. *Policy in Central America: The Endless Debate*. Miami: Florida International University Press, 1990.

Morrison, James. "Embassy Run." *Washington Times* 25 March 1994, p. 12-A y 16-A.

Mourelo, José Néstor., H. A. Muñoz, E. van Browne, R. Arévalo, B. Baruch. *La Neutralidad Perpetua de Costa Rica.* Memoria del Primer Congreso Mundial de Derechos Humanos, Vol. I. San José, Costa Rica: Imprenta Nacional, 1984.

Muchos amigos, conocidos y gente en la calle, chóferes de taxi, meseros, etc. De Enero 29 a Febrero 5, 1998.

Murillo, Nelson. "*Tarjeta roja a Estados Unidos*". *La Nación*, 1 de Nov. 1993, 12-A.

Muñoz Guillén, Mercedes. *1990: El Estado y la abolición del ejército 1914-1949.* Costa Rica: Editorial Porvenir.

Nelson, Harold D. (editor). *Costa Rica: A Country Study* (2nd ed.). Washington, DC: US Government Printing Office, 1983.

Niehaus, Bernd. Entrevista con el autor. San José, Costa Rica, 21 Agosto, 1995.

Noguera C., Yanancy. "EE. UU. presiona por propiedad intelectual." *La Nación*, 22 de Feb 1992.

Noguera, Yanancy. "Rodríguez justifica su aumento," *La Nación Digital*, 5 de Enero, 1999, http://www.Nación .co.cr/ln_ee/1999/enero/05/país5.html.

Noti Sur, "In Controversial Election, Colombian President Cesar Gaviria is Elected as Secretary General of the O.A.S." *Norte-Sur-Latin American Political Affairs*. University of New Mexico, 8 April 1994.

Notimex Mexican News Service, 26 Feb 1993 (Nexis).

Obregón, C. *Costa Rica y Nicaragua: Los Tratados de 1846 Proyecto: Historia de las Relaciones Internacionales*, Escuela de Historia y Geografía. San Pedro, Costa Rica: Universidad de Costa Rica, 1978.

Pacheco Sánchez, Luis Arnoldo, "El reto de los Partidos Políticos" *La Nación Digital*, 22 de Febrero, 1998, http://www.nación.co.cr/ln_ee/1998/Febrerorero/22/Opinión3.html.

Parry, Robert. "Hostile Acts: U.S. Policy in Costa Rica in the 1980's" *Review of Voice Literary Supplement*, NEXIS, Nov. 8, 1994: 14.

Partido Socialista Costarricense (PSC) *Costa Rica entre la Neutralidad y la Guerra: el libro blanco de una agresión contra la democracia*. San José, Costa Rica: PSC 1984.

Partido Unidad Social Cristiana, *Programa de gobierno 1990-1994*, San José: Talleres Gráficos Trejos Hermanos, 1989, p. 11.

Peeler, John A. *Latin American Democracies: Colombia, Costa Rica, Venezuela*. Chapel Hill: The University of North Carolina Press, 1985.

Peeler, John. *Building Democracy in Latin America*. Boulder, CO: Lynne Rienner Publishers, 1998.

Pérez Yglesias, María. "Pensar la democracia: valores y medios de comunicación social," *Revista de Ciencias Sociales*, Universidad de Costa Rica, No. 48, Junio 1990, pp. 67-77.

Picado, Sonia. Entrevista con el autor. Embajadora de Costa Rica en EE. UU., en Washington, D.C., Oct. 12, 1994.

Poltronieri Vargas, Jorge. "Fundamento Teórico – Metodológico del estudio de la opinion pública" pp 1-46, en Manuel Araya Incera, *Estado de la Opinión Pública en Costa Rica*, San José, Costa Rica: Editorial. CIMPA, 2001.

Proyecto Estado de La Nación en Desarrollo Humano Sostenible. 2001: Auditoría ciudadana sobre la calidad de la democracia. Volumen I y II. Costa Rica: Editorama.

Przeworski, Adam. *Sustainable Democracy*. NY: Cambridge University Press, 1995.

Quesada Chanto, Basilio. *"Extranjeros Atacaron a Pescadores Nacionales"*. *La República*, 25 de Feb. De 1992: 22-A.

Quesada, Juan Rafael (ed.). *La Democracia en Costa Rica, Pasado, Presente y Futuro*, Heredia, Costa Rica: Universidad Nacional, 1990.

Quirós, Gabriela, en su artículo en *El Tico Times*, 18 de febrero de 1994, pág.4; "Censorship Charges Stir Debate", dice que el TSE prohibió 161 anuncios políticos. Ella enfrenta este problema de forma diferente y utiliza ese número (161), en lugar de 185, empleado por *La República*, 3 de febrero de 1994, pág.6 A.

Ramírez B., Edgar Roy, "La Impunidad de los políticos," en Alexander Jiménez M., Jesús Oyamburu, y Miguel Ángel González (Eds.) *La percepción de lo político en Costa Rica* (pp. 235-240). Heredia, Costa Rica: Editorial Fundación UNA, 1998.

Ramirez S. Alexander, "Menos mujeres en municipios" www.nacion.com/ln_ee/2002/diciembre/03/pais7

"Revista Dominal." *La Nación*, 27 de enero del 2002.

Rodríguez Vega, Eugenio. "Deber y haber del hombre costarricense." *Revista de la Universidad*, No. 10, San José, Costa Rica, 1954, pp. 9-32.

Rodríguez, José Miguel. "El Concepto de Democracia en América Latina", *Revista de Ciencias Sociales*, Universidad de Costa Rica, No. 48, Junio 1990, pp. 7-15.

Rodríguez, Julio. Analista político y editor de *La Nación*, en San José, Enero 29, 1998.

Rojas, Aravena F. "La Percepción de la Crisis Centroamericana en la Administración Monge Álvarez." Serie Documentos, *Estudio*, Heredia, Costa Rica: Universidad Nacional 1984.

Rojas Aravena, Francisco. *Costa Rica: Política Exterior y Crisis Centroamericana*. Heredia, Costa Rica: Universidad Nacional, 1990.

Rojas, Bolaños, Manuel. *Costa Rica: la democracia inconclusa*, San José: Editorial DEI, 1989.

Rossi Chavarría, Jorge. "¿Goliat contra David?" *La Nación*, 28 de Enero de 1995: 14-A.

Sáenz, José. Dr. en Economía, ahora en negocios propios, y miembro leal del PLN, entrevista con el autor en San José, Febrero 4, 1998.

Salazar Mora, Orlando y Jorge Mario Salazar Mora. *Los partidos políticos de Costa Rica*. San José: Editorial Universidad Estatal a Distancia, 1991.

Salom Echeverría, Alberto. Entrevista con el autor con uno de los fundadores originales del partido socialista y actual Vicerrector de vida estudiantil en la Universidad Nacional en Heredia, enero 30, 1998.

Salom Echeverría. Roberto. *La crisis de la izquierda en Costa Rica*. San José: Editorial El Porvenir 1987.

Salom Echeverría, Roberto."¿Sobrevivirá la Izquierda? Una reflexión sobre su crisis y el impacto de las elecciones de 2002". Documento no publicado, 2003. Comunicación enviada por su autor, M. Sc. Roberto Salom Echeverría, vía correo electrónico.

Seligson, Mitchell A. and John A. Booth. "Structure and Levels of Political Participation in Costa Rica: Comparing Peasants with City Dwellers," Ch. 6 of Seligson and Booth, eds., *Political Participation in Latin America*, Vol. II: *Politics and the Poor*, New York: Holms and Meier, 1979.

Seligson, Mitchell A. and Miguel Gomez B. "Ordinary Elections in Extraordinary Times: The Political Economy of Voting in Costa Rica," in John A. Booth and Mitchell A. Seligson, eds., *Elections and Democracy in Central America*, Chapel Hill: University of North Carolina Press, 1989.

Sibaja, Luis Fernando. *Nuestro límite con Nicaragua*. San José, Costa Rica: Talleres Gráficos de Instituto Técnico Don Bosco, Septiembre 1974.

Sojo, Carlos. *La utopía del Estado mínimo: Influencias de AID en Costa Rica en los años ochenta*, Managua, Nicaragua: Cries, 1991.

Solís, Luis Guillermo. Entrevista personal con el jefe ejecutivo del Ministerio de Relaciones Exteriores. San José, Costa Rica. 10 y 21 Julio 1987.

Solís, Luis Guillermo. Entrevista personal con el Asesor del ministro de relaciones exteriores y embajador para América Central, en San José, Febrero 2, 1998.

Vargas Solís, Luis Paulino (ed.). *Crisis económica y ajuste estructural*. San José, Costa Rica: Universidad Estatal a Distancia, 1990.

Villegas Antillón, Rafael. Exposición oral. Centro (Interamericano) de Asesoría y Promoción Electoral, Instituto Interamericano de Derechos Humanos.

Suñol, Julio. Editorialista político. *La República*, en San José, Enero 30, 1998.

Tico Times "Figueres Advisors Push for Stiff New Tax Hikes", 11 Feb. 1994, p.26.

Tico Times "Random Notes from Election Fronts". 4 Feb. 1994, p.11.

Tico Times 8 May 1987: 1 and 10.

Timosi, Gerardo. *Centroamérica, Deuda Externa y Ajuste Estructural: las transformaciones económicas de la crisi*s. Costa Rica: CRIES/DEI 1989.

Tinoco, Víctor Hugo. *Conflico y Paz: El Proceso Negociador Centroamericano*, Mexico D.F.: Editorial Mestiza, 1989.

Tomasek, Robert D. *The Deterioration of Relations between Costa Rica and the Sandinistas*. Washington, DC: American Enterprise Institute, Center for Hemispheric Studies, September 1984.

Tomasek, Robert D. "Costa Rica," Ch. 4 in Ben C. Burnett and Kenneth F. Johnson, ads., *Political Forces in Latin America*, New York: Wadworth, 1968.

Tribunal Supremo de Elecciones (TSE), *Cómputo de votos y declaratorias de elección 1990*. San José: TSE, 1990: 8.

Tribunal Supremo de Elecciones. *Ley Orgánica y Código Electoral*, San José, Costa Rica, Imprenta Nacional, 1989.

Tribunal Supremo de Elecciones. *Declaraciones de elecciones*. Diciembre 2002 20/12/02, www.tse.go.cr./decl

Tribunal Supremo de Elecciones. República de Costa Rica, *Elecciones 2002-Avance de Resultados*. 07/feb/2002, www.tse.go.cr/webapp/tse

Tribunal Supremo de Elecciones. *Cómputo de votos y declaraciones de elección–1994*. San José, Costa Rica: Imprenta Naciónal, Febrero. 1995.

Tribunal Supremo de Elecciones. *Cómputo de votos y declaraciones de elección: 1990*, San José: Imprenta Nacional, 1990.

Tribunal Supremo de Elecciones. *Cómputo de votos y declaraciones de elección: 1994*, San José: Imprenta Nacional, 1994.

Tribunal Supremo de Elecciones. *Cómputo de votos y declaraciones de elección: 1998*, San José: Imprenta Nacional, 1998.

Tribunal Supremo de Elecciones. *Elecciones en cifras*. San José, Costa Rica: Imprenta Nacional, 1988.

Tribunal Supremo de Elecciones. *Escrutinio de elecciones para diputados celebradas el 1 de Febrero de 1998*, (impresión en computadora), 25 de Febrero. de 1998.

Tribunal Supremo de Elecciones. *Escrutinio de elecciones para presidente y vicepresidentes celebradas el 1 de Febrero de 1998*, (impresión en computadora), 16 de Febrero de 1998.

Tribunal Supremo de Elecciones. *Estadísticas del sufragio: 1986*, San José: Imprenta Nacional, 1986.

Tribunal Supremo de Elecciones. Información al autor, San José, Costa Rica, 28 de agosto de 1995.

Ullman, Richard H. *"The United States, Latin America, and the World After the Cold War"*, in Abraham F. Lowenthal and Gregory F. Treverton (eds.). *Latin America in a New World*. Boulder: Westview Press, 1994.

Unimer Encuesta 1-2001. Http://www.nacion.co.cr/ln_encuestasunimer/012001/Parte3.htm

Unimer Encuesta 12-2001.

Unimer Encuesta 1-2002.

Urbina, Jorge. (1984) Entrevista con el Viceministro de Relaciones Exteriores. San José, Costa Rica. 21 y 31 de Julio.

Urcuyo, Constantino, "Civil-Military Relations in Costa Rica: Militarization or Adaptation to New Circumstances," in Louis W. Goodman et al., *The Military and Democracy: The Future of Civil-Military Relations in Latin America*. Lexington, Mass: Lexington Books, 1990.

U.S. Agency for International Development (US-AID), *Congressional Presentation*, FY 1984. Washington, DC: US Agency for International Development 1983.

U.S. Agency for International Development (US-AID) *Congressional Presentation*, FY 1985, Main Volume. Washington, DC: US Agency for International Development 1985.

U.S. Congress. Senate. Committee on Appropriations. *Report: Foreign Assistance and Related Programs*. 99th Congress, 2nd session. Washington, DC: US Government Printing Office 1986.

U.S. Department of Commerce., *Foreign Economic Trends and their Implications for the United States ("Costa Rica")*. Washington, DC: US Department of Commerce, May 1984.

U.S. Department of Commerce. (US-DC) *Foreign Economic Trends and their Implications of the United States ("Costa Rica")*. Washington, DC: US Department of Commerce, June 1986.

U.S. Dept. of Commerce, *Foreign Economic Trends and Their Implications for the United States: Costa Rica*. Aug. 1989. International Trade Administration. Washington D.C., GPO.

U.S. Department of Defense and Department of State. (US-DD-DS) *The Soviet Connection of Central America and the Caribbean*. Washington, DC: US Departments of Defense and State, March 1985.

U.S. Department of Defense and Department of State. (US-DD-DS), *Background Paper: Nicaragua's Military Build-up and Support for Central American Subversion*. Release of 18 July 1984. Washington, DC: US Departments of Defense and State, 1984.

U.S. Department of State (US-DS) Bureau of Public Affairs. "US Interests and Resource Needs in Latin America and the Caribbean." by Elliot Abrams (Current Policy No. 932, April). Washington, DC: US Department of State 1987.

U.S. Department of State (US-DS), *Foreign Assistance Program: FY 1986 Budget and 1985*. Supplemental Request (Special Report No. 128 May 1985). Washington, DC: US Department of State.

U.S. Information Agency (USIA) "Costa Ricans of All Classes Share Common Perceptions of Conflict in Central America." *Research memorandum*, 19 March, USIA press kit. Washington, DC: US Information Agency 1984.

U.S. President's Special Review Board *(Tower Report) Report of the President's Special Review Board*, 26 February. Washington, DC: US Government Printing Office 1987.

Vega, José Luis. Profesor de sociología y analista político. Entrevista personal, en la Universidad de Costa Rica, Febrero 2, 1998.

Villalobos B., Lorena. *"EE. UU. cuestiona fallo sobre lanchas detenidas"*. *La Nación*, 26 de agosto de 1992: 12-A.

Villegas Antillón, Rafael. "Algunas consideraciones respecto a la legislación electoral de Costa Rica," en *Legislación Electoral Comparada: Colombia, México, Panamá, Venezuela y Centroamérica*. San José, Costa Rica:

Centro de Asesoría y Promoción Electoral, Instituto Interamericano de Derechos Humanos, 1986. pp. 77-107.

Villegas Antillón, Rafael. Entrevistas en San José, Costa Rica, Enero 27, 1994; Junio 1992 y Julio 8, 1991.

Washington Report on the Hemisphere. Volume 4, 18 (26 June): 1 and 6 1986.

Wiarda, Howard J. *American Foreign Policy Toward Latin America in the 80s and 90s*. New York: New York University Press, 1992.

Wiarda, Howard J. *The Continuing Struggle for Democracy in Latin America*. Boulder, CO: Westview Press. 1980.

Wilson, Bruce M. *Costa Rica: Politics, Economics, and Democracy*. Boulder, CO: Lynne Rienner Publishers, 1998.

Xinhua News Agency. *"Foreign Minister Reveals CIA Operations in Costa Rica"*. The Xinhua General Overseas News Service, Jan. 7, 1993.

Zelaya, Chester (ed.). *Democracia Costarricense: Pasado, Presente y Futuro*, San José, Costa Rica, Editorial Universidad Estatal a Distancia. 1989.

Zeledón Cambronero, Mario, et al.: *La Desinformación de la Prensa en Costa Rica: Un grave peligro para la Paz*. Costa Rica: ICES, 1987

Zeledón Cambronero, Mario, *"Comunicación social y construcción de la democracia"*; en *Reflexiones* 79, revista de la Facultad de Ciencias Sociales de la Universidad de Costa Rica, II-2000; pp. 39-49, 2000.

Zeledón, Mario. Director del Programa de Posgrado en Comunicación, Universidad de Costa Rica, en Logan, Utah, Enero-Marzo 1998.

Acerca del autor

El Dr. William L. Furlong es catedrático de la Universidad Estatal de Utah (USU), donde ha dictado cursos durante treinta y seis años. Sus preocupaciones docentes incluyen la Política Latinoamericana, las Relaciones de los Estados Unidos con América Latina, la Política Exterior estadounidense, la Política Comparada y las Relaciones Internacionales. Ha recibido cinco Becas Fulbright como catedrático, para dictar cursos y hacer investigación en Costa Rica, Panamá, Honduras y República Dominicana, y ha dictado muchos seminarios específicos y cursos en más de diez países latinoamericanos, auspiciado por la Agencia de Información de los Estados Unidos. En 1984 fue galardonado como Profesor del Año en la USU, y ha sido Investigador del Año y Consejero del Año en la Facultad de Humanidades, Artes y Ciencias Sociales de esa institución académica. Es uno de los profesores consejeros del Pi Sigma Alfa (la sociedad honoraria nacional estadounidense en ciencias políticas), en el cual ha sido premiado dos veces como Profesor Consejero Nacional del Año. Es autor de dos libros, y coautor de otros tres. Ha publicado numerosos artículos y capítulos en libros sobre la política latinoamericana y sobre las relaciones entre los Estados Unidos y Latinoamérica.

Se terminó de imprimir en la Sección de Impresión del SIEDIN, en el mes de marzo de 2008.